남북한 유엔 가입

결의안 채택 및 대응 3

남북한 유엔 가입

결의안 채택 및 대응 3

한국학술정보

| 머리말

유엔 가입은 대한민국 정부 수립 이후 중요한 숙제 중 하나였다. 한국은 1949년을 시작으로 여러 차례 유엔 가입을 시도했으나, 상임이사국인 소련의 거부권 행사에 번번이 부결되고 말았다. 북한도 마찬가지로, 1949년부터 유엔 가입을 시도했으나 상임이사국들의 반대에 매번 가로막혔다. 서로가 한반도의 유일한 합법 정부라 주장하는 당시 남북한은 어디까지나 상대측을 배제하고 단독으로 유엔에 가입하려 했으며, 이는 국제적인 냉전 체제와 맞물려 어느 쪽도 원하는 바를 성취하지 못하게 만들었다. 하지만 1980년대를 지나며 냉전 체제가 이완되면서 변화가 생긴다. 한국은 북방 정책을 통해 국제적 여건을 조성하고, 남북한 고위급 회담 등에서 남북한 유엔 동시 가입 등을 강력히 설득한다. 이런 외교적 노력이 1991년 열매를 맺어, 제46차 유엔총회를 통해 한국과 북한은 유엔 회원국이 될 수 있었다.

본 총서는 외교부에서 작성하여 30여 년간 유지한 남북한 유엔 가입 관련 자료를 담고 있다. 한국의 유엔 가입 촉구를 위한 총회결의한 추진 검토, 세계 각국을 대상으로 한 지지 교섭 과정, 국내외 실무 절차 진행, 채택 과정 및 향후 대응, 관련 홍보 및 언론 보도까지 총 16권으로 구성되었다. 전체 분량은 약 8천 쪽에 이른다.

2024년 3월

한국학술정보(주)

| 일러두기

· 본 총서에 실린 자료는 2022년 4월과 2023년 4월에 각각 공개한 외교문서 4,827권, 76만 여 쪽 가운데 일부를 발췌한 것이다.

· 각 권의 제목과 순서는 공개된 원본을 최대한 반영하였으나, 주제에 따라 일부는 적절히 변경하였다.

· 원본 자료는 A4 판형에 맞게 축소하거나 원본 비율을 유지한 채 A4 페이지 안에 삽입하였다. 또한 현재 시점에선 공개되지 않아 '공란'이란 표기만 있는 페이지 역시 그대로 실었다.

· 외교부가 공개한 문서 각 권의 첫 페이지에는 '정리 보존 문서 목록'이란 이름으로 기록물 종류, 일자, 명칭, 간단한 내용 등의 정보가 수록되어 있으며, 이를 기준으로 0001번부터 번호가 매겨져 있다. 이는 삭제하지 않고 총서에 그대로 수록하였다.

· 보고서 내용에 관한 더 자세한 정보가 필요하다면, 외교부가 온라인상에 제공하는 『대한민국 외교사료요약집』 1991년과 1992년 자료를 참조할 수 있다.

| 차례

머리말 4

일러두기 5

남북한 유엔가입, 1991.9.17. 전41권 (V.35 경축사절단 파견) 7

남북한 유엔가입, 1991.9.17. 전41권 (V.37 후속조치) 257

정 리 보 존 문 서 목 록					
기록물종류	일반공문서철	등록번호	2020090042	등록일자	2020-09-08
분류번호	731.12	국가코드		보존기간	영구
명 칭	남북한 유엔가입, 1991.9.17. 전41권				
생 산 과	국제연합1과	생산년도	1990~1991	담당그룹	
권 차 명	V.35 경축사절단 파견				
내용목차	1. 사전준비 2. 자료				

0001

1. 사전 준비

0002

UN加入慶祝, 海外巡廻公演 準備狀況 中間報告

8.14.
總괄과

※文化部가 確定한 UN加入 慶祝, 海外巡廻公演 準備狀況을 아래와 같이 中間報告 드립니다.

o 公演프로그램(레파토리)

- 題　　目 : "소리여, 천년의 소리여"
- 出演人員 : 總135名
- 公演時間 : 120分(1部45分,休息25分, 2部50分)

※ 레파토리

< 1部 > : 45分

. 아악 "전폐희문" : 國立國樂院團員 41名

. 대금 독주를 위한 살풀이 : 國立國樂院團員 2名

. 시나위 연주 : 國立國樂院團員 8名

. 가야금 독주 : 황병기

. 가야금 대합주 "침향무" : 國立,市立,KBS團員 41名

< 2部 > : 50分

. 북의 대합주 "오늘이 오소서": 國立舞踊團員 44名

. 판소리 "춘향가 중에서" : 조상현 등 3名

. "아리랑"을 주제로 한 민요 : 신영희 등 5名

. 사물놀이 : 김덕수 사물놀이패

. 바람부는 날에도 꽃은 피고 : 반윤초 등 36名

0003

o 海外公演場 및 時期

< 美洲地域 >

. L.A. : Shrine Auditorium(9.21)

. 뉴욕 : 카네기 홀(9.25)

< 蘇.東歐地域>

. 蘇聯 모스크바 : 크레믈린궁 人民大會議場(9.30)

. 체코 프라하 : 國立劇場(10.12)

. 폴란드 바르샤바 : 交涉中(※國立오페라劇場)

. 유고 베오그라드 : 國立劇場(10.6)

o 國內公演場 및 時期

. 出國前 公演 : 藝術의 殿堂(9.16)

. 歸國後 公演 : 서울, 光州, 大田 (※日程 및 公演場所 未定)

o UN本部에 藝術作品 寄贈 : 月印千江之曲(銅版本)

o 所要豫算 確保內容

- 總1,056百萬원(豫備費858百萬원, 既存豫算轉用 198百萬원)

. 海外公演經費 : 875百萬원

. 國內公演經費(2回) : 81百萬원

. 藝術作品 寄贈經費 : 100百萬원

※ 其他 推進事項

o 公報處는"UN加入意義"등 弘報指針을 各 市.道에 示達할 計劃임. (※91.8.14)

o 內務部는 各 市.道別 行事計劃을 취합中에 있음.

0004

UN加入慶祝, 地方單位文化行事 準備狀況 中間報告

□ 推進狀況

o 地方單位 文化行事 準備指針 各 市.道에 示達(6.22)

o 市.道別 自體細部推進計劃 檢討.補完(7月末까지 完了)

- 地方言論社.文化藝術團體등과 合同, 市.道別計劃 檢討.補完

□ 準備中인 主要行事內容

o 地方單位 弘報活動 強化

- 地方單位新聞社.放送局등과 協調, UN關聯 特輯企劃프로 製作.報道(* 9.17前後)
- 班回報, 市.道政消息紙등 重点 揭載(8~9月號)
- 아취.懸垂幕 게첨, 中心道路邊에 "UN旗 및 太極旗" 街路 揭揚

o UN加入契機 住民參與 行事

- UN參戰 紀念行事(* 參戰碑 所在 地方單位 追慕行事등)
- 模擬UN總會, 市民假裝행렬, 青少年 글짓기, 寫生大會, 雄辨大會등

o UN加入 慶祝行事

- UN加入紀念日, 市民健康달리기, 市民한마음 걷기大會
- 慶祝불꽃놀이, 慶祝리셉션, 合唱祭, 國樂定期演奏會, 演劇祭
- 地域特色 民俗公演行事등

※ 9~10月中 開催되는 "地方單位 傳統文化.藝術行事, 體育行事"에 UN加入意味를 賦與, 慶祝雰圍氣 造成.

0005

□ 向後 推進計劃

o 市道別로 樹立된 自體推進計劃을 綜合.整理하여 "UN加入慶祝 地方單位 文化行事 推進計劃" 樹立.施行(8.15까지)

o 地方單位行事 關聯 中央部處 支援(8月初)

- 公報處 : UN加入의 意義등 UN關聯 弘報指針 示達
- 敎育部 : 市.道 敎委의 靑少年 契機敎育 強化 및 市道推進行事 協調토록 示達

地方單位 주요行事計劃(例示)

o UN加入慶祝 불꽃놀이(京畿)

- 9.16, 20:00 水原市 팔달山 일원

o "백두산의 神秘"寫眞展示會(京畿)

- 9.1~10.10 성남,부천, 의정부, 안양등 4個地域 巡廻 實施

o UN加入慶祝 市民한마음 걷기대회(大邱)

- 9.17, 07:00 두류公園 循環道路(5.1km), 機關團體長.市民 5,000余名

o UN加入慶祝 리셉션(大邱)

- 9.17, 19:00 文化藝術會館 講堂

o 仁川上陸紀念 自由守護 雄辨大會(仁川)

- 9.14 仁川上陸紀念館 野外公演場, 一般市民.學生등

o UN 加入慶祝 市立交響樂團 演奏會(仁川)

- 9.18 市民會館, 一般市民.學生 1,000名

o UN加入紀念 艦艇 및 월미山 開放(仁川)

- 9.15~20, 2艦隊 司令部

o UN加入 慶祝 靑少年의 밤(大田)

- 9.17, 17:00 市民會館, KBS主催

o UN軍 大田地域 戰鬪功績碑 獻花行事(大田)

- 9.17, 09:00 보문산 UN塔, 市民.團體會員 2,000名.

0006

기 안 용 지

분류기호 문서번호	국연 2031 -	(전화 :)	시 행 상 특별취급	
보존기간	영구 · 준영구. 10. 5. 3. 1	차 관	장 관	
수 신 처 보존기간				
시행일자	1991. 8. 17.			

보조기관			협조기관		문서통제
	국 장			제1차관보 의 전 장 총무과장	
	심의관			정책기획실장	
	과 장				
기안책임자		황준국			발 송 인

경 유 수 신 참 조	건 의	발신명의		
제 목	유엔가입 경축사절단 수행원 선정			

금추 유엔총회에서의 아국 유엔가입에 맞추어 경축 사절단이 9.21(토)-27(금)간 뉴욕 방문예정인 바 동 사절단을 안내할 수행원을 아래와 같이 선정코자 하오니 재가하여 주시기 바랍니다.

- 아 래 -

1. 경축사절단 1반 : 조태용 정책총괄과 사무관

2. 경축사절단 2반 : 황준국 유엔과 사무관

/ 계속 /

0007

(2)

3. 김영삼 민자당 대표최고위원 : 박인국 주미 1등서기관

4. 김대중 신민당 총재 : 김영목 주미 1등서기관

끝.

0008

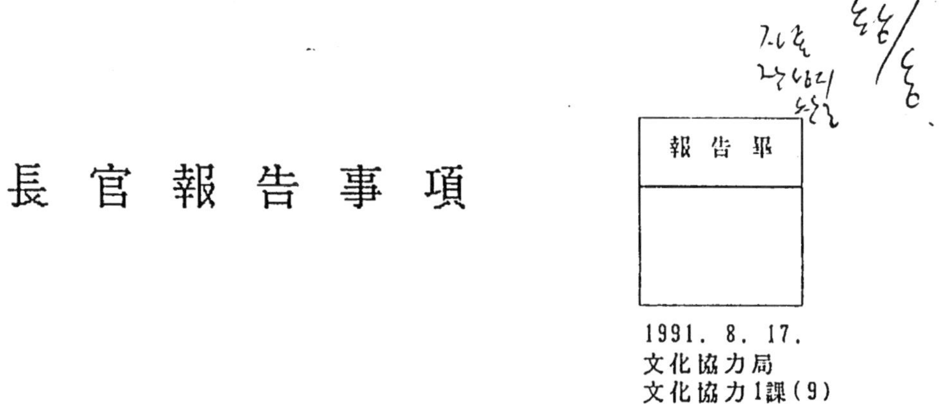

長 官 報 告 事 項

1991. 8. 17.
文化協力局
文化協力1課(9)

題 目 : 美國 및 東歐 巡廻公演團 派遣計劃

---

1. 公演團 名稱: Soriipae; Korean National Music Company

가. 원래 我國의 유엔加入을 慶祝하기 위한 行事로 推進하였기 때문에 "유엔 加入 慶祝公演團"으로 呼稱하였으나, 政治的 色彩를 稀釋시키고 藝術性을 强調하기 위하여 改稱

나. 뉴욕公演時도 同一한 名稱을 使用하고, 유엔加入을 계기로 開催하는 公演임을 전단에 表示

다. 蘇聯 公演은 韓·蘇 修交 1周年 紀念 "韓國週間" 行事의 일환으로 別途 推進되어 오다가 "韓國週間" 行事를 取消하고 公演日程을 縮小하여 今番計劃에 包含시키되, "韓·蘇 修交 1周年 紀念公演團"으로 呼稱

2. 構 成

가. 團長人選: 현재 文化部 長官 또는 次官으로 考慮中이며, 9월초에 決定될 것으로 豫想

나. 人員: 160名

1) 國公立團體: 國立國樂院演奏團, 國立舞踊團 및 市立 國樂管絃樂團 등

2) 民間團體 : 서울藝術團, 김덕수 사물놀이패 등

0003

3. 日 程

가. 旣存日程

- ㅇ 9.21 LA Shrine Auditorium
- ㅇ 9.25 뉴욕 카네기 홀
- ㅇ 9.30 모스크바 크레믈린 대극장
- ㅇ 10.3 바르샤바 국립극장(또는 문화과학궁전)
- ㅇ 10.6 유고 국립극장
- ㅇ 10.12 프라하 국립극장

나. 調整可能 事項

1) 유고의 國內情勢 好轉 難望時 公演計劃 取消도 檢討中이나, 日程調整에 難航 豫想

2) 루마니아 및 불가리아 公演 建議 및 歸路에 오사카 公演 여부도 檢討 중이나, 어려울 것으로 豫想

4. 레퍼터리

가. 主題: "소리여 천년의 소리여(Sound of the Millennium)"

나. 構成

1) 제1부: 雅樂, 대금독주, 가야금연주등 韓國 古典音樂 紹介

2) 제2부: 북의 대합주, 민요, 사물놀이등 大衆的이고 力動的인 프로그램

0010

제목 : 뉴욕한인회 주최 코리안 퍼레이드 행사 개최

ㅇ 뉴욕한인회측, 9.21 퍼레이드 추진 예정표결(91. 3.23. 뉴욕총영사 전문)

사유 : 가. 뉴욕시 당국과 9.21 개최 기합의

나. 뉴욕한인청과 상조회와 MBC 9.15 추석맞이 행사겸 유엔가입 축하공연 개최 예정이므로, 9.21이 시기적으로 적합함.

다. 모금활동을 위한 시간확보상 9월이 적절함.

ㅇ 본부, 현지 공관의견대로 조치토록 통보(91. 3.26.전문)

첨 부 : 관련 전문사본 2부. 끝.

0011

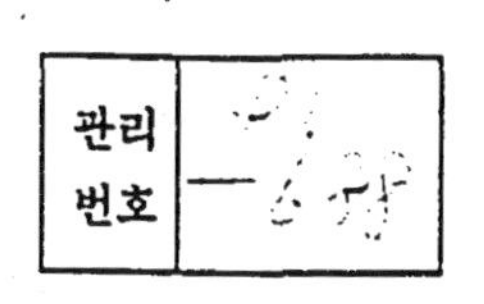

원 본

외 무 부

종 별 : 지 급

번 호 : NYW-1236 일 시 : 91 0823 1645

수 신 : 장 관(재이)

발 신 : 주 뉴욕 총영사

제 목 : 코리안 퍼레이드

대:WNY-1311

연:NYW-1214

1. KOREAN PARADE 개최시기 관련 그동안 뉴욕한인회 측과 접촉, 대호 본부입장을 전달한바, 한국일보와 PARADE 개최건 관련 세부사항이 합의 진행중이므로한인회측은 다음과같은 사유로 9.21(토)동 퍼레이드를 추진코자한다함.

가. 개최일자를 뉴욕시 당국과 9.21(토)로 합의본바 있으며, 다른 일자로의변경이 쉽지않음.

나. 연호와같이 뉴욕한인 청과상조회도 금년에는 매년 개최하는 추석맞이 행사와 병행하여 아국의 유엔가입 축하공연을 9.15(일)MBC-TV 와 공동으로 개최 예정으로 있어 시기적으로도 9.21. 이 적합함.

다. 퍼레이드 행사를 위해서는 적지않은 경비가 소요되어 주재 지상사등의 SPONSOR 가 필요한바, 주재 지상사는 성금 효과를 얻기위해서 10 월 개최보다는아국의 유엔가입이 실현되는 9 월 개최를 택하게될것이며, 주최측으로 볼때도 모금이 용이한 9 월을 선호할것임.

2. 개최권 관련 9.21. 개최를 전제로 뉴욕한인회와 한국일보가 원만한 타협이 순조롭게 진행되고있는 현 싯점에서 상기와같이 뉴욕 한인들의 자발적행사인 KOREA PARADE 의 9.21. 개최에 당관이 , 연기 종용함이 적절하지 않을것으로 보이는바, 본건관련 본부 지침하시바람.끝.

(총영사-국장)

예고:91.12.31. 일반

영교국 차관 미주국

PAGE 1

91.08.24 07:16

외신 2과 통제관 BS

0012

0|

관리 번호 91-

원 본

외 무 부

종 별 : 지 급

번 호 : NYW-1214 일 시 : 91 0820 1700

수 신 : 장관(의전),사본:주유엔대사:중계필

발 신 : 주 뉴욕 총영사

제 목 : 유엔가입 경축행사

대:WNY-1311,1317

1. 대호관련 뉴욕 한인청과상조회는 매년 개최하는 추석맞이 행사와 병행하여 아국의 유엔가입 축하 공연을 MBC-TV 와 공동으로 개최예정인바,9.15. 09:00-18:00 간 추석맞이 대잔치 이후 18:30-21:00 간 MBC 와 협찬으로 UN 가입축하 특별쇼를 가질계획임 MBC 는 동 행사를위해 연예인등 55-60 명정도를 본국에서 당지에 보내는것으로 알려짐.

2. 한편 뉴욕한인회도 문예작품·현상모집, 강연회 개최등 계획을 갖고있으나, 구체화된것은 아직 없으며 대호 KOREAN PARADE 개최일자도 확정되지 않은 상태임.

(총영사-국장)

예고:91.12.31. 일반

의전장	장관	차관	미주국	청와대	청와대	청와대	안기부	중계

PAGE 1

91.08.21 06:36

외신 2과 통제관 CH

0013

위진수로
넘긴 자료.

지구촌행사 전후 뉴욕교민 주최행사

1. 코리안 퍼레이드

- o 9.21(토) 뉴욕한인회 및 한국일보 공동주최
- o 매년 10월 개최되었으나, 유엔가입 경축분위기에 맞추어 9.21로 시기 조정

2. 추석맞이행사 및 유엔가입 축하공연

- o 9.15(일) 09:00-18:00간 추석맞이 대잔치 (Flushing Meadow Park) 이후 18:30-21:00간 유엔가입축하 특별쇼
- o 뉴욕한인청과상조회 주최, 특별쇼는 MBC와 협찬 (연예인 60명 한국에서 원정)

3. 경축사절단을 위한 만찬

- o 9.23(월) 뉴욕한인회 및 민주평통자문회의 뉴욕지역협의회 주최
- o 경축사절 대부분 참석예정

0014

유엔가입경축 민속공연 개요

1. 공연단 명칭 : 소리패

2. 뉴욕공연 일시 및 장소 : 9.25(수) 저녁 카네기홀

3. 인 원 : 160명

4. 주 제 : "소리여, 천년의 소리여" (Sound of the Millennium)

5. 프로그램(레퍼토리)

   o 제 1 부 : 아악, 가야금 연주등 한국 고전음악

   o 제 2 부 : 북의 대합주, 사물놀이등 대중적이고 역동적인 프로그램

0015

경축사절단 수행원 후보(9.21-9.27)

o 유엔과 직원 (1)

o 하기 직원중 1명

1. 정달호 법무담당관 주유엔 근무경력
2. 김경근 홍보과장 뉴욕(총) 근무경력
3. 박병연 외교사료과장 주유엔 근무경력
4. 조태용 외교정책실 사무관 주유엔 근무경력
5. 설경훈 공보관실 사무관 뉴욕(총) 근무경력

* 김영삼 대표위원 및 김대중 총재 수행을 위하여 주미대사관의
  - 김영목 1등서기관 — 김 홍나
  - 박인국 1등서기관 차출 — 김국도
  (단, 뉴욕체류시에만 의전 안내)

0016

유엔加入 慶祝 使節團

o 政 界

- 김영삼　民自黨 代表最高委員
- 김대중　新民黨 總裁

o 前總理

- 노신영
- 강영훈
- 노재봉

o 國 會

- 박정수　國會 外務.統一委 委員長
- 박관용　國會 統一政策特委 委員長

o 統一 關聯機關

- 민관식　南北調節委 共同委員長 代理
- 홍성철　民主平統 首席副議長
- 조영식　1千萬 離散家族 再會推進 理事長,慶熙大 總長

o 經濟界

- 유창순　全經聯會長

o 言論界

- 김병관　新聞協會長
- 안병훈　新聞編輯人 協會長
- 서기원　放送協會長

o 教育界

- 현승종　教員團體 總聯合會 會長

0017

o 文化藝術界

- 강선영 藝總 會長

o 豫備役軍人

- 소준열 在鄕軍人會 會長

o 外交元老

- 김용식 前 유엔大使, 外務長官 —
- 박동진 前 유엔大使, 外務長官 —
- 최광수 前 유엔大使, 外務長官 —

o 女性界

- 이계순 政務第2長官 —

o 體育界

- 김운용 IOC委員

o 青年界

- 조충훈 青年會議所(JC)中央會 會長

o 法曹界

- 김홍수 大韓辯護士協會 會長

o 勞動界

- 박종근 勞總委員長

o 農漁民 代表

- 한호선 農協會長
- 명의식 畜協會長
- 이방호 水協會長

0018

o 學生代表

- 서울大, 梨大 各1名(教育部 推薦)

※ 計 : 30名

0019

유엔加入 慶祝 使節團

o 政 界

- 김영삼 民自黨 代表最高委員
- 김대중 新民黨 總裁

o 前總理

Mr. Shin Yong LHO - 노신영 Former Prime Minister

Mr. Young Hoon Kang - 강영훈 //

Mr Jai Bong RO - 노재봉 //

o 國 會

- 박정수 國會 外務.統一委 委員長 Chairman, Foreign Affairs and National Unification Committee, National Assembly
- 박관용 國會 統一政策特委 委員長 Chairman, Special Committee on National Unification Policy, National Assembly

o 統一 關聯機關

Mr. Kwan Shik MIN - 민관식 南北調節委 共同委員長 代理 Acting Co-Chairman, South-North Coordinating Committee

Mr. Sung Chul HONG - 홍성철 民主平統 首席副議長 Senior Vice-President, the Advisory Council on Democratic and Peaceful Unification

Mr. Young Seek Choue - 조영식 1千萬 離散家族 再會推進 理事長, 慶熙大 總長

232-5050, 232-6811, 235-1411

o 經濟界

- 유창순 全經聯會長 Chairman of the Federation of Korean Industry

o 言論界

- 김병관 新聞協會長 President, Korean Newspapers Association
- 안병훈 新聞編輯人 協會長 President of the Korean Newspaper Editor's Association
- 서기원 放送協會長 Chairman of the Korean Broadcasters Association

o 教育界

- 현승종 教員團體 總聯合會 會長 President of the Korean Federation of Teacher's Association

0020

o 文化藝術界 President of the Federation of Artistic

- 강선영 藝總 會長 and Cultural Organizations of Korea

o 豫備役軍人

- 소준열 在鄕軍人會 會長 President of the Korean Veterans Association

o 外交元老

Mr Yong Shik KIM - 김용식 前 유엔大使, 外務長官 Former Minister of Foreign Affairs

Mr Tong Jin PARK - 박동진 前 유엔大使, 外務長官 //

Mr Kwang Soo CHOI - 최광수 前 유엔大使, 外務長官 //

o 女性界

- 이계순 政務第2長官 Minister of Political Affairs (2)

o 體育界

- 김운용 IOC委員 전화번호 420-4205

o 靑年界

- 조중훈 靑年會議所(JC)中央會 會長 National President of Korea Junior Chamber

o 法曹界

- 김홍수 大韓辯護士協會 會長 President of Korean Bar Association

o 勞動界

- 박종근 勞總委員長 President of the Federation of Korean Trade Unions

o 農漁民 代表

- 한호선 農協會長 Chairman and President, National Agricultural Cooperative Federation

- 명의식 畜協會長 , National Livestock Cooperatives Federation

- 이방호 水協會長 , National Federation of Fisheries Cooperatives

조경희 예술의전당이사장 President, Seoul Arts Center

이경숙 숙명여대교수 Professor, Sook Myung Women's University

0021

관리 번호	91 -4638

	분류번호	보존기간

발 신 전 보

번 호 : WUN-2523 910904 2008 ED 종별 : 지 급

수 신 : 주 유엔 대사. 총영사 (국연)

발 신 : 장 관

제 목 : 경축사절단

경축사절단의 유엔총회 기조연설 참관관련 특별히 준비 해야 할 사항 (출입표찰용 사진등)에 ~~대한 귀견~~ 관하여 보고바람. 끝.

(국제기구국장 문동석)

예 고 : 1991.12.31.에 일반문에 의거 일반문서로 재분류됨

보안 통제	(서명)

앙 고 재	91년 9월 4일	유연 과	기안자 성명		과 장	심의관	국 장		차 관	장 관
			김성철		(서명)	출장중	전결			(서명)

외신과통제

0022

경축사절단 지원(안)

1991.9.5.

1. 정부부담 방문기간 : 1991.9.21(토)-9.26(목) : 5박6일

2. 지원대상

o 사절단 30명중 정계 2명(김영삼, 김대중) 제외, 단 조경희 추가 : 29명

3. 지원내역

o 1등 항공권 : "서울-뉴욕-서울" 직항구간(KAL)

- GTR 가격 : $2,976

o 호텔숙박경비 : The Plaza 호텔 체재(5박6일간)에 따른 일체경비

0023

노신영 前총리 日程

9.19 (木) 뉴욕 向發

9.26 (木) 桑港 向發
(午前 9-10時頃)

10.1 (火) L.A 向發

10.3 (木) 호놀룰루 向發

10.6 (日) 호놀룰루 出發,
서울行

10.7 (月) 서울着.

$3,493
-2,976
$517

0024

DEPART THU 3 OCTOBER 91 LOS ANGELES 1100A
ARRIVE THU 3 OCTOBER 91 HONOLULU 1.30P

KOREAN AIR KE051 FIRST CLASS CONFIRMED
DEPART SUN 6 OCTOBER 91 HONOLULU 1120A
ARRIVE MON 7 OCTOBER 91 SEOUL 4.00P

LATEST CHECK IN IS 60 MINUTES BEFORE DEPARTURE
DEPARTS FROM MAIN TERMINAL

WE WISH YOU A PLEASANT JOURNEY
THANK YOU FOR FLYING WITH US KOREAN AIR

OK ALL DONE

PASSENGER ITINERARY FOR
MR SHINYONG LHO

KOREAN AIR
GOVERNMENT BLD OFFCE
SEOUL KOREA
DUTY 0830 - 1730
TEL 738-9971/2
20 SEPTEMBER 91

BOOKING REFERENCE
RPHILU

WE ARE PLEASED TO CONFIRM THE FOLLOWING TRAVEL ARRANGEMENTS

AMERICAN AIRLINES AA017 FIRST CLASS CONFIRMED
DEPART THU 26 SEPTEMBER 91 NEW YORK J F KENNEDY 1200P
ARRIVE THU 26 SEPTEMBER 91 SAN FRANCISCO 3.11P

U.S.AIR US273 FIRST CLASS CONFIRMED
DEPART TUE 1 OCTOBER 91 SAN FRANCISCO 1200P
ARRIVE TUE 1 OCTOBER 91 LOS ANGELES 1.11P

UNITED AIRLINES UA193 FIRST CLASS CONFIRMED
DEPART THU 3 OCTOBER 91 LOS ANGELES 1100A
ARRIVE THU 3 OCTOBER 91 HONOLULU 1.30P

0025

KOREAN AIR KE051 FIRST CLASS CONFIRMED
DEPART SUN 6 OCTOBER 91 HONOLULU 1120A
ARRIVE MON 7 OCTOBER 91 SEOUL 4.00P

LATEST CHECK IN IS 60 MINUTES BEFORE DEPARTURE
DEPARTS FROM MAIN TERMINAL

WE WISH YOU A PLEASANT JOURNEY
THANK YOU FOR FLYING WITH US KOREAN AIR

OK ALL DONE

SINE INVALID FOR THIS ENTRY

PASSENGER ITINERARY FOR
MR YOUNGHOON KANG

KOREAN AIR
GOVERNMENT BLD OFFCE
SEOUL KOREA
DUTY 0830 - 1730
TEL 738-9971/2
20 SEPTEMBER 91

BOOKING REFERENCE
RPHCYB

WE ARE PLEASED TO CONFIRM THE FOLLOWING TRAVEL ARRANGEMENTS

KOREAN AIR		KE026	FIRST CLASS	CONFIRMED
DEPART	SAT 21 SEPTEMBER 91	SEOUL		1000A
ARRIVE	SAT 21 SEPTEMBER 91	NEW YORK J F KENNEDY		1030A

LATEST CHECK IN IS 60 MINUTES BEFORE DEPARTURE

WE WISH YOU A PLEASANT JOURNEY
THANK YOU FOR FLYING WITH US KOREAN AIR

0026

OK ALL DONE

PASSENGER ITINERARY FOR
MR YOUNGHOON KANG

KOREAN AIR
GOVERNMENT BLD OFFCE
SEOUL KOREA
DUTY 0830 - 1730
TEL 738-9971/2
20 SEPTEMBER 91

BOOKING REFERENCE
RN3J6Y

WE ARE PLEASED TO CONFIRM THE FOLLOWING TRAVEL ARRANGEMENTS

CONTINENTAL AIRLINES CO317 FIRST CLASS CONFIRMED
DEPART THU 26 SEPTEMBER 91 NEWARK 3.00P
ARRIVE THU 26 SEPTEMBER 91 WASHINGTON NATIONAL 4.18P

CONTINENTAL AIRLINES CO319 FIRST CLASS WAITLISTED
DEPART THU 26 SEPTEMBER 91 NEWARK 3.45P
ARRIVE THU 26 SEPTEMBER 91 WASHINGTON NATIONAL 4.59P

ALL NIPPON AIRWAYS NH001 FIRST CLASS CONFIRMED
DEPART SUN 29 SEPTEMBER 91 WASHINGTON DULLES INTL 1155A
ARRIVE MON 30 SEPTEMBER 91 TOKYO 2.50P

WE WISH YOU A PLEASANT JOURNEY
THANK YOU FOR FLYING WITH US KOREAN AIR

0027

OK ALL DONE

PASSENGER ITINERARY FOR
MR JAIBONG RO

KOREAN AIR
GOVERNMENT BLD OFFCE
SEOUL KOREA
DUTY 0830 - 1730
TEL 738-9971/2
20 SEPTEMBER 91

BOOKING REFERENCE
RPHL88

WE ARE PLEASED TO CONFIRM THE FOLLOWING TRAVEL ARRANGEMENTS

KOREAN AIR		KE026	FIRST CLASS	CONFIRMED
DEPART	SAT 21 SEPTEMBER 91	SEOUL		1000A
ARRIVE	SAT 21 SEPTEMBER 91	NEW YORK J F KENNEDY		1030A

LATEST CHECK IN IS 60 MINUTES BEFORE DEPARTURE

TRANS WORLD AIRLINES		TW007	FIRST CLASS	CONFIRMED
DEPART	THU 26 SEPTEMBER 91	NEW YORK J F KENNEDY		1200P
ARRIVE	THU 26 SEPTEMBER 91	LOS ANGELES		2.45P

UNITED AIRLINES		UA193	FIRST CLASS	CONFIRMED
DEPART	SAT 28 SEPTEMBER 91	LOS ANGELES		1115A
ARRIVE	SAT 28 SEPTEMBER 91	HONOLULU		1.45P

JAPAN AIRLINES		JL071	FIRST CLASS	CONFIRMED
DEPART	MON 30 SEPTEMBER 91	HONOLULU		1145A
ARRIVE	TUE 1 OCTO[illegible] 91	TOKYO		2.40P

0028

WE WISH YOU A PLEASANT JOURNEY

경축사절단 뉴욕방문 개요

1. 경축사절단 명단 : 별첨

2. 방문기간 : 9.21(토)-9.26(목) (5박6일)

3. 숙 소 : The Plaza 호텔

768 5th Ave. 59th St. New York, N.Y. 10019

4. 뉴욕공식일정

o 9.22(일) 저녁 - 뉴욕총영사 주최 교민리셉션(호텔)

o 9.23(월) 저녁 - 뉴욕한인회 및 민주평통자문회의 뉴욕지역협의회 공동주최 만찬(잠정)

o 9.24(화) 오전 - 유엔총회 기조연설 참석(유엔)

점심 - 경축사절단을 위한 오찬(호텔)

저녁 - 유엔대사 주최 각국대표를 위한 경축리셉션(호텔)

o 9.25(수) 점심 - 유엔대사 주최 오찬(잠정)

저녁 - 경축 민속공연 관람 (카네기홀)

0023

5. 편의제공 내용

o 1등항공권 : 서울-뉴욕-서울 직행 구간 (대한항공)

o 호텔숙박 : The Plaza 호텔 9.21(토)-9.26(목)간 예약

0030

지 급

공보관실
91.9. 5.

장관님 기자회견 자료 요청

(91.9.6(금) 09:30)

1. 77그룹 아주그룹 각료회의 정부대표단의 방북 일정
(김일성 면담 추진 여부, 남.북관계 증진에 대한 영향 등)

2. 방소 정부대표단 파견 목적 및 방소시 면담 인사

3. 발트 3국 독립 승인문제

4. 소련의 연방체제 변화에 따른 우리 정부의 대 연방정부와 공화국 정부와의 관계 조정 문제

5. 전대차관등 대소 경협 조정 문제

6. 한.중 경제협정 체결 시기

7. 한.중 무역대표부의 통상대표부 격상 문제

8. 유엔 경축사절단 규모의 파다 여부

9. 제3차 APEC 서울 각료회의 준비 상황

※ 고려명필 국한문 혼용 확대체로 작성, 오늘 (9.5) 17:00까지 원본1부와 디스켓을 함께 당실로 제출해 주시기 바랍니다.

0031

12. 대통령의 멕시코 공식방문 수행후 재차 유엔을 방문할 계획이신지?

o 9월말-10.5간 뉴욕재방문을 현재 추진중에 있으며 동 기간중 주요국 외무장관과의 면담 및 ASEAN 공동주최 행사(10.2.로 추진중) 참석 예정임.

o (비보도 전제) 또한 방문기간중 이집트, 시리아, 짐바브웨등 몇몇 미수교국과의 관계개선 교섭도 시행예정임.

o 남북 외무장관 회담가능성 (질문시)

(비보도 전제)

- 북한의 김영남 외교부장도 본인과 비슷한 시기에 뉴욕에 체류할 것으로 알려지고 있어 조우할 가능성은 있음.

- 우리는 유엔가입을 계기로 남북한간에 유엔테두리에서도 접촉과 협력을 증진해 나가고자 하고 있으나 유엔에서의 남북한간 협조가 아직은 초보적인 단계이므로 무리한 대북접촉 추진은 적절치 않다고 봄.

- 따라서 북한 외교부장과 만나는 문제는 북한의 입장도 고려하는 가운데 검토할 것임.

0032

유엔 경축사절단 규모의 과다여부

o 유엔가입은 지난 40여년간 우리가 추진해온 오랜 외교숙원과제 이었으며, 특히 우리와 유엔과의 관계는 특수하다고 밖에 할수 없음. 즉, 우리정부는 1948년 유엔총회의 결의에 따라 실시된 총선거를 통하여 수립되었고, 한국전쟁시 유엔군의 파견 및 전후복구에 있어서의 유엔의 도움, 또한 현 휴전협정이 유엔군에 의하여 준수되고 있는 점등에 비추어 볼때 금번 우리의 유엔가입은 다른국가들의 유엔가입 과는 전혀 성격이 다름.
또한 그동안 유엔가입에 반대해오던 북한과 동시에 가입하게 되는 만큼 남북한관계의 측면에서도 커다른 의미를 가진다고 하겠음.

o 따라서 우리로서는 이번 유엔가입 행사시 범국민적 차원에서 우리나라의 각계대표들과 앞으로 우리의 미래를 짊어질 학생대표가 참석하여 우리의 유엔가입의 역사적 의미를 새기는 기회를 갖는것은 의미가 크다고 생각됨.

0033

유엔 경축사절단 규모의 과다여부

1. 유엔가입은 지난 40여년간 우리가 추진해온 오랜 외교숙원과제 이었으며, 특히 우리와 유엔과의 관계는 특수하다고 밖에 할수 없음. 즉, 우리정부는 1948년 유엔총회의 결의에 따라 실시된 총선거를 통하여 수립되었고, 한국전쟁시 유엔군의 파견 및 전후복구에 있어서의 유엔의 도움, 또한 현 휴전협정이 유엔군에 의하여 준수되고 있는 점등에 비추어 볼때 금번 우리의 유엔가입은 다른국가들의 유엔가입과는 전혀 성격이 다름.

   또한 그동안 유엔가입에 반대해오던 북한과 동시에 가입하게 되는 만큼 남북한관계의 측면에서도 커다란 의미를 가진다고 하겠음.

2. 따라서 우리로서는 이번 유엔가입 행사시 우리나라의 각계대표들과 앞으로 우리의 미래를 짊어질 학생대표가 참석하여 우리의 유엔가입의 역사적 의미를 새기는 기회를 갖는것은 자연스럽다고 생각됨.

   ~~특히 국제사회에서 점차 그 역할과 권능이 고양되고 있는 유엔의 현주소를 고려해 볼때 상기 기회를 통하여 우리국민들이 국제화에 대한 인식을 심화시키는 것도 의의가 있다고 생각됨.~~

앙 고 재	91년 9월 5일	담 당	과 장	국 장
		(서명)	(서명)	(서명)

0034

관리번호	91-4746

외 무 부

종 별 :

번 호 : UNW-2447 일 시 : 91 0905 1800

수 신 : 장관(국연)

발 신 : 주 유엔 대사

제 목 : 경축 사절단

대:WUN-2523

1. 대호 경축 사절단을 포함 총회 기조연설 참관 대상자의 유엔 임시출입증발급을 위하여 아래 관련 사항을 통보 바람

가. 영문 성명및 직책

나. 생년월일

다. 미국 출입국 항공편

라. 사진 각 2 매(하기 2 항 참조)

2. 유엔 출입증은 현직 각료 이상을 제외하고는 유엔 회의장내 발급 기관에서 직접 사진 촬영후 출입증을 배부 하는것을 원칙으로하고 있는바, 당관으로서는 가능한한 많은 인사가 사전 발급 받을수 있도록 최대한 노력 위계임.끝

(대사 노창희-국장)

예고:91.12.31 일반

국기국

PAGE 1

91.09.06 07:20

외신 2과 통제관 BW

0035

관리번호	91-4744

외 무 부

종 별 :

번 호 : UNW-2472 일 시 : 91 0906 1720

수 신 : 장 관(의전,국연)

발 신 : 주 유엔 대사

제 목 : 지구촌(경축사절단)

대:WUN-2545

1. 대호아래보고함.

가. 숙소배정

본부 지시에 따라 PLAZA 호텔에 배정토록 하되 아래 당관 의견을 참고로 보고함.,0. 김영삼 , 김대중: 2 BR SUITE

0. 전직총리(4 명): 1 BR SUITE

0. 기타 단원:SINGLE

나. 차량

0. 전직 총리이상은 캐딜락, 기타 단원은 LINCOLN TOWN CAR 급을 1 인 1 대씩 배정(단, 학생대표는 2 인 1 대)

0. 공식행사시에는 버스사용(총회 연설방청, 오찬등)

다. 안내

0. 총영사관 직원, 지상사 및 은행 주재원중 지망자

0. 사절단원 1 인 1 명씩 배정

2. 경축사절단원별 방번호, 안내담당등 구체적사항은 추후보고하겠음.

3. 참고사항

지구촌 계획에 포함되지 않은 주요일정은 주유엔대사 초청오찬(9.25 잠정) 및 민속공연 관람(9.25 카네기 홀) 임.끝

(대사 노창희-의전장)

예고:91.12.31. 에 일반문서로 재분류됨

의전장	장관	차관	미주국	국기국	청와대	청와대	청와대	안기부

PAGE 1

91.09.07 07:16

외신 2과 통제관 BS

0036

관리 번호 91-4743

외 무 부

종 별 :

번 호 : NYW-1328 일 시 : 91 0906 1845

수 신 : 장 관(의전,국연) 사본:주유엔대사-직송필

발 신 : 주 뉴욕 총영사

제 목 : 지구촌(경축사절단)

대:WNY-1480

당지 방문예정인 경축사절단을 위하여 뉴욕한인회, 평통 공동주최로 9.23. 만찬을 개최코저 한다는바, 참석 가능인사 범위등 본건관련 본부의견 회시바람.끝.

(총영사-의전장)

예고:91.12.31.에 일반문에 의거 일반문서로 재분류됨

의전장 장관 차관 미주국 국기국 청와대 청와대 청와대 안기부

PAGE 1

91.09.07 08:25

외신 2과 통제관 BS

0037

정 무 장 관 (제2) 실

정무이 01500 -315　　720-2264　　1991. 9.

수신 외무부 장관

참조 국제기구조약 국장

제목 유엔 주요인사 면담 협조의뢰

유엔 경축사절단의 일원으로 정무제2장관의 방미시 유엔내 여성관련 주요인사 면담 주선을 아래와 같이 의뢰하오니 협조하여 주시기 바랍니다.

- 아 래 -

o 면담 목적 : 유엔가입에 따른 여성관련 사항 협의

o 일 시 : 1991. 9. 26 (목) ~ 27 (금)

o 면담 대상 : 유엔기구의 여성, 사회문제 담당 책임자

정 무 장

0038

발 신 전 보

분류번호	보존기간

WUN-2563 910906 1832 FH

번 호 : 종별 : 암호송신

수 신 : 주 유엔 대사. 총영사 (국연)

발 신 : 장 관

제 목 : 유엔 주요인사 면담의뢰

가입 경축사절단으로 유엔 방문예정인 정무제2장관으로부터 9.26(목)-27(금)중 유엔내 여성 및 사회문제담당 주요인사의 면담 요청이 있었는 바, 적당한 면담대상자 ~~및 면담일시, 기타 제반 사항을~~ 를 선정하여 주선하고 그 결과 보고바람. 끝.

(국제기구국장 문동석)

보안 통제	

앙 고 재	년 9월 6일	유엔 과	기안자 성명		과 장	심의관	국 장		차 관	장 관

외신과통제

0039

관리 번호	91-4644

	분류번호	보존기간

발 신 전 보

번 호 : WUN-2594 910907 1857 FL 종별 : 지급

수 신 : 주 유엔 대사. 총영사

발 신 : 장 관 (국연)

제 목 : 경축사절단 유엔출입증

대 : UNW-2447(1), UNW-2494(2)

대호(1)에 의하면 경축사절을 위해 유엔출입증을 사전에 발급하는 것으로 되어 있으나, 대호(2) 4항에 따르면 경축사절단에는 1회용 방청티켓 교부예정으로 사전 출입증 발급이 필요없는 것으로 되어 있는 바, 본건 재확인 당지 9.9. 오전까지 보고바람.

끝.

(국제기구국장 문동석)

예 고 : 1991.12.31. 일반문에 의거 일반문서로 재분류됨

보안 통제	

앙 고 재	91년 9월 7일	국연 과	기안자 성명		과 장	심의관	국 장		차 관	장 관
										전결

외신과통제

0040

관리번호 91-1057

지 급

심의관

협조문용지

분류기호 문서번호	국연 2031-400	( )	결재	담 당	과 장	국 장
시행일자	1991. 9. 9.			(서명)	(서명)	(서명)
수 신	영사교민국장	발신	국제기구국장			(서명)
제 목	여권발급 협조의뢰					

1. 유엔가입 경축사절단에 포함된 학생대표 서가람씨의 여권발급 신청서를 별첨 송부하오니 9.11(수)까지 여권이 발급되도록 협조하여 주시기 바랍니다.

2. 동 학생은 9.20(금) 특별기편 출국예정으로서 그 사이에 미국입국 비자도 받아야 할 형편임을 참고하시기 바라며, 미비서류(병역관계)는 가능한 빨리 보완토록 할 예정입니다.

첨부 : 여권신청서류. 끝.

1991.12.31 ...

0041

株式会社
호텔롯데
宴會販促部
課 長
丁 奎 祥
0042
100-070
서울特別市 中区 小公洞 1 番地
電話 : 771-10 交)4506, 4530~1, 4540
直通 : 778-4214
客室予約 776-2936, 777-5509, 778-4012
宴会予約 778-4015/6 東京事務所 (03)564-1462

HOTEL LOTTE CO., LTD.
SEOUL KOREA

K. S. CHUNG
SENIOR SALES MANAGER

1, SOGONG-DONG, CHUNG-KU, SEOUL, KOREA
TEL. 771-10 EXT. 4506, 4530~1, 4540
DIR: 778-4214
ROOM RESV. 776-2936, 777-5509, 778-4012
BANQUET RESV. 778-4015/6
C. P. O. BOX: 3500
CABLE: "HOTEL LOTTE"
TELEX: LOTTEHO K23533/4
FAX. NO.: SEOUL, 752-3758, 755-5771

TOKYO OFFICE (03)-564-1462
OSAKA OFFICE (06)-263-1071
NEW YORK OFFICE (201)-944-1117
L.A OFFICE (213)-540-7010
LONDON OFFICE (071)-323-3712/3714

0043

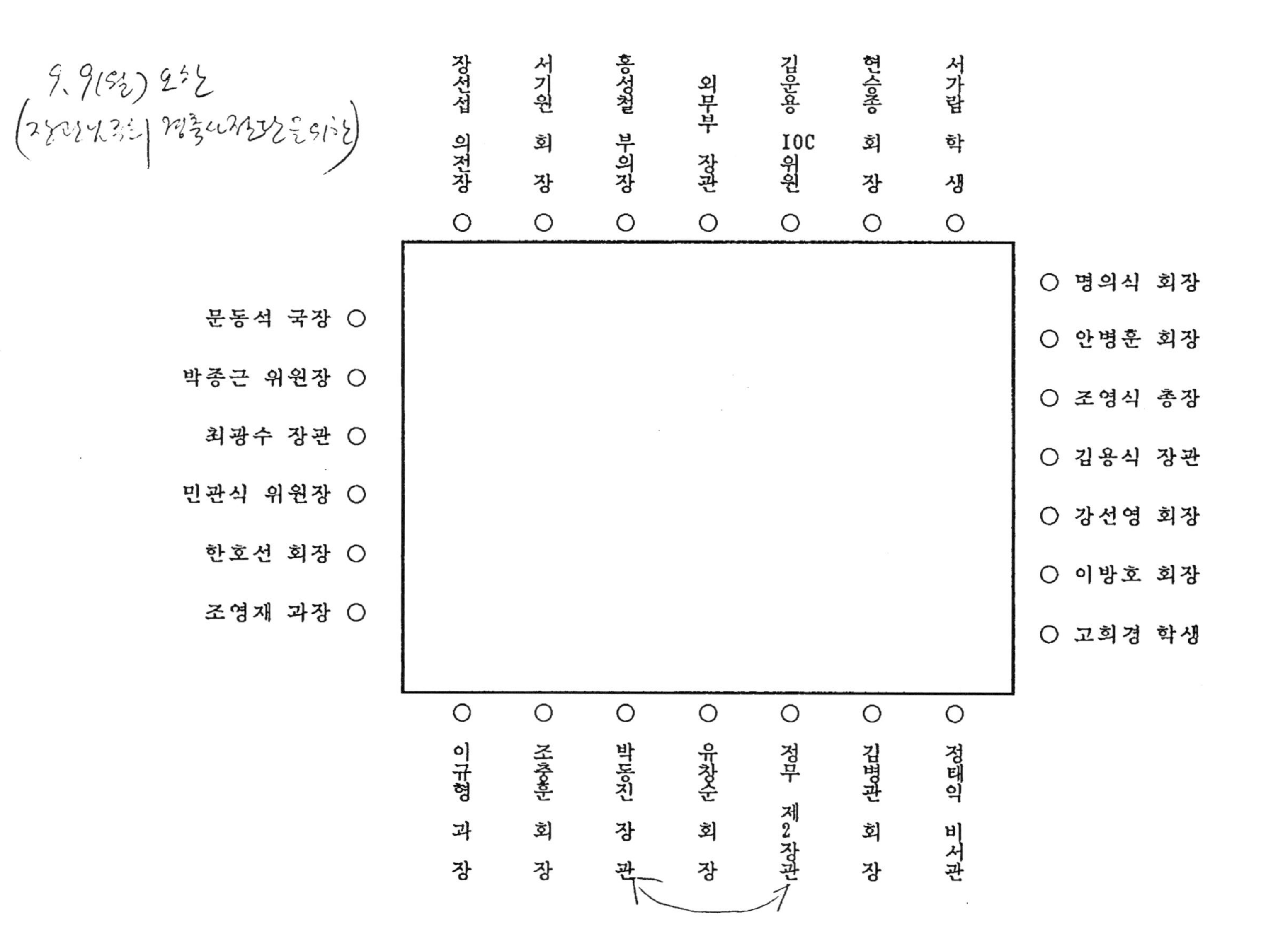

9.9(월) 오찬

장선섭 의전장
서기원 회장
홍성철 부의장
외무부 장관
김운용 IOC 위원
현승종 회장
서가람 학생

명의식 회장
안병훈 회장
조영식 총장
김용식 장관
강선영 회장
이방호 회장
고희경 학생

이규형 과장
조충훈 회장
박동진 장관
유창순 회장
정무 제2장관
김병관 회장
정태익 비서관

문동석 국장
박종근 위원장
최광수 장관
민관식 위원장
한호선 회장
조영재 과장

0044

1991. 9. 3

수신: 외무부 UN과 이규형 과장님

발신: 호텔롯데 연회판촉부 정규상

제목: 9. 9 오찬

다음과 같이 MENU를 보내드리니

참조하시기 바랍니다.

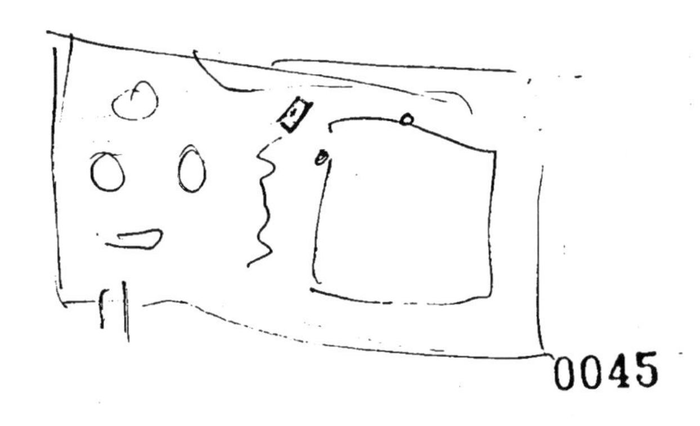

0045

POSTAL ADDRESS: C.P.O.BOX 3500 TELEX: LOTTEHO K23533--4, CABLE: HOTELOTTE TEL. 771--10 SEOUL, KOREA

CHINESE LUNCHEON AND DINNER ₩35,000 net

CN-33

Special Cold Combination Dishes	特品併盤	특품 냉채
Shark's Fins with Seafood	北京魚翅	북경식 상어지느러미
Braised Lobster with Garlic Sauce	干烹海龍蝦	바다가재와 마늘 소스
Sauted Sea Cucumber and Abalone	海蔘炒鮮鮑	해삼과 전복
Sauted Scallops and Asparagus with Broccoli	蘭花芦筍干貝	브로코리와 아스파라거스 관자 볶음
Sauted Beef with Red Peppers	麻辣牛肉	쇠고기와 고추 소스
Noodle Soup with Shredded Chicken.	鷄絲麵	기스면
Fresh Fruit	水果	과일

0046

CHINESE LUNCHEON AND DINNER $40.000 net

CN-34

Special Cold Combination Dishes	鳳凰大併盤	봉황 냉채
Swallow's Nest Soup with Pine Mushroom and Ginseng	松茸人蔘燕窩湯	제비집과 송이, 인삼수프
Steamed Special Shark's Fins	紅燒原排翅	상어지느러미찜
Braised Lobster with Chili Sauce	干燒海龍蝦	바다가재와 고추 소스
Sauted Sea Cucumber and Abalone in Sje Chwen Style	泗川海蔘鮑魚	사천식 해삼과 전복
Sauted Beef with Oyster Sauce	蠔油牛肉片	쇠고기와 굴 소스
Noodle Soup with Shredded Chicken	鷄絲麵	기스면
Fresh Fruit	水果	과일

0047

CHINESE LUNCHEON AND DINNER 90,50,000 net

CN-35

Special Cold Combination Dishes	梅花大併盤	매화 냉채
Swallow's Nest Soup with Crabmeat and Pine Mushroom	松茸蟹肉燕窩湯	제비집과 송이 게살 수프
Braised Whole Shark's Fin	五絲紅油排翅	상어지느러미찜
Sauted Lobster and Crab Claw	雙珍海龍蝦	바다가재와 게다리
Sea Cucumber, Abalone and Scallops	炒 三 鮮	해삼, 전복과 관자
Braised Beef and Broccoli	蘭 花 牛 肉	브로코리와 쇠고기볶음
Noodle Soup with Three Kinds of Seafoods	三 鮮 湯 麵	삼선탕면
Seasonal Fresh Fruit	水 果	과일

0048

유엔가입 경축사절단 뉴욕방문 안내

91. 9. 9.
외무부 국제연합1과

I. 뉴욕방문 개요

1. 방문기간 : 9.21(토)-9.26(목) (5박6일)

2. 숙　　소 : The Plaza 호텔

   768 5th Ave. 59th St. New York, N.Y. 10019

   (전화 : 212-759-3000)

3. 뉴욕공식일정

   o 9.22(일) ~~저녁~~ 19:00-20:00 - 뉴욕총영사 주최 교민리셉션(호텔)

   o 9.23(월) ~~저녁~~ 19:00 - 뉴욕한인회 ~~및 평통 공동~~주최 ~~만찬(잠정)~~ 리셉션 (대한회관) 33-15 56st. Woodside NY

   o 9.24(화) ~~오전~~ 10:40-11:25 - 유엔총회 기조연설 참석(유엔)

   ~~점심~~ 12:15-13:45 - 경축사절단을 위한 오찬(호텔)

   ~~저녁~~ 18:30-20:00 - 유엔대사 주최 각국대표(단 및 주요인사 초청)를 위한 경축리셉션(호텔)

1

0049

o 9.25(수) 점심 - 유엔대사 주최 오찬(잠정)

19:00? ~~저녁~~ - 경축 민속공연 관람 (카네기홀)

4. 뉴욕체재중 교통편 및 안내

o 공항출입, 유엔총회연설 참석등 공식일정 : 버스

o 개별일정 : 승용차

5. 편의제공 내용

o 1등항공권 : 서울-뉴욕-서울 직행 구간 (대한항공)

o 호텔숙박 : The Plaza 호텔 9.21(토)-9.26(목)간 예약 (5박 6일)

6. 수행안내직원(2명) : 외무부 조태용 사무관
 " 황준국 사무관

2

0050

Ⅱ. 세부안내사항

1. 여권 및 미국비자

o "출국신고"가 필요하신 분들(관용/외교관 여권소지자)은 조속히 외무부 유엔과로 여권을 보내주시면 출국신고 해드리겠습니다.

o 미국비자가 필요하신 분께는 금일 비자신청서를 배포해 드리겠습니다. 신청서 작성 즉시 외무부 유엔과로 보내주시면 비자가 발급되도록 조치하겠습니다.

2. 출입국 항공편 관계

o 출입국 항공편은 거의 모든 분들이 확인을 해주셔서 현재 Ticketing을 하고 있습니다. 항공권은 11일(수) 아침까지는 준비가 완료될 것으로 보입니다.

o 아직 항공편을 통보하지 않으신 분들은 출입국 항공편을 지급 연락해 주시기 바랍니다. 다만 아래 항공편이 일단 예약되어 있아오니, 경축사절께서 결정하여 알려 주시기 바랍니다.

3

0051

(출 국)

- 9.21(토) 10:00 KE-026 서울발 (non-stop, 9.21.10:30 뉴욕착)

- 9.21(토) 19:20 KE-028 서울발 (앵커리지 경유, 9.21. 21:30 뉴욕착)

(입 국)

- 9.26(목) 13:30 KE-025 (9.27. 17:35 서울착)

- 9.28(토) 13:30 KE-025 (9.29. 17:35 서울착)

3. 김포공항 출국시(9.21. 토) 짐 Check-in 및 출국수속 관련

o 금일 "사절단 짐표시"용 Tag를 배포하오니, 금후 탁송하실 짐에 부착해 주시기 바랍니다.

o 출국항공기 출발 90분전에 여권, 항공권, 탁송 짐(Tag 부착)을 대한항공 1등 Check-in 카운터로 보내주시기 바랍니다.

* KE-026편은 9.21(토) 08:30분까지

* KE-028편은 9.21(토) 17:50분까지

- 외무부 수행안내직원이 당일 08:20분/ 17:40분부터 대한항공 1등 카운터에서 대기할 예정입니다.

4

0052

o 상기 화물탁송조치를 마치시거나, 의뢰하신분은 김포공항 귀빈실에 대기하시면 안내직원이 출국수속을 다 마친후 좌석권 배포 및 항공권을 돌려드리고, 항공기 출발시간에 맞추어 탑승하시도록 안내하여 드릴 것입니다.

- 여권은 미국입국시 일괄 처리를 위하여 안내직원이 일시 보관 예정입니다.

* 김포공항 귀빈실(전화 660-2382/3)은 국제선 2청사(대한항공 청사) 3층 오른편에 위치해 있습니다.

4. 뉴욕 도착이후 호텔 Check-in 관련

o 뉴욕 JFK 공항에 도착하시면 공관직원이 영접을 나와 입국 수속, 짐찾기 등을 담당할 예정입니다. 짐을 찾는동안 잠시 보세구역에서 대기하시는 경우가 있을런지 모르겠아오니 널리 양해하여 주시기 바랍니다.

o 공항에서 호텔까지는 버스로 이동할 예정이며, 호텔에 도착하시면 안내직원들이 유숙하실 방 열쇠를 드리게 되어 있습니다.

- 유숙하실 방은 사전 check-in될 것이며, 서울 출발전에 방번호가 배정될 것으로 예상됩니다.

- 혹시 별도로 도착하실 분을 위하여 금후 호텔내 연락실 (CP)을 알려드리겠습니다.

5. 뉴욕체재시 교통편등 이용안내

o 단체일정(유엔연설 참석, 공연관람등)에 따른 이동은 버스를 이용할 예정입니다.

o 그 이외 개별용무를 위하여 승용차를 별도로 준비할 예정입니다.

* 기타 제반지원을 위하여 호텔내 연락실이 운영됩니다. 서울에서부터 수행.안내하는 직원도 사절단 활동을 지원할 예정입니다.

6. 뉴욕에서의 귀국시 참고사항

o 귀국하시는 일정에 맞추어 공항환송 및 짐 탁송 지원이 있을 것입니다.

o 귀국일정과 관련 도와드릴 사항이 있으시면 서울에서나 또는 현지에서 말씀해 주시기 바랍니다.

o 단, 경축사절의 귀국일정이 일정치 않은 관계로 서울공항에서의 편의제공은 어려운 점이 있음을 널리 양해하여 주시기 바랍니다.

6

0054

7. 서울에서의 연락처

o 상기 관련사항 및 기타문의, 또는 협조요청은 외무부 유엔과 이규형 과장 / 황준국 사무관(720-2334, 720-2353)에 연락주시기 바랍니다. 끝.

김영삼 대표최고위원 일정(안)

91. 9. 9.

9.18(수)

11:55 서울출발 (KE-704편)

13:55 동경도착

- 일측 : 하라다켄 의련회장대행, 도츠카 신야 부간사장 출영

18:30 주일대사 주최 만찬(관저)

9.19(목)

08:00 주일 한국특파원단을 위한 조찬(호텔내 우메노바)

12:00 재일거류민단장 주최 오찬(호텔내 아리에스노바)

14:00 다께시다 일.한의련회장일행 면담 (호텔내 가에데노바)

* 일측 동석의원 : 하라다 회장대행, 오부찌 간사장, 가또 정조회장등 10여명

15:10 오오우치 민사당위원장 예방 (당사)

16:30 이시다 공명당위원장 예방 (당사)

19:30 다께시다 일.한 의련회장 주최 만찬(하포엔, 30명 규모)

0056

9.20(금)

오 전	수상등 주요인사 예방 (추진중)
12:00	타나베 사회당위원장 주최 오찬 (호텔내 아리아케노바, 양측 각 4명 규모)
오 후	이가라시 사회당의원일행 접견 (방한경험 사회당 의원단 10여명)
19:00	이시다 공명당위원장 주최 만찬(장소 미정)

9.21(토)

오 전	
16:50	동경출발 / 9.21. 16:35 뉴욕도착 (UA-800편)
20:00	주유엔대사내외 주최 만찬(관저) (내외분 참석)

9.22(일)

09:00-10:00	조 찬
11:00-13:30	한인교회 예배 참석 및 대표최고위원 주최 교회인사(7명) 오찬 (내외분 참석)
14:50	케네디공항 향발
16:50	대통령 뉴욕도착 공항 출영(내외분 참석)

0057

18:30-19:30	교민초청 주뉴욕총영사 주최 리셉션참석
	(The Plaza Hotel) (내외분 참석)
20:00-21:30	대표최고위원 주최 현지진출 상사대표 초청만찬
	(10명, 한국식당) (내외분 참석)
	* 대통령께서는 공관 간부직원 만찬

9.23(월)

06:30	호텔출발
07:00-08:30	청과상조회 방문 및 조찬
09:30	호텔 귀환
12:00-14:30	뉴욕 한인회관 방문 및 대표최고위원 주최 한인회 간부 초청 오찬 (내외분 참석)
14:30-15:00	브로드웨이 한인도매상가 방문
15:20	호텔 귀환
20:00	대표최고위원 주최 뉴욕지역 교포학자 초청 만찬 (10명 이내, 내외분 참석)

9.24(화)

08:00-09:00	주미대사 주최 조찬(내외분 참석)
10:00-11:30	유엔총회 기조연설 참관(유엔본부) (내외분 참석)
오 찬	대통령주최 경축사절단을 위한 오찬 참석
	(내외분 참석)

0058

15:30-16:30	재뉴욕 한국학교장 및 관계자 접견 (다과회) (10명 정도, 내외분 참석)
18:30-20:00	주유엔대사 주최 유엔가입 경축 리셉션 참석 (The Plaza Hotel) (내외분 참석)
만 찬	현지 수행의원단 만찬

9.25(수)

08:00	케네디공항 향발
10:00	대통령 멕시코향발 환송
12:00	대표최고위원 주최 뉴욕 교민상공인회간부 초청오찬 (10인 정도, 내외분 참석)
14:30-16:00	뉴욕 Metropolitan Museum 방문 (내외분 참석)
18:00-	뉴욕총영사 주최 대표최고위원내외 초청 만찬 (내외분 참석)
저 녁	유엔가입 경축기념공연 관람 (카네기홀) (내외분 참석)

9.26(목)

06:30	호텔출발
07:00-12:00	운동 및 오찬
12:00-13:00	케네디공항 향발 * 사모님은 호텔에서 11:30시 공항향발(별도)
13:30	뉴욕출발 / 9.27(금) 17:30 서울도착 (KE-025편)

0053

관리 번호	91-4730

분류번호	보존기간

발 신 전 보

번 호 : WUN-2619 910909 1839 FN 종별 :

WNY -1504

수 신 : 주 유엔대사, 뉴욕 총영사

발 신 : 장 관 (국연외전)

제 목 : 경축사절단

1. 조경희 예술의 전당 이사장(전 정무제2장관)이 경축사절과 똑같은 자격으로 뉴욕방문 예정인 바, 경축사절단 영접업무에 참고바랍.

2. 경축사절단을 위한 호텔연락실(CP)을 별도로 운영토록 준비하기 바람. 끝.

(국제기구국장 문동석)

예고 : 191.12.31.일 반고문에 의거 일반문서로 재분류됨

보안 통제	

앙고재	91년 9월 5일	외1과	기안자 성명		과 장		국 장		차 관	장 관

외신과통제

0060

관리 번호	91/ ⒲767

	분류번호	보존기간

발 신 전 보

번 호 : WUN-2642 910910 1618 FH 종별 :

: WNY -1514

수 신 : 주 유엔대사, 뉴욕 ♣♣♣ 총영사

발 신 : 장 관 (연일)

제 목 : 지구촌 (경축사절단)

대 : NYW-1328, UNW-2472

1. 경축사절단을 위한 뉴욕한인회.평통 공동주최 9.23. 만찬에는 경축사절중 ~~최소한~~ 20여명이 참석예정임.

2. 주유엔대사 9.25. 오찬에는 경축사절중 ~~최소한~~ 17명이상이 참석예정임. 끝.

(국제기구국장 문동석)

예고 : 1991.12.31. 일반 예고문에 의거 일반문서로 재분류됨

보안 통제	

앙 고 재	91년 9월 10일	연 과	기안자 성명		과 장		국 장		차 관	장 관

외신과통제

0061

관리번호	91-1048

외 무 부

종 별 : 긴 급

번 호 : NYW-1350 일 시 : 91 0910 1645

수 신 : 장관(문일,국연,문정,해문)

발 신 : 주 뉴욕 총영사(문)

제 목 : 경축 공연

연:NYW-1206

대:WNY-1424,1466

표제 추진상황 아래 보고함

1. 홍보

가. 보도자료 배포

. 8.14 영문및 국문 보도자료 배포완료

나. 평론가 및 기자회견

. 9.4, 국제문화협회장 당지방문계기 미국인 평론가, 기자등 전문가 회견 개최

. 9.5 국제문화협회장 교포언론 문화부 기자회견 개최

. 8.25, 문화원장, 교포언론 문화기자 간담회 개최

다. 개별접촉

. NYT, NY NEWSDAY, 문화기자등 주요인사 개별접촉

(문화원장, 전담흥행사 MRS. STERNE)

라. 신문방송광고

. NYT, 9.8 자 1/2 면 광고 게재필

. NYT, 9.15,20,22 1/4 면 광고 게재 의뢰필

. WQXR.WMCM 등 음악전문 FM 방송광고 방송예정

. 교포언론(신문, TV 등 8 개 매체)광고 게재예정(9.16 전후)

마. 플라이어 배포

. 음악애호인 개별 우송(1 만매)

. 유명공연장, 레코드상 등에 진열(2000 매)

. 주요인사 초청장 발송시 동봉우송

19 91.12.31. 일반문서로 재분류

문협국 국기국 문화부 공보처

PAGE 1 91.09.11 06:53

외신 2과 통제관 DO

0062

바. 포스터 부착

. 카네기홀

. 시내일원 지정벽보판(2000 매, 전문용역회사 의뢰)

2. 관객동원 기본방침

가. 관객의 숫자 보다는 수준을 우선감안, 한국전통 공연예술 선양의 계기로 활용

나. 각국 외교사절및 미국인 주요인사 중심.

다. 매표보다는 초청위주(매포 500, 초청 2,300)

3. 주요인사 초청

. 각계지도급 인사대상, 초청장 발송완료(1,000 처)

-각국 외교단

-정.관계

-한국유관기관

-현지언론계

-공관및 지상사업무 관련 주요인사

-기타 한국관련 유력인사(학자, 집필가등)

4. 매표

. 공연장 매표구에서 매표

. 9.10 현재 매표실적:약 100 매

5. 좌석 배치계획

. 특석(FIRST TIER): 외교사절등 특히 주요한 외국인 인사

. A 석(PARQUET): 외국인 주요인사

. B 석(DRESS CIRCLE): 일반 외국인, 교민 주요인사

. C 석(BALCONY): 일반교민

6. 기타

. CARNEGIE HALL STAGE BILL 인쇄 문안확정, 교정중.

. 공연중 침향무연주시 보조할 합창단 확보완료(브니엘 합창단등 100 명)

. 현재 특별한 애로사항없음.

7. 경축사절단 공연참관 여부 조기통보바람. ——→ 참석예정 확인

(문화원장-문화협력국장, 문화정책국장, 문화교류부장)

예고:91.12.31. 까지

PAGE 2

0063

관리 번호	91 -4861

외 무 부

종 별 : 지 급

번 호 : NYW-1359 일 시 : 91 0910 1815

수 신 : 장관(의전,연일) 사본:주유엔대사-직송필

발 신 : 주 뉴욕총영사

제 목 : 지구촌 (경축사절단)

대:WNY-1514

연:NYW-1328

1. 당지 한인회측은 대호 만찬형식에는 경축사절 다수의 불참이 예상됨을 감안, 경축사절 대부분이 참석토록 만찬대신 리셉션 형식으로 변경하고, 기 추진중인 평통과의 합동대신에 뉴욕한인회 단독주최로 변경 개최코저한다고 금 9.10 당관에 알려왔음.

2. 동 리셉션은 9.23(월)오후 7 시 한국식당 대화회관(33-15 56 ST., WOODSIDE NY)에서 개최예정이라함.

3. 동 한인회 단독 리셉션개최로의 변경에따른 문제점 또는 본부 이견이 있을경우는 하시바람.

(총영사-의전장)

예고:91.12.31. 일반 (예고문에 의거 일반문서로 재분류됨)

의전장	장관	차관	국기국	청와대	청와대	청와대	안기부

PAGE 1

91.09.11 08:12

외신 2과 통제관 BS

0064

경축사절단 뉴욕방문 안내 (박정수위원장님)

91. 9. 10.
외무부 국제연합1과

1. 방문기간 : 9.21(토)-9.26(목) (5박6일)

2. 숙 소 : The Plaza 호텔

   768 5th Ave. 59th St. New York, N.Y. 10019

   (전화 : 212-759-3000)

3. 뉴욕공식일정

   o 9.22(일) 저녁 - 뉴욕총영사 주최 교민리셉션(호텔)

   o 9.23(월) 저녁 - 뉴욕한인회 및 평통 공동주최 만찬(잠정)

   o 9.24(화) 오전 - 유엔총회 기조연설 참석(유엔)

   점심 - 경축사절단을 위한 오찬(호텔)

   저녁 - 유엔대사 주최 각국대표를 위한 경축리셉션(호텔)

   o 9.25(수) 점심 - 유엔대사 주최 오찬(잠정)

   저녁 - 경축 민속공연 관람 (카네기홀)

0065

4. 뉴욕체재중 교통편 및 안내

o 공항출입, 유엔총회연설 참석등 공식일정 : 버스

o 개별일정 : 승용차

5. 정부지원 내용

o 호텔숙박 : The Plaza 호텔 9.21(토)-9.26(목)간 예약 (5박 6일)

6. 경축사절단 수행안내직원(2명) : 외무부 조태용 사무관
" 황준국 사무관

* 뉴욕체재중 경축사절단에 대한 제반지원을 위하여 연락실(CP)이 숙소내에 별도로 운영될 예정입니다.

* 경축사절단 관련 문의 또는 협조요청은 외무부 국제연합 1과 이규형 과장 / 황준국 사무관(720-2334, 720-2353)에 연락주시기 바랍니다.

0066

43846

기 안 용 지

분류기호 문서번호	연일 2031 -	(전화 :)	시 행 상 특별취급	지 급
보존기간	영구 · 준영구. 10. 5. 3. 1	장 관		
수 신 처 보존기간				
시행일자	1991. 9. 10.			

보조기관	국 장	전결	협조기관		문서통제 1991. 9. 10 통제관
	심의관				
	과 장				
기안책임자		황준국			발송인

경 유 수 신 참 조	김포공항관리공단 이사장	발신명의		발송 1991 9 10 외무부

제 목	경축사절단 출국에 따른 협조요청

유엔가입 경축사절단으로 뉴욕방문 예정인 아래 인사들이 귀빈실을 사용할 수 있도록 협조하여 주시기 바랍니다.

- 아 래 -

1. 9.19(목) 10:00 KE-026편 출국인사

- 노신영 전총리
- 최광수 전외무장관
- 안병훈 신문편집인협회장

0067 /계속/

(2)

2. 9.21(土) 10:00 KE-026편 출국인사

- 강영훈 전총리, 노재봉 전총리

- 민관식 남북조절위 공동위원장 대리

- 홍성철 민주평통 수석부의장

- 조영식 1천만 이산가족 재회추진 이사장

- 김병관 신문협회장

- 서기원 방송협회장

- 명의식 축협회장

- 현승종 교원단체 총연합회 회장

- 강선영 예총회장

- 소준열 재향군인회장

- 조충훈 청년회의소 중앙회 회장

(수행 외무부직원 : 조태용 사무관)

3. 9.21(土) 19:20 KE-028편 출국인사

- 김용식 전외무장관

- 이계순 정무제2장관

- 김홍수 대한변호사협회 회장

0068 /계속

(3)

- 박종근 노총위원장

- 조경희 예술의 전당 이사장

(수행 외무부직원 : 황준국 사무관). 끝.

0063

심의관 지급

협조문용지

분류기호 문서번호	국연 2031-398	(2179-80)	결재	담 당	과 장	국 장
시행일자	1991. 9. 10.					
수 신	영사교민국장	발신	국제기구국장			(서명)
제 목	출국신고의뢰					

아래 유엔가입 경축사절단 및 동 사절단 수행직원이 9.21(토)-26(목)간 뉴욕방문 예정이오니 출국에 필요한 조치를 취하여 주시기 바랍니다.

- 아 래 -

1. 노신영 전총리(30.2.28생, DR 0000643)
2. 노재봉 전총리(36.2.8생, DR 0016864)
3. 김용식 전외무장관 (13.10.3생, DR 0000123)
4. 조태용 외무부 사무관 (56.8.29생, DR 0012522)
5. 황준국 외무부 사무관 (60.12.19.생, DR 0013673)

- 끝 -

0070

45058

기안용지

분류기호 문서번호	연일 2031 -	(전화 :)	시행상 특별취급	
보존기간	영구 · 준영구. 10. 5. 3. 1	장	관	
수신처 보존기간				
시행일자	1991.9.11.			

보조기관		협조기관		문서통제
국장	전결			1991. 9. 12 통제관
심의관				
과장				
기안책임자	황준국			발송인

		발신명의		발송 1991 9 1? 외무부
경유				
수신	병무청장			
참조	춘천지방 병무청장			
제목	국외여행허가서 발급 협조요청			

다음 학생이 금번 우리나라의 유엔가입에 제한 경축 사절단의 일원으로 선발되어 9.20(금)-27(금)간 미국방문 예정이므로, 병역미필자인 동인이 해외여행을 할수 있도록 "국외여행 허가서"를 발급하여 주시기 바랍니다.

- 아 래 -

1. 성 명 : 서가람
2. 주민등록번호 : 691117-1011512

0071 /계속/

(2)

3. 주 소 : 서울시 중랑구 면목5동 154-34

4. 소 속 : 서울대학교 외교학과 (4학년). 끝.

0072

경축사절단 영접계획

1991.9.11.
국제연합1과

1. 영접지원조직

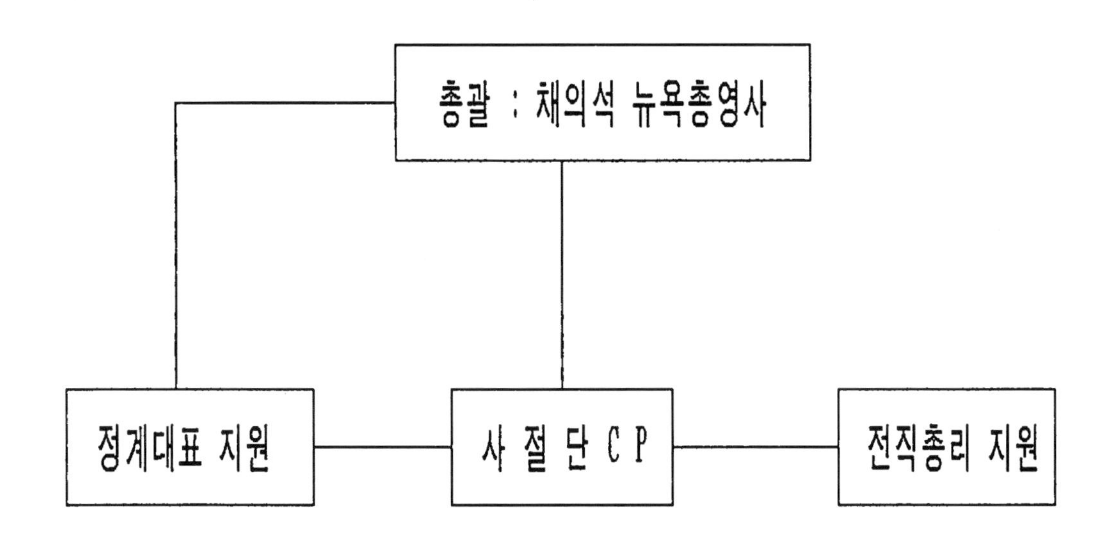

정계대표 지원

안내 : 김영목 서기관
박인국 서기관
지원 : 현지지사 차출
인원

사절단 CP

반장 : 최경보 부총영사
반원 : 뉴욕총영사관
직원 2명
안내 : 조태용 사무관
황준국 사무관
지원 : 현지지사 차출
인원 5명
기사 10명

전직총리 지원

총괄 : 신기복 차석대사
반원 : 유엔대표부 직원
1명
지원 : 현지지사 차출
인원 4명

1

0073

2. 사절단 출발전 준비

가. 뉴욕방문행사 및 금추 유엔총회 개요 개괄적 설명

o 9.9. 기시행

나. 남북한관계 포함 정부입장에 관한 설명자료 배포

o 9.14. 예정

다. 뉴욕체류일정 책자 배포

o 명단, 주요일정, 세부안내사항, 숙소배정, 차량이용, 호텔CP 운영, 주요전화번호등 포함

o 탑승후 항공기내에서 배포

3. 뉴욕공항 영접

o 뉴욕총영사 지휘로 공항영접

- 입국수속, 짐찾기, 차량탑승 안내

o 단체이동시에는 버스이용

- 단, 개별도착시에는 승용차

4. 현지지원 개요

o 행사전날 사절단에 대한 익일행사 Circular 배포

o 행사당일 오전 07:30 사절단 지원반 회의

o 행사출발 30분전 각방 전화연락

2

0074

5. 기조연설 참석 관련

- o 09:30 gallary 착석 사절단(20여명) 출발
  - 대형버스편
- o 10:00 지정석 착석인사(10여명) 출발
  - 승용차편
- o 연설종료후 함께 호텔 향발
  - 대형버스편

관리번호	91-4795

분류번호	보존기간

발 신 전 보

번 호 : WUS-4160 910911 1739 FH 종별 :

수 신 : 주 미 대사. 총영사

발 신 : 장 관 (연일)

제 목 : 지구촌(경축사절단)

1. 유엔가입 경축사절단 정계대표로 뉴욕방문 예정인 김영삼 대표 최고위원 및 김대중 총재의 뉴욕체류일정을 아래 통보하니 귀관 김영목, 박인국 서기관의 수행 안내준비에 참고바람.

가. 김영삼 대표최고위원 (박인국 서기관 수행)

9.21(토) 16:35 뉴욕도착 (UA-800), 유엔대사내외 주최 만찬(관저)

9.22(일) 한인교회 예배 참석 및 대표최고위원 주최 교회인사 오찬, 대통령 도착 공항 출영

9.23(월) 청과상조회 방문 및 조찬, 뉴욕 한인회관 방문 및 대표최고위원 주최 한인회 간부 초청 오찬, 브로드웨이 한인도매상가 방문

9.24(화) 주미대사 주최 조찬, 유엔총회 기조연설 참관, 대통령주최 경축사절단을 위한 오찬 참석, 재뉴욕 한국학교장 및 관계자 접견, 경축리셉션 참석

/계속/

보안통제	(서명)

앙고재	91년 9월 11일	5과	기안자 성명		과 장		국 장		차 관	장 관
			(서명)		(서명)					(서명)

외신과통제

0076

9.25(수)　대통령 멕시코향발 환송, 뉴욕 교민상공인회간부 오찬

Metropolitan Museum 방문, 뉴욕총영사 주최 만찬

경축민속공연 관람 (카네기홀)

9.26(목)　13:30　뉴욕출발 ／ 9.27(금)　17:30　서울착(KE-025)

나. 김대중 총재 (김영국 서기관 수행)

9.22(일)　20:15　　뉴욕도착 (LH-404편)

9.23(월)　Kissinger 전 국무장관 방문, Carnegie Council 주최

오찬, 콜롬비아대 방문

9.24(화)　미의원과의 조찬, 유엔총회 참석, 경축리셉션 참석,

교포초청 리셉션 주최(Astoria Manor)

9.25(수)　CFR 조찬 연설, NYT 방문, 뉴욕출발 (LO-007편)

2. 김영삼 대표최고위원 숙소는 The Plaza이며 김대중 총재는 Marriott Marquis 인 바, 양서기관도 이에 맞추어 예약조치 예정임. 끝.

(국제기구국장　문동석)

예고 : 91.12.31. 일반 에 예고문에 의거 일반문서로 재분류됨

0077

관리 번호	91 -4794

분류번호	보존기간

발 신 전 보

번 호 : WNY-1528 910911 1741 FH 종별 : 지 급

WUN -2681

수 신 : 주 뉴욕총영사, 유엔 대사. 총영사

발 신 : 장 관 (연일)

제 목 : 경축사절단 영접계획

대 : UNW-2472

1. 대호관련, 본부에서 작성한 경축사절단 영접계획을 아래 통보하니 영접준비에 만전을 기하기 바람.

가. 영접지원조직

o 총 괄 : 채의석 뉴욕총영사

o 사절단 CP

- 반 장 : 최경보 부총영사
- 반 원 : 뉴욕총영사관 직원 2명
- 안 내 : 조태용, 황준국 사무관
- 지 원 : 현지지사 차출인원 5명, 기사 10명

o 정계대표 지원반

- 안 내 : 김영목, 박인국 서기관
- 지 원 : 현지지사 차출인원

o 전직총리 지원반

- 반 장 : 신기복 차석대사

/계속/

보안 통제	

앙 고 재	91년 9월 11일	기안자 성명	과 장	국 장	차 관	장 관

외신과통제

0078

- 반 원 : 유엔대표부 직원 1명

- 지 원 : 현지지사 차출인원 4명

나. 사절단 출발전 준비

o 뉴욕방문행사 및 금추 유엔총회 개요 개괄적 설명(9.9. 기시행)

o 남북한관계 포함 정부입장에 관한 설명자료 배포(9.14. 예정)

o 뉴욕체류일정 안내책자 배포

다. 뉴욕공항 영접

o 뉴욕총영사 지휘로 공항영접

- 단체이동시에는 버스이용(개별도착시에는 승용차)

라. 현지지원 개요

o 행사전날 사절단에 대한 익일행사 Circular 배포

o 행사당일 오전 07:30 사절단 지원반 회의

o 행사출발 30분전 각방 전화연락

마. 기조연설 참석시 버스로 이동

2. 상기 영접지원조직에 배속될 귀관 직원을 선정, 우선 보고바라며

세부조치사항 관련 수시 보고바람. 끝.

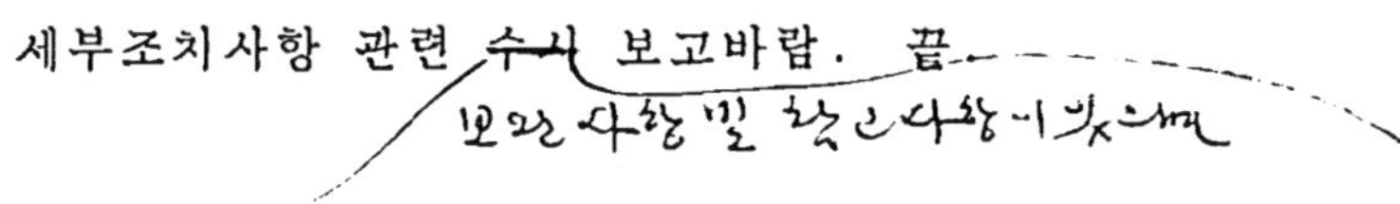

(장 관)

예고 19 . . .에 예고문에 의거 91.12.31. 일반문서로 재분류됨

0079

	분류번호	보존기간

발 신 전 보

"의전총영사"

번 호 : WNY-1529 910911 1745 FH 종별 : 지 급

수 신 : 주 뉴욕 총영사 (최경보 부총영사)

발 신 : 장 관 (이규형 과장)

제 목 : 업 연

1. 유엔가입 경축사절로 뉴욕방문 예정인 박동진 장관께서 다른 경축사절들과는 별도로 9.14. 10:30 KE-026편 케네디 공항 도착 예정임.

2. 이와관련 박장관께서는 가능하면 뉴욕총영사관의 안기사 차량이 공항에 나와주기를 바라고 있는 바(수행안내 직원은 사양), 가능한지 여부 지급 회신해 주시기 바람.

3. 건승기원합니다. 끝.

보 안 통 제	

앙 고 재	91년 9월 11일	과	기안자 성 명		과 장		국 장		차 관	장 관

외신과통제

0080

원 본

암호수신

외 무 부

종 별 : 지 급

번 호 : NYW-1362 일 시 : 91 0911 1000

수 신 : 장관(이규형 유엔과장)

발 신 : 주 뉴욕 최경보

제 목 : 업연

대:WNY-1529

대호 9.14. 박동진장관 당지 도착시 안기사 출영, 차량제공 공히 가능함. 끝

국기국

PAGE 1 91.09.12 05:31

외신 2과 통제관 BW

0081

관리번호	91-4832

원 본

외 무 부

종 별 : 지 급

번 호 : NYW-1364 일 시 : 91 0911 1455

수 신 : 장관(연일)

발 신 : 주 뉴욕 총영사

제 목 : 지구촌(경축사절단)

대:WNY-1536

1. 대호 리셉션의 한인회 단독 주최에 대한 평통 윤계초 지역협의회장은 9.11(수)자로 이를 양해한다고 당관에 알려왔는바, 평통측 반발은 없을것으로 예상됨.

2. 아울러 윤회장은 필요시 앞으로 경축사절 뉴욕체류중 일부인사를 위한 별도행사를 소규모로 계획하여 보겠다고하면서 평통 내부의견을 수렴중이라함을 참고바람.

(총영사-국장)

예고:91.12.31. 일반

1991.12.31.에 예고문에 의거 일반문서로 재분류됨

국기국 장관 차관 청와대 청와대 청와대 안기부

PAGE 1

91.09.12 05:35

외신 2과 통제관 BW

0082

관리 번호	91 —4839

원 본

외 무 부

종 별 :

번 호 : UNW-2598 일 시 : 91 0911 1900

수 신 : 장 관(연일,의전)

발 신 : 주 유엔 대사

제 목 : 경축사절단 일정

대:WUN-2694,2622

1. 대호 사절단원이 9.21-26 기간 이외에 개별적으로 당지 체류하는 경우 숙소및 차량제공에 대한 본부방침을 지급회시바람. 아울러 호텔 예약여부도 확인통보바람.

2. 사절단원의 당지 조기도착을 감안하여 CP 는 9.20-26 간 운영예정임.끝

(대사 노창희-국장)

예고:91.12.31. 일반

국기국 의전장

PAGE 1

91.09.12 09:11

외신 2과 통제관 BS

0083

관리번호	91-4843

원 본

외 무 부

종 별 :

번 호 : UNW-2600 일 시 : 91 0911 1900

수 신 : 장 관(연일,의전) 사본:주뉴욕총영사-직송필

발 신 : 주 유엔 대사

제 목 : 경축사절단 영접계획

연:UNW-2472

대:WUN-2681

1. 동 사절단이 유엔행사에 참여하기 위해 방문하는 점을 고려하여 대표부및 총영사관 협의하에 신기복 차석대사를 총괄로하여 대표부, 총영사관 실무팀을 구성 이제까지 세부영접 계획을 수립하여 왔는바, 현단계에서 영접 조직체계를 바꿀경우 금주말부터 도착하는 사절단원의 영접계획에 차질이 생길 우려가 있으므로 신대사가 총괄겸 전직총리 지원업무를 담당하는것이 좋을것으로 판단함.

2. 이에따른 영접지원 조직은 아래와 같이편성, 가동코자함.

0. 총괄:신기복대사(기획: 이영현 참사관)

0. 사절단 CP: 최경보 부총영사(반장), 김수권 부영사, 홍기화 코트라 부관장

0. 안내총괄:조태용, 황준국

0. 정계대표지원:김영목, 박인국(한재철 영사협조)

0. 전직총리 지원:최홍기 서기관(대표부), 유근성 구매관, 황승정 재무관, 김지수 장학관, 무협직원

0. 기타 사절단 지원:은행, 지상사로부터 사절단원별 안내원 1 명 지원 확보중

3. 영접 계획운용

0. 숙소이외 공식 단체행사에는 버스를 이용(총회참석, 오.만찬등) 하며 사절단원의 편의를 위하여 가급적 승용차를 1 인 1 대씩 제공예정임.(은행, 지상자의 지원 확보중)

0. 공항영송은 행사가 중복되지 않도록 대표부, 총영사관간에 적절히 분배함.

4. 상기 건의하오니 검토후 결과 지급 회보바람. 끝

(대사 노창희-장관)

국기국 장관 차관 의전장 청와대 안기부

PAGE 1

91.09.12 08:43

외신 2과 통제관 BS

0084

예고:91.12.31. 일반

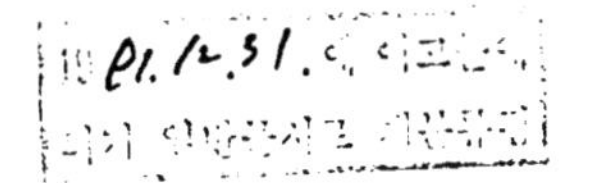

PAGE 2

0085

관리 번호 91-4821

	분류번호	보존기간

발 신 전 보

번 호 : WNY-1534 910911 2049 FL 종별 :

WUN -2694

수 신 : 주 뉴욕총영사, 유엔 대사. 총영사

발 신 : 장 관 (국연)

제 목 : 경축사절단 뉴욕착발 일정

경축사절단(조경희여사 포함)의 뉴욕도착 및 출발항공 일정을 아래 통보하니 공항영송 준비바람.

1. 뉴욕도착(시간순)

가. 9.14.(토) 10:30착(KE-026) - 박동진

나. 9.14.(토) 21:30착(KE-028) - 한호선

다. 9.15.(일) 10:30착(KE-026) - 박정수(장관일행)

라. 9.19.(목) 10:30착(KE-026) - 노신영, 최광수, 안병훈

마. 9.20.(금) 15:00착(SR-100) - 김운용

바. 9.21.(토) 10:30착(KE-026) - 강영훈, 노재봉, 민관식, 홍성철, 조영식, 김병관, 서기원, 명의식, 현승종, 강선영, 소준열, 조충훈(12명)

사. 9.21.(토) 13:35착(BA-175) - 이방호

아. 9.21.(토) 16:35착(UA-800) - 김영삼, 박관용

자. 9.21.(토) 21:30착(KE-028) - 김용식, 이계순, 김홍수, 박종근, 조경희(5명)

보 안 통 제	

앙 고 재	91년 9월 11일	과	기안자 성명		과 장		국 장		차 관	장 관

외신과통제

0086

차. 9.22.(일) 13:35착(BA-175) - 유창순

카. 9.22.(일) 16:50 특별기편 도착 - 서가람, 고희경(학생대표)

타. 9.22.(일) 20:15착(LH-404) - 김대중

2. 뉴욕출발(시간순)

가. 9.25.(수) 13:30발(KE-025) - 박정수, 현승종

나. 9.25.(수) 16:30발(LO-007) - 김대중

다. 9.26.(목) 12:00발(TW-007) - 노재봉

라. 9.26.(목) 12:00발(AA-17) - 노신영

마. 9.26.(목) 13:30발(KE-025) - 김영삼, 박관용,
유창순, 소준열, 김운용, 조충훈, 서가람, 고희경(8명)

바. 9.28.(토) 13:30발(KE-025) - 조영식, 이방호,
이계순, 조경희(4명)

사. 미정(OPEN TICKET)
강영훈, 김용식, 박동진, 최광수, 민관식, 홍성철, 김병관,
안병훈, 서기원, 한호선, 명의식, 강선영, 김홍수, 박종근. 끝.

(국제기구국장 문동석)

예고문: 1991.12.31에 일반문에 의거 일반문서로 재분류됨

0087

분류번호	보존기간

발 신 전 보

번 호 : WUS-4174 910911 2236 DQ 종별 :

수 신 : 주 미 대사.총영사 (김영목 서기관님)

발 신 : 장 관 (국제연합1과 황준국 배)

제 목 : 업 연

연 : WUS-4160

1. 연호 2항에는 김서기관님 숙소가 Mariott Marquis로 되어 있으나 다른 모든 경축사절 및 대통령 수행원들이 The Plaza에 유숙하고, 따라서 관련 CP들도 그곳에 위치해 있으므로 업무의 효율등을 고려 김서기관님 숙소를 박인국 서기관님과 함께 The Plaza로 예약할 예정입니다.

2. 곧 뵙길 고대합니다. 끝.

예고: 91.12.31. 일반문서로 재분류됨

보안 통제	

앙 고 재	91년 9월 11일	국제연합1과	기안자 성명		과 장		국 장		차 관	장 관

외신과통제

0088

관리 번호	91 -4547

	분류번호	보존기간

발 신 전 보

번 호 : WNY-1545 910912 1809 FN 종별 :

WUN -2718

수 신 : 주 뉴욕 대사. 총영사 (사본: 주유엔대사)

발 신 : 장 관 (연일)

제 목 : 경축사절 공항일정

대 : WNY - 1534

연 : NYW - 1362

박동진장관 뉴욕도착이 9.17.(화) 10:30 KE-026편으로 변경되었음, 끝.
공항출영 바람.

(국제기구국장 문동석)

예고 : 199.12.31. 일반

1991.12.31.에 예고문에 의거 일반문서로 재분류됨

보 안 통 제	

앙 고 재	91년 9월 12일	연 1과	기안자 성 명		과 장	심의관	국 장		차 관	장 관

외신과통제

0089

관리 번호	91 -4850

분류번호	보존기간

발 신 전 보

번 호 : WUN-2721 910912 1855 FO 종별 :
WNY-1546
수 신 : 주 유엔 대사. 총영사 (사본: 주뉴욕총영사)
발 신 : 장 관 (연일)
제 목 : 경축사절단(숙소)

경축사절중 최광수 전장관의 숙소예약 기간을 가능하면 9.21.-26.에서 9.22.-27.간(5박 6일)으로 변경하고 결과보고 바람.

(국제기구국장 문동석)

예 고 : 1991.12.31. 일반

19P1.12.31.에 예고문에 의거 일반문서로 재분류됨

보안 통제

의전과장:

앙 고 재	91년 9월 12일	연 1과	기안자 성명		과 장		국 장		차 관	장 관

외신과통제

0090

관리 번호	91 -4849

분류번호	보존기간

발 신 전 보

번 호 : WUN-2723 910912 1857 FO 종별 : 지 급

수 신 : 주 유엔 대사.총영사 (사본 : 주뉴욕총영사) WNY -1547

발 신 : 장 관 (연일)

제 목 : 경축사절단 영접계획

대 : UNW-2600

연 : WUN-2681

대호 건의대로 신대사의 총괄하에 경축사절단 영접 ~~세부계획을 수립, 시행~~에 만전을 기하기 바람. 끝.

(장 관)

예고 : 91.12.31.일반

1991.12.31.에 예고문에 의거 일반문서로 재분류됨

의전장:

보안 통제	

앙고재	91년 9월 12일	5연1과	기안자 성명		과 장	심의관	국 장		차 관	장 관

외신과통제

0091

관리번호	91-4862

	분류번호	보존기간

발 신 전 보

번 호 : WNY-1556 910912 2252 FH 종별 :

수 신 : 주 뉴욕 대사. 총영사 (사본: 유엔대사) WUN -2744

발 신 : 장 관 (연일)

제 목 : 지구촌(경축사절단)

대 : NYW-1359, 1364

금번 지구촌행사 기간중 귀지 한인회 포함 교민관련 행사(정당인사 주최행사등)가 수차 개최되는 점을 감안할때 한인회측에 번거로움과 일응 부담이 될 리셉션(만찬포함) 초청을 사양코자하니 이러한 뜻을 한인회측에 잘 설명하고 이해를 구하기 바람. 끝.

(국제기구국장 문동석)

예 고 : 1991.12.31. 일반.

1991.12.31.에 예고문에 의거 일반문서로 재분류됨

보안통제	

앙고재	91년 9월 12일	연과	기안자 성명		과 장		국 장		차 관	장 관

외신과통제

0092

관리 번호 91-4852

원 본

외 무 부

종 별 : 긴 급

번 호 : NYW-1381 일 시 : 91 0912 2025

수 신 : 장관(연일)

발 신 : 주 뉴욕 총영사

제 목 : 지구촌(경축사절단)

대:WNY-1556

1. 대호 지시에따라 한인회측에 설명, 이해를 구한바

2. 이에대해 한인회측에서는

가. 시일이 촉박함을 감안, 일부 교민들에게 초청장을 기 발송하였으며, 언론등 교민지도층에도 리셉션 개최사실을 알렸고

나. 한인회 이사장등 간부회의 합의로 리셉션을 자발적으로 추진키로합의, 결정한 내용이 어서 리셉션 취소문제가 거론되면서 한인회 내부에 심한 반발, 의견분열이 야기되고있다함.

다. 따라서 한인회 자발적행사로서 추진토록하여 가능한 경축사절들이 참여할수 있도록 하여줄것을 간곡히 요청하왔음.

2. 각종 환영행사등 지구촌행사에 대한 한인회측의 자발적인 참여분위기및 전반적인 화합분위기를 계속 앞으로도 유지하기 위해, 당관으로서는 한인회측의 요청을 수렴함이 좋을것으로 사료되어 건의함.

(총영사-국장)

예고:91.12.31. 일반

국기국 장관 차관 청와대 청와대 청와대 안기부

PAGE 1

91.09.13 10:50

외신 2과 통제관 CE

0093

관리 번호	91-4860

분류번호	보존기간

발 신 전 보

번 호 : WUN-2736 910912 2113 FH 종별 :

수 신 : 주 유엔 대사. 총영사 (사본: 주뉴욕총영사) WNY -1553

발 신 : 장 관 (연일, 의전)

제 목 : 경축사절단 일정

대: UNW-2598

대호 1항관련 본부방침 아래 통보함.

1. 숙소예약

모든 경축사절들은 9.21.-26.이외기간에 대해서는 각자 사정에 따라 스스로 숙소 주선함.(별도지시가 있는 경우제외)

2. 차량제공

가. 9.21.이전 개별도착하는 경축사절에 대하여도 공항영접하고 개별적으로 숙소 또는 희망하는곳(뉴욕내)까지 ~~모심.~~ 안내등 가능한편의제공

나. 9.21.이전까지는 원칙적으로 차량제공 필요없음. 다만, 전직총리 및 전직외무장관의 경우 본인이 희망하면 차량제공 바람.

다. 9.26.이후는 차량제공하지 않되(전직총리 및 전직 외무장관은 예외), 뉴욕 출발시에는 개별적으로 또는 단체로 공항까지 교통편 제공함. 끝.

(국제기구국장 문동석)

예고문: 1991.12.31. 일반

19 91.12.31.에 예고문에 의거 일반문서로 재분류됨

보안 통제	

의전과장: [signature]

앙 고 재	91년 9월 12일	연일과	기안자 성명		과 장		국 장		차 관	장 관
			[signature]		[signature]					[signature]

외신과통제

0094

관리 번호	91 -1082

	분류번호	보존기간

발 신 전 보

번 호 : WNY-1557 910913 1046 FG 종별 :

WUN -2747

수 신 : 주 뉴욕 대사. 총영사 (사본: 주유엔대사)

발 신 : 장 관 (연일)

제 목 : 경축민속공연 (경축사절단)

대 : NYW-1350

대호 7항 확인한 바, 경축사절단중 24명정도가 공연참관 할것으로 예상됨. 끝.

(국제기구국장 문동석)

1991.12.31. 에 예고문에 의거 일반문서로 재분류됨

보안 통제	

앙 고 재	91년 9월 13일	연1과	기안자 성명		과 장		국 장		차 관	장 관

외신과통제

0095

관리 번호	91 -4880

	분류번호	보존기간

발 신 전 보

번 호 : WNY-1561 910913 1554 FN 종별 : ~~지 급~~

WUN -2756

수 신 : 주 뉴욕 대사. 총영사 (사본 : 주유엔대사)

발 신 : 장 관 (연일)

제 목 : 지구촌 (경축사절단)

대: NYW-1381

대호 건의에 따라 경축사절들이 한인회주최 리셉숀에 가능한 많이 참석할수 있도록 권유하~~였~~겠음.

(국제기구국장 문동석)

예 고 : 1991.12.31. 일반

보안 통제	

앙 고 재	91년 9월 13일	연일 과	기안자 성명		과 장		국 장		차 관	장 관

외신과통제

0096

관리번호	91-4879

	분류번호	보존기간

발 신 전 보

번 호 : WUN-2755 910913 1553 FN 종별 : 지 급

수 신 : 주 유엔 대사. 총영사 WNY -1560 (사본: 주뉴욕총영사)

발 신 : 장 관 (연일)

제 목 : 경축사절단

1. 경축사절 30명 및 조경희여사의 숙소 방번호를 지급 통보바람.

2. 경축사절단을 위한 9.25 유엔대사 주최오찬의 시간 및 장소 보고바람. 끝.

(국제기구국장 문동석)

예 고 : 1991.12.31. 일반.

1991.12.31.에 예고문에 의거 일반문서로 재분류됨

보안통제	

의전과장 :

앙고재	91년 9월 13일	연1과	기안자 성명		과장		국장		차관	장관

외신과통제

0097

관리번호	91-4943

원 본

외 무 부

종 별 :

번 호 : UNW-2655　　　　일 시 : 91 0913 1830

수 신 : 장관(연일)

발 신 : 주 유엔 대사

제 목 : 경축사절단 오찬

대:WUN-2755 (2 항)

표제오찬은 9.25(수) 12:30 CHEZ VONT (중국식당 220 E, 46 TH ST)에서 개최예정임.끝

(대사 노창희-국장)

예고:91.12.31. 일반

국기국

PAGE 1　　　　91.09.14 09:15

외신 2과 통제관 DO

0098

관리번호	91-4894

분류번호	보존기간

발 신 전 보

번 호 : WUN-2764 910913 1816 FO 종별 :

수 신 : 주 유엔 대사. 총영사 (사본: 주뉴욕총영사) WNY -1567

발 신 : 장 관 (연일)

제 목 : 경축사절단

연: WUN-2755

연호, 경축사절단 CP 및 수행직원 2명의 방번호도 아울러 통보바람.

(국제기구국장 문동석)

예고: 1991.12.31. 일반

91.12.31. 에 예고문에 의거 일반문서로 재분류됨

보안통제	

앙고재	91년 9월 13일	연1과	기안자 성명		과 장		국 장		차 관	장 관

외신과통제

0099

관리 번호	91- 4845

원 본

외 무 부

종 별 :

번 호 : UNW-2660　　　　일 시 : 91 0913 1830

수 신 : 장관(연일)

발 신 : 주 유엔 대사

제 목 : 경축사절단

대:WUN-2764

대호 경축사절단을 포함한 대표단의 객실번호는 호텔측이 내주초 당관에 일괄 통고할 계획으로 있어, 추후 보고예정임.끝

(대사 노창희-국장)

예고:91.12.31. 일반

1991.12.31. 예고문에 의거 일반문서로 재분류

국기국

PAGE 1

91.09.14 09:18

외신 2과 통제관 DO

0100

원 본

외 무 부

암호수신

종 별 :

번 호 : UNW-2664 일 시 : 91 0913 1830

수 신 : 장관(연일)

발 신 : 주 유엔 대사

제 목 : 정무장관 면담 주선

대:WUN-2563

1. 대호 면담대상자로 아래 인사를 선정 9.27 10:30 면담키로 잠정합의 하였음. 동인의 공식 직책은 사무국 공보담당, 사무차장이니, 여성으로서 사무국내 최고위인사이며, 유엔내 비공식 TASK FORCE 인 INTER-AGENCY ADVISORY GROUP ON INFORMATION ACTIVITIES ON WOMEN 의 의장임

성명:MRS. THERESE. P. SEVIGNY

직책:USG, DEPARTMENT OF PUBLIC INFORMATION

국적:카나다

2. 동 사무차장은 이장관의 약력및 면담시 거론 희망사항등을 요청하였는바, 간략히 회시 바람

3. 유엔내 사회및 여성문제 담당최고위 인사는 MARGARET ANSTEE 국장 (DIRECTOR GENERAL, HEAD OF THE CENTRE FOR SOCIAL DEVELOPMENT AND HUMANITARIAN AFFAIRS AND CO-ORDINATOR OF ALL UN DRUG-CONTROL RELATED ACTIVITIES)이나, 동인은 비엔나에 상주하며, 금년도 뉴욕 방문시기는 9.16-9.18 간 이라함. 끝

(대사 노창희-국장)

국기국 장관 차관

PAGE 1 91.09.14 09:11

외신 2과 통제관 DO

0101

관리 번호	91-4592

	분류번호	보존기간

발 신 전 보

번 호 : WUN-2801 910914 1440 FN 종별 :

WNY -1577

수 신 : 주 유엔 대사. 총영사 (사본: 주뉴욕총영사)

발 신 : 장 관 (연일)

제 목 : 경축사절단(추가)

연 : WUN-2619

1. 연호 사절단에 이경숙 숙명여대교수가 고문자격으로 추가되었으니 공항영접, 호텔예약하고, 주요 관련행사에 참석토록 조치바람.

2. 뉴욕도착/출발 일정

o 9.22.(일) 시카고출발 TW 16:51 뉴욕도착

o 9.25.(수) 13:30 뉴욕발 KE 025편 귀국. 끝.

(국제기구국장 문동석)

예고 : 91.12.31.일반

1991.12.31. 에 예고문에 의거 일반문서로 재분류됨

보안 통제	

앙 고 재	91년 9월 14일	과	기안자 성명		과 장		국 장		차 관	장 관
							전결			

외신과통제

0102

관리 번호	91-4923

	분류번호	보존기간

발 신 전 보

번 호 : WUN-2805 910914 1459 FN 종별 :

수 신 : 주 유엔 대사. 총영사 (신기복대사님)

발 신 : 장 관 (문동석배상)

제 목 : 박동진장관 뉴욕도착

연 : WUN-2718

1. 박장관님께서는 9.17(화) KE 026편으로 뉴욕도착하심.
   총영사관 안기사가 공항출영 예정임.(최경보 부총영사가 잘 알고있음.)

2. 박장관님은 공항도착후 일단 멘하탄으로 들어오셔 점심하시고, 오후 가입행사를 방청하시려 하심. 대사님께서 바쁘시더라도 점심을 모셔주시고, 이후 총회장으로 안내해서 보실수 있도록 사전 출입 Ticket확보 조치바랍.

3. 곧 뵙겠습니다. 끝.

1991.12.31.에 예고문에 의거 일반문서로 재분류됨

예고문: 1991.12.31.일반

보안 통제	(서명)

앙 고 재	91년 9월 14일	UN과	기안자 성명		과 장		국 장		차 관	장 관
			송영완		(서명)		전결			(서명)

외신과통제
(서명)

0103

관리 번호	91 -4962

원 본

외 무 부

종 별 :

번 호 : UNW-2699 일 시 : 91 0914 1700

수 신 : 장관(연일)

발 신 : 주 유엔 대사

제 목 : 경축 사절단

경축사절단 전원의 영문성명 및 영문 직책명을 지급 통보 바람. 끝

(대사 노창희-의전장)

FAXUNW(F)-529 첨부

예고 91.12.31 일반

19 91. 12.31. 에 예고문에 의거 일반문서로 재분류됨

국기국

PAGE 1

91.09.15 06:55

외신 2과 통제관 CE

0104

관리번호	91-4989

원 본

외 무 부

종 별 :

번 호 : UNW-2714 일 시 : 91 0915 1830

수 신 : 장관(국련)

발 신 : 주 유엔 대사

제 목 : 경축 사절단

대:WUN-2445

경축 사절단원에 대한 개별 안내를 아래와 같이 지정하였으니, 사절단원에게 참고로 알려 주시기 바람

(대호 순서에 따름)

1. 박인국, 2. 김영목, 3. 유근성구매관, 4. 황승정세무관, 5. 김지수장학관, 6. 성기주부영사, 7. 조정홍 구매관, 8. 김진표외환은행과장, 9. 한이식조흥은행과장, 10. 윤보현상업은행차장, 11. 박동우무협부장, 12. 대우, 13. 이제세 삼성과장, 14. 이완경럭키금성부장, 15. 포철, 16. 강창훈관광공사 지사장, 17. 김정훈 한일은행차장, 18. 허경만 제일은행차장, 19. 김충삼 한전부장, 20. 이호강현대부장, 21 노철 KOTRA 과장, 22. 오승범선경과장, 23. 이인범효성과장, 24. 박기환 쌍용차장, 25. 김진억 서울신탁차장, 26. 최한규 농협지소소장, 27,28. 남성우 축협 지소장, 29,30, CHKIS 황(코오롱), 31,32. 김송희 한국일부 부국장. 끝

(대사 노창희-국장)

예고 91.12.31 일반

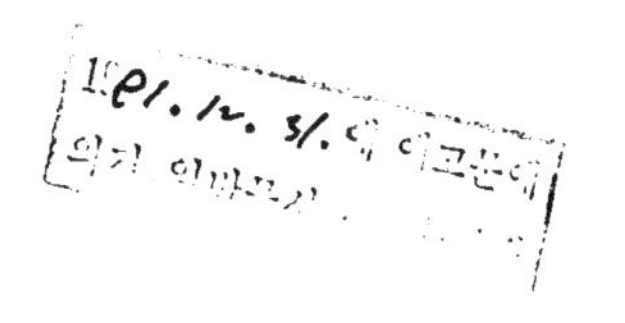

국기국

PAGE 1

91.09.16 08:02

외신 2과 통제관 FK

0105

관리 번호	91-4999

외 무 부

종 별 :

번 호 : UNW-2752　　　　　일 시 : 91 0916 2330

수 신 : 장관(의전)

발 신 : 주 유엔 대사

제 목 : 지구촌(숙소)　(PART I)

연:UNW-2707

1. 연호 관련, 대표단등(기자단 제외)각실 번호를 별첨 보고하오니 정정사항 있을시 지급 회시 바람

2. 호텔측은 합동답사단 당지 방문시에도 언급한바와 같이 아국 대표단 부숙기간중의 예약이 거의 만원상태로 있어 상기 객실번호가 경우에 따라 25 프로 범위까지 변동될 가능성이 있음을 계속 주장하고 있음

3. 대호 WUN-2877, 김, 조회장용 객실 추가예약지시 관련, 현재 중급 싱글 2개는 추가할수 있으나 SUITE 는 1 실만이 예약가능하다는바, 예약 여부 지급 회시 바람

4. 아울러 국기게양 관련 호텔의 5TH AVE. 정문상의 대형깃봉은 5 개에 불과하나 9.22-25 간 부숙하는 외국 국가원수및 정부수반이 아래와 같이 5 명을 넘어 호텔측은 UN 기 4 개및 성조기만을 게양할 계획이라함. 따라서 호텔측은 58 가 VIP 출입문 옥외에 아국 대통령 도착시 태극기를 게양한후 일단 VIP 출입문 안쪽과 승강기 사이의 벽앞에 태극기를 세워놓은뒤 다시 대통령 출입시간에 맞춰58 가 출입문옆에 게양할 계획이라함

브라질 대통령:9.20-25

말레이지아 수상:9.22-27

레바논 대통령:9.21-27

바레인수상:9.22-10.4

사이프러스대통령:9.25-27

PNG 수상:9.25-30

별첨:숙소배치(안)끝

(대사 노창희-의전장)

의전장　장관　차관　국기국　청와대　청와대　청와대　안기부

PAGE 1　　　　91.09.18　09:19

외신 2과　통제관 BW

0106

예고:91.12.31 일반

지구촌 숙소 객실배치(일자는 숙소예약기간)

1. 공식수행원

외무장관:1329, 9.22-25

상공장관:1225, 9.24-25

유엔대사:1417, 9.22-25

비서실장:1427, 9.22-25

경호실장:1441, 9.20-25

합참의장:1241,9.22-25

총재비서실장:1323,9.22-25

경제수석:1521, 9.23-25

정무수석:1432,9.22-25

외교안보보좌관:1475, 9.22-25

사정수석:1454, 9.22-25

공보수석:1465, 9.22-25

정책보좌관:1407, 9.22-25

의전수석:1532,9.22-25

주치의:1439,9.22-25

의전장:1317, 9.22-25

국제기구국장:1327,9.22-25

미주국장:1315, 9.22-25

2. 비공식수행원

싱글부숙자

윤석천:1759, 9.22-25

문동후:1761, 9.22-25

이양희:1447, 9.22-26

박운서:1534, 9.23-25

민병석:1468, 9.22-25

TWIN 부숙자

조건식, 김경식:1467, 9.22-25

0107

유상현, 김하준:808, 9.22-25
정태익, 박원출:727, 9.22-25
이정하, 곽중철:1544, 9.22-25
신우재, 이재준:444, 9.22-25
신현국, 박희정:244, 9.22-25
민병훈, 김성욱:344, 9.22-25
손호운, 하도봉:661, 9.22-25
백영선, 성창기:1531, 9.22-25
한길섭, 임혜민:445, 9.22-25
한상일, 이용준:463, 9.22-25
안정근, 장욱현:1758, 9.22-25
김정숙, 남성희:1756,9.22-25
석성자, 김청자:1802,9.20-25
주홍, 유창무:644,9.23-25
이주택, 이우상:761,9.22-25
최규종, 노문성:761,9.20-25
장재룡, 안건기:1063,9.19-25
조영재, 김종옥:1369,9.22-25
민동석, 홍장희:1333,9.22-25
이용준, 한성일:463, 9.22-25
장승우, 박영신:861, 9.22-25
이규형, 김성진:1341,9.22-26
김종훈, 강도호:1027, 9.22-25
전계용, 오영호:1265, 9.22-25
김인식, 김경수:1244, 9.22-25
이지하, 이병국:1305, 9.19-26
박인국, 김영목:363
조태용, 황준국:243
//이하 UNW-2753 호로 계속됨.

1991.12.31. 에 예고문에 의거 일반문서로 재분류됨

PAGE 3

0108

관리 번호	91-4998

외 무 부

종 별 :

번 호 : UNW-2753 일 시 : 91 0916 2330

수 신 : 장관(의전)

발 신 : 주 유엔 대사

제 목 : UNW-2752 의 계속분

3. 경호관계자

0. 싱글 부숙자

-경호처장:1539, 9.22-25

-안전처장:1541 , 9.21-23

-통신처장:1543, 9.21-23

-정한유:1635, 9.21-26

-허남성:1451, 9.22-25

-조호은:1773, 9.22-25

-수행과장:1763, 9.22-25

-의무대장:1763, 9.22-25

-이충수:1769, 9.22-25

-박종기:1771, 9.22-25

-김기주:1544, 9.22-25

0.TWIN 부숙자(간이침대 사용)

-선발대

. 정한유:1635, 9.21-26

. 이동진, 이광우:1618, 9.21-25

최기남, 유국형:1636, 9.21-26

신용욱, 라도균:1639, 9.21-26

고기인, 강호길:1641, 9.21-26

필영근, 이동탁:1643, 9.21-26

장기봉, 정영화:1644, 9.21-25

의전장 장관 차관 국기국 청와대 청와대 청와대 안기부

PAGE 1

91.09.18 09:19

외신 2과 통제관 CH

0109

한성동, 임춘봉:1645, 9.21-26

장경우, 신동호:1653, 9.21-26

이춘근, 이종복:1654, 9.21-26

김영목, 강부순:1656, 9.21-26

이준걸, 신영웅:1658, 9.21-26

송석삼, 조평래:1660, 9.21-26

김석, 김창수:1661, 9.21-26

이석천, 이장학:1662, 9.21-26

전영남, 서경학:1664, 9.21-26

이경숙, 윤정기:1665, 9.21-26

이병호, 임종순:1667, 9.21-26

정용대, 서일원:1668, 9.21-26

이국남, 전병주:1669, 9.21-26

최용현, 진시창:1670, 9.21-26

김용백, 정해창:1675, 9.21-26

한길성, 안경율, 박찬인:9.21-25 간 DAYS INN (TEL. 609-723-6500)부숙, 객실번호는 추후보고

-본대(9.22-25)

강두승, 김영철:1401

김종기, 이석우:1564

김환목, 황상모:1762

양태환, 윤영진:1565

이성우, 전세규:1570

최동황, 권한진:1568

이재진, 임대호:1549

이미경, 김연희:1764

민병달, 성석경:1551

최경석, 진태화:1547

조한봉, 주영운:1573

김동남, 유태환:1553

PAGE 2

0110

김윤학, 박기운:1555, 유진수, 하남수:1557

유현국, 정주섭:1556

안형주, 권오서:1559

강철구, 남인수:1558

차찬회, 전완수:1561

이성철, 오성근:1560

이동화, 우정석:1563

우경갑, 정정국:1562

4. 경축사절단

0.SUITE

-김영삼:1125, 9.21-26

-유창순:501, 9.21-26

-노신영:411, 9.19-26

-노재봉:837, 9.21-26

-강영훈:~~1501~~ 1225, 9.21-26

-김용식:511 , 9.21-26

-박동진:429, 9.21-26

-최광수:529, 9.22-27

-이계순:1533, 9.21-26

-박정수:629, 9.21-26

-박관용:829, 9.21-26

-민관식:723, 9.21-26

-홍성철:437, 9.21-26

0.SINGLE

-조영식:1422, 9.21-26

-안병훈:1310, 9.19-26

-김병관:1308, 9.21-26

-서기원:1322, 9.21-26

-현승종:1405, 9.21-26

-강선영:1627, 9.21-26

-김홍수:1622, 9.21-26
-박종근:1358, 9.21-26
-김운용:1629, 9.20-26
-소준열:1367, 9.21-26
-조충훈:1371, 9.21-26
-한호선:1462, 9.21-26
-명의식:1461, 9.21-26
-이방호:1458, 9.21-26
-조경희:1621, 9.21-26
-서가람:1310, 9.21-26
-고희경:1610, 9.21-26
-이경숙:1608, 9.21-26

5. 기타

0. 주미대사:1433, 9.22-25
0. 금진호:1515 (SUITE), 9.22-25
0. 이현수, 신명수(현재 적절한 DELUXE 급 싱글물색이 어려운사정인바, 추후보고)
0. 김현욱:1137, 9.21-26
0. 박희태:1135, 9.21-26
0. 정재문:1134, 9.21-26
0. 조부영:1136, 9.21-26
0. 신경식:1131, 9.21-26

6.CP

0. 대표부:1345, 9.20-25
0. 경호:1754, 9.19-25
0. 수행대기:1804, 9.20-25
0. 제 1 부속실:1803, 9.20-25
0. 청와대 의전 CP:1529, 9.22-25
0. 정무 CP:1336, 9.22-25
0. 기자대기실:231, 9.22-25
0. 경축사절 CP(MINI-SUITE):1418, 9.20-26

PAGE 4

0112

0. 경호실장 부속실:1444, 9.20-25

끝.

1991.12.31

관리 번호	91-4963

	분류번호	보존기간

발 신 전 보

번 호 : WUN-2845 910916 1348 ED 종별 :

수 신 : 주 유엔 대사. 총영사 (사본 : 주뉴욕총영사)

발 신 : 장 관 (연일)

제 목 : 경축사절단(숙소)

연 : WUN-2694

9.19(목) 10:30 KE-026편 뉴욕도착 예정인 노신영 전총리에 대하여 9.19-21(2박)간 The Plaza 호텔 추가예약바람. 끝. (본인부담예정)

(국기국장대리 금정호)

예고 : 91.12.31.일반

19 91.12.31. 에 예고문에 의거 일반문서로 재분류됨

보안 통제	

앙 고 재	91년 9월 16일	5 2 1 과	기안자 성명		과 장	심의관	국 장		차 관	장 관

외신과통제

0114

관리 번호	91-4971

분류번호	보존기간

발 신 전 보

번 호 : WUS-4270 910916 1743 FH 종별 :

수 신 : 주 미 대사. 총영사 (사본 : 주유엔대사, 주뉴욕총영사)

발 신 : 장 관 (연일)

제 목 : 직원출장

연 : WUS-4251

1. 김대중 총재의 뉴욕방문중 수행안내를 위하여 김영목 서기관은 9.21(토)-26(목) 5박6일간 뉴욕출장바람.

2. 김영삼 대표최고위원의 뉴욕방문중 수행안내를 위하여 박인국 서기관은 9.20(금)-27(금) 7박8일간 뉴욕출장바람.

3. 상기 정계대표 2명 포함 경축사절단의 세부영접사항은 주유엔 신기복대사 총괄하에 준비중이며, 경축사절단 CP가 The Plaza 호텔내에 9.20-26간 운영됨을 참고바람.

4. 양서기관을 위해 The Plaza 호텔 트윈 1실 예약토록 하였음. 끝.

19 91.12.31. 에 예고문에 의거 일반문서로 재분류됨

(국제기구국장대리 금정호)

예고 : 91.12.31.일반

보안 통제	(서명)

앙고재	91년 9월 16일	연2과	기안자 성명		과 장	심의관	국 장		차 관	장 관
			(서명)		(서명)	(서명)				(서명)

외신과통제

0115

유엔加入 慶祝 使節團

0 政 界

1 Mr Young Sam KIM - 김영삼 民自黨 代表最高委員 Excecutive Chairman of the Democratic Liberal Party

2 Mr Dae Jung KIM - 김대중 新民黨 總裁 President of the New Democratic Party

0 前總理

3 Mr. Shin Yong LHO - 노신영 Former Prime Minister

4 Mr. Young Hoon Kang - 강영훈 //

5 Mr Jai Bong RO - 노재봉 //

0 國 會

6 - 박정수 國會 外務.統一委 委員長 Chairman, Foreign Affairs and National Unification Committee, National Assembly

7 - 박관용 國會 統一政策特委 委員長 Chairman, Special Committee on National Unification Policy, National Assembly

0 統一 關聯機關

8 Mr. Kwan Shik MIN - 민관식 南北調節委 共同委員長 代理 Acting Co-Chairman, South-North Coordinating Committee

9 Mr. Sung Chul HONG 홍성철 民主平統 首席副議長 Senior Vice-President, The Advisory Council on Democratic and Peaceful Unificati

10 Mr. Young Seek Choue 조영식 1千萬 離散家族 再會推進 理事長, 慶熙大 總長

0 經濟界

11 - 유창순 全經聯會長 Chairman of the Federation of Korean Industry

0 言論界

12 - 김병관 新聞協會長 President, Korean Newspapers Association

13 - 안병훈 新聞編輯人 協會長 President of the Korean Newspaper Editor's Association

14 - 서기원 放送協會長 Chairman of the Korean Broadcasters Association

0 教育界

15 - 현승종 教員團體 總聯合會 會長 President of the Korean Federation of Teacher's Association

0116

o 文化藝術界 President of the Federation of Artistic and Cultural Organizations of Korea

16 - 강선영 藝總 會長

o 豫備役軍人

17 - 소준열 在鄕軍人會 會長 President of the Korean Veterans Association

o 外交元老

18 Mr Yong Shik KIM - 김용식 前 유엔大使, 外務長官 Former Minister of Foreign Affairs

19 Mr Tong Jin PARK 박동진 前 유엔大使, 外務長官 //

20 Mr Kwang Soo CHOI 최광수 前 유엔大使, 外務長官 //

o 女性界

21 - 이계순 政務第2長官 Minister of Political Affairs (2)

o 體育界

22 - 김운용 IOC委員 IOC Executive Board Member

o 青年界

23 - 조중훈 青年會議所(JC)中央會 會長 National President of Korea Junior Chamber

o 法曹界

24 - 김홍수 大韓辯護士協會 會長 President of Korean Bar Association

o 勞動界

25 - 박종근 勞總委員長 President of the Federation of Korean Trade Unions

o 農漁民 代表

26 - 한호선 農協會長 Chairman and President, National Agricultural Cooperative Federation

27 - 명의식 畜協會長 , National Livestock Cooperatives Federation

28 - 이방호 水協會長 , National Federation of Fisheries Cooperatives

31 [illegible] [illegible] President, Seoul Arts Center

32 이경숙 숙명여대교수 Professor, Sook Myung Women's University

0117

o 學生代表

29
30

- 서울大, 梨大 各1名(教育部 推薦)

※ 計 : 30名

0118

관리 번호	91 -4982

분류번호	보존기간

발 신 전 보

번 호 : WUN-2904 910917 1655 FN 종별 :

수 신 : 주 유엔 대사. 총영사 (사본 : 주뉴욕총영사) UNY-1607

발 신 : 장 관 (연일)

제 목 : 경축사절단 (영문 성명.직책)

대 : UNW-2699

대호, 경축사절단 전원(32명)의 영문성명 및 직책명을 아래 통보함.

1. Mr. Young Sam KIM : Executive Chairman of the Democratic Liberal Party
2. Mr. Dae Jung KIM : President of the Democratic Party
3. Mr. Shin Yong LHO : Former Prime Minister
4. Mr. Young Hoon KANG : Former Prime Minister
5. Mr. Jai Bong RO : Former Prime Minister
6. Mr. Chung-Soo PARK : Chairman, Foreign Affairs and National Unification Committee of the National Assembly
7. Mr. Kwan Yong PARK : Chairman, Special Committee on National Unification Policy of the National Assembly
8. Mr. Kwan Shik MIN : Acting Co-Chairman, South-North Coordinating Committee

/계속/

보안 통제

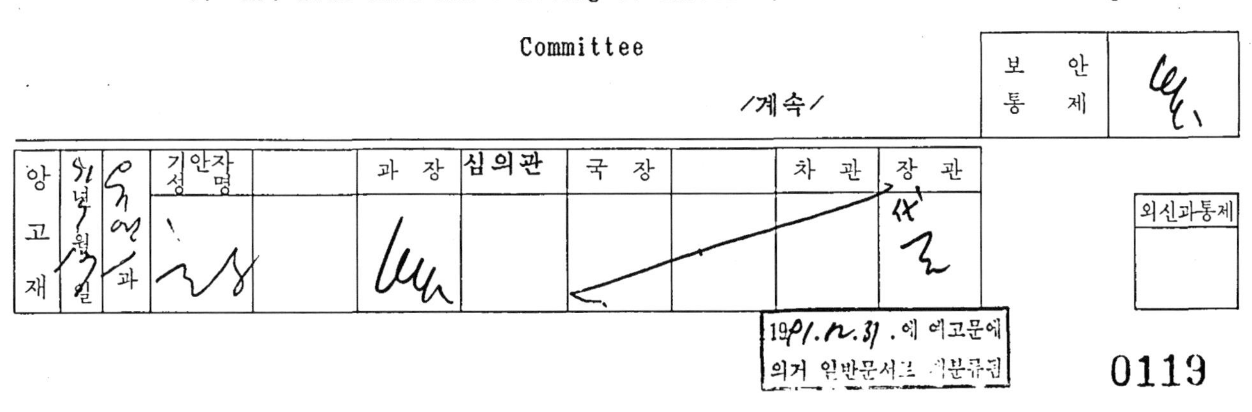

앙고재	91년 9월 17일	유엔과	기안자 성명		과 장	심의관	국 장		차 관	장 관

외신과통제

1991.12.31. 에 예고문에 의거 일반문서로 재분류됨

0119

9. Mr. Sung Chul HONG : Senior Vice-President of the Advisory Council on Democratic and Peaceful Unification

10. Mr. Young Seek CHOUE : Chairman of the Korean Assembly for Reunion of Ten Million Separated Families

11. Mr. Chang Soon YOO : Chairman of the Federation of Korean Industry

12. Mr. Byung Kwan KIM : President, Korean Newspapers Association

13. Mr. Byung Hoon AHN : President of the Korean Newspaper Editors' Association

14. Mr. Ki Won SUH : Chairman of the Korean Broadcasters' Association

15. Mr. Soong Jong HYUN : President of the Korean Federation of Teachers' Association

16. Mrs. Sun Young KANG : President of the Federation of Artistic and Cultural Organizations of Korea

17. Mr. Joon Yeol SO : President of the Korean Veterans Association

18. Mr. Yong Shik KIM : Former Minister of Foreign Affairs

19. Mr. Tong Jin PARK : Former Minister of Foreign Affairs

20. Mr. Kwang Soo CHOI : Former Minister of Foreign Affairs

21. Ms. Ke Soon LEE : Minister of Political Affairs (2)

22. Mr. Un Yong KIM : IOC Executive Board Member

23. Mr. Choong Hoon CHO : National President of Korea Junior Chamber

24. Mr. Hong Soo KIM : President of Korean Bar Association

25. Mr. Chong Keun PARK : President of the Federation of Korean Trade Unions

/2...

26. Mr. Ho Sun HAN : Chairman and President, National Agricultural
Cooperatives Federation

27. Mr. Ui Sik MYUNG : Chairman and President, National Livestock
Cooperatives Federation

28. Mr. Bang Ho LEE : Chairman and President, National Federation
of Fisheries Cooperatives

29. Mr. Ka Ram SEO : University Student

30. Ms. Hee Kyung KO : University Student

31. Ms. Kyung Hee CHO : President, Seoul Arts Center

32. Ms. Kyung Sook LEE : Professor, Sook Myung Women's University.

끝.

(국기국장대리 금정호)

예고 : 91.12.31.일반

0121

관리 번호	91 -4981

	분류번호	보존기간

발 신 전 보

번 호 : WUN-2906 910917 1708 FO 종별 : 지 급

수 신 : 주 유엔 대사. 총영사 (이영현 참사관님)

발 신 : 장 관 (이규형 국제연합1과장)

제 목 : 경축사절단

대 : UNW-2660

대호, 경축사절단 안내책자를 인쇄, 배포하려면 시간이 촉박한 바 동 사절 및 CP의 방번호를 지급 통보해 주시기 바랍니다. 끝.

예고 : 91.12.31.일반

19 91. 12. 31 에 예고문에 의거 일반문서로 재분류됨

보 안 통 제	

앙 고 재	91년 9월 17일	9엔 1과	기안자 성명		과 장		국 장		차 관	장 관

외신과통제

0122

	분류번호	보존기간

발 신 전 보

번 호 : WUN-2907 910917 1709 FO 종별 : 암호송신

수 신 : 주 유엔 대사. ~~총영사~~ (연일)

발 신 : 장 관

제 목 : 정무장관 면담주선

대 : UNW - 2664

연 : WUN - 2563

대호 정무2장관의 약력 및 동 면담시 거론희망사항을 아래~~와 같이~~ 통보합~~니다~~.

가. 약력

o 성 명 : 이계순 (Ke Soon Lee)

o 생년월일 : 1927. 3.3

o 학 력 - 서울대 사범대 졸업
- 미시간 대학 석사

o 주요경력 - 서울대 사범대교수 (27년간)
- 여성정책에 관한 국가위원회 (National Committee on Women's Policies) 위원

/ 계속 /

보안 통제	

앙 고 재	년 9월 17일	유엔과	기안자 성명		과 장	심의관	국 장		차 관	장 관

외신과통제

0123

나. 주요 거론사항

o 우리나라의 여성지위위원회 가입 및 여성차별철폐위원회 이사 진출 관련 협조요청

o 유엔사무국의 한국여성 진출관련 협의

o 1995년 세계여성대회에 관한 관심표명. 끝.

(국제기구국장대리 금정호)

0124

UN 사무차장 면담시 거론사항

1. UN 여성지위위원회 가입 가능성 타진
   - 한국은 1985년 이후 매회 회의에 옵저버 자격으로 대표를 파견했고
   - 멕시코 세계여성대회 이후 3회의 여성대회에 적극 참여 했으며
   - 여성지위위원회의 각종 설문 및 자료요구에 적극 협조 하였음.
   - 동위원회의 정회원국에 가입을 희망함.
   - 가입이 이루어질 수 있도록 적극 협조 요망

   ※ 가입에 따른 의무사항은 무엇인가

2. 차별철폐협약위원회 이사 진출희망
   - 1984. 12 국회 비준동의
   - 1984. 12 비준서 전달
   - 1986. 2 최초 보고서 제출
   - 1989. 12 제2차 보고서 제출
   - '90년 이사 후보로 이경숙박사 출마한 적이 있음
   - 1991. 3 아국 유보조항 중 일부 철회, 내용을 유엔에 통보
   - 이사 진출을 희망, 협조 당부

0125

3. 유엔 사무국에 한국여성 진출희망

- UN 기구내의 상위직급의 여성직원 수를 '95년까지 35% 늘릴 것으로 봄.
- 한국도 이를 적극 지지할 것이며
- 한국에는 고학력 우수인력이 많음
- UN 사무국에 우수인력 진출희망
- 현재 UN 산하기구의 한국인 여직원은 전무한 실정임
- 사무차장의 지원을 당부

※ 구체적인 방도를 알려 주었으면 함.

4. 1995년 4차 세계여성회의 준비에 적극 참여 희망

- 한국은 3차례의 세계여성 회의에 정부대표 및 NGO 대표를 파견하고
- UN 여성관련 결의사항을 이행하는데 적극적이었슴.
- 1995년 제4차 세계여성 회의는 2000년을 향한 여성발전 전략의 이행정도를 점검하는 중간회의로서 20C 마지막 회의 이므로 의의가 크다 하겠음.
- 한국은 비 UN 회원국이었기 때문에 의사결정과정에의 참여가 불가능 했으나
- 금년의 가입을 계기로 UN의 여성관련 전략수립에 적극적으로 참여하고 싶슴.

※ 도와 줄 방법은 무엇인가 ?

0126

유엔 사무차장 면담시 거론사항

1. 우리나라의 여성지위위원회 가입문제

2. 우리나라 여성의 여성차별철폐위원회 이사 진출문제

3. 유엔사무국의 한국여성 진출 가능성 타진

4. 1995년 세계여성대회에 관한 정보교환

0127

CORRICULUM VITAE

Name : Ke Soon Lee

Date of Birth : March 3, 1927

Present Address : Seoul, Korea

EDUCATION

Graduated from the College of Education, Seoul National Univ.

Graduated from the Graduate School of the University of Michigan, U.S.A.

PROFESSIONAL POSITIONS

Professor of English, College of Education, Seoul National University, for 27 years

SOCIAL AFFILIATIONS

President of Korean Federation of Business and Professional Women's Clubs, for 3 years

President of Korean League of Women Voters, for 5 years

Member of the National Committee on Women's Policies, for 2 years

PUBLICATIONS

Standard English pronunciation, Sung Mun Gak (1967)

Communication in English, Tower Press (1976)

Language Teaching : Theory and Practice, Kae Mun Sa (1986)

Contrastive Analysis of Korean and Japanese, Myungji Publishing Co. (1988)

0128

	분류번호	보존기간

발 신 전 보

"암호송신"

번 호 : WUN-2910 910917 1754 FO 종별 : "지급"

수 신 : 주 유엔 대사.

발 신 : 차 관 (연일)

제 목 : 업연

1. 주유엔 교황청 대표부는 별첨 FAX와 같이 91.10.14. 유엔에서 국제정세에 관한 교황서한 (Centesimus Annus)에 관한 세미나를 개최한다고 하면서 금년에 유엔에 가입하는 우리나라 대표가 지역대표로 참석하여 줄것을 요청하는 공한을 강영훈 적십자사 총재에게 보내 왔음.

2. 상기 세미나 초청대상에는 폴랜드, 니카라과, 이태리 정부수반이 포함되어 있다고 하는 바, 강 전총리께서 동 세미나에 참석을 희망하고 계심. (귀국후 재방문)

3. 상기건 당부 의견을 명일 강 전총리께 설명드리고자 하니 상기 세미나의 성격 및 내용, 어떠한 측에 관심 ~~참석경비 부담등 관련사항을 조속 파악~~, 장관님께 상의드린 후 ~~결과를~~ 귀견을 명 9.18.(서울시간)한 회신 바람.

(손글씨: 에 동의할것인지, 경비는 어떻게 처리함이 좋을것인지)

첨부 : FAX 1매. 끝.

WUN(F)-144

보 안 통 제	

앙 고 재	년 월 일	과	기안자 성 명		과 장		국 장		차 관	장 관
									(서명)	

외신과통제

0129

수신: 외무부 차관 귀하 外務部 □□次官 720-2686

PERMANENT OBSERVER MISSION
OF THE HOLY SEE
TO THE UNITED NATIONS

20 East 72nd Street, New York, N.Y. 10021-1196
(212) 734-2900

N.6259/91 New York, 12 September 1991

The Permanent Observer Mission of the Holy Se[illegible] collaboration with the Holy Family Church Society of United Nations Community, is organizing a seminar on recent Papal Encyclical Letter "Centesimus Annus." seminar itself will be held in the Trusteeship Council Chamb[illegible] at the United Nations from 3:00 to 6:00 p.m. on Monday, [illegible] October 1991. This date falls at the conclusion of the session's general debate.

The purpose of the seminar is to offer to the members of the international and cultural communiti[illegible] occasion to explore and to discuss issues and aspects of [illegible] events of recent history in the light of the Papal Docu[illegible] which is directed to the future and of great relevance [illegible] work of the United Nations.

His Eminence Alfonso Cardinal López Truji[illegible] President of the Pontifical Council for the Family, [illegible] present the document and give a brief introduction. [illegible] internationally known personalities are being invited [illegible] contributors and each will give a presentation of 15 minutes in length. Among those invited are: The President of Pol[illegible] Mr. Lech Walesa; The President of Nicaragua, Mrs. Violeta Chamorro; The Prime Minister of Italy, Giulio Andreotti; The Prime Minister of the Slovak Republic, Jan Carnogursky.

As you can see, we are striving to have representative of each region of the world. Being that th[illegible] in the year that the Republic of Korea is becoming a [illegible] member of the United Nations, this Observer Mission conside[illegible] it timely and appropriate that a representative from Kor[illegible] present to participate.

+ Renato R. Martino

Archbishop Renato R. Martino
Permanent Observer of the Holy See
to the United Nations

0130

원 본

암호수신

외 무 부

종 별 :

번 호 : UNW-2760 일 시 : 91 0917 1900

수 신 : 장 관(연일)

발 신 : 주 유엔 대사

제 목 : 업 연

대:WUN-2910

1. 대호 장관께 보고한바, 좋은 일이라고 하시면서 강 전총리께 참석 하시도록 말씀 하시고 경비는 추후 외무부이서 부담토록 조치 하라고 하셨음

2. 동건관련 당지 교황청 사절이 본직에게 협의한바 있으며, 오늘 오전 교황청사절 면담기회에 강 전총리의 참석을 원칙적으로 수락한다고 말하였음. 강 전총리의 당지 방문시 교황청 사절을 면담하시도록 주선하겠음. 끝

국기국

PAGE 1

91.09.18 08:44

외신 2과 통제관 BS

0131

관리 번호	91-5012

	분류번호	보존기간

발 신 전 보

번 호 : WUN-2986 910918 1521 FN 종별 : 지 급

수 신 : 주 유엔 대사. 총영사 (이영현 참사관님)

발 신 : 장 관 (이규형 배상)

제 목 : 경축사절단 (숙소)

대 : UNW-2752

1. 대호 경축사절단중 안병훈 회장의 경우 9.19-26간으로 숙소 예약되어 있어 본인에게 확인한 바, 잘못된 것이라고 하오니 9.21-26간으로 예약변경 바랍니다.

2. 김운용 위원의 경우는 9.20-26간으로 되어 있어 비서에게 확인한 바(본인은 이미 출국), 잘 모르겠다고 하니 특별히 9.20이 추가된 사유를 알려주시기 바랍니다. 끝.

~~(국기국장대리 금정호)~~

예고 : 91.12.31.일반

1991.12.31. 에 예고문에 의거 일반문서로 재분류됨

보안 통제	

앙 고 재	91년 9월 18일	521과	기안자 성명		과 장	심의관	국 장		차 관	장 관

외신과통제

0132

관리 번호	91-5064

	분류번호	보존기간

발 신 전 보

번 호 : WUN-3058 910919 1804 FN 종별 : 지급

수 신 : 주 유엔 대사. 총영사 (이영현 참사관님)

발 신 : 장 관 (연일 이규형배상)

제 목 : 경축사절단(숙소)

대 : UNW - 2752

대호, 경축사절단중 안병훈 회장 및 서가람 학생의 방번호가 1310으로 동일한바, 방번호확인 지급 회시하여 주시기 바랍니다. 끝.

19 91. 12. 31. 에 예고문에 의거 일반문서로 재분류됨

보안 통제	

앙 고 재	91년 9월 19일	연 1 과	기안자 성명		과 장	심의관	국 장		차 관	장 관

외신과통제

0133

관리 번호	91 -5049

외 무 부

종 별 :

번 호 : UNW-2831 일 시 : 91 0919 1700

수 신 : 장관(연일,이규형 과장)

발 신 : 주 유엔 이영현

제 목 : 경축사절단(숙소)

대:WUN-3058

대호, 안병훈 회장은 1309 , 서가람은 1310 호임.끝

예고:91.12.31. 일반

91.12.31. 일반문서로 재분류

국기국 국기국

PAGE 1

91.09.20 06:19

외신 2과 통제관 CE

0134

관리 번호	91-5078

원 본

외 무 부

종 별 :

번 호 : UNW-2832　　　　일 시 : 91 0919 1700

수 신 : 장관(연일)

발 신 : 주 유엔 대사

제 목 : 경축사절단(안내)

연:UNW-2714

연호 안내자중 18 번 (김용식 전장관)은 김진억 서울 신탁차장으로 , 25 번(박종근 노총위원장)은 허경만 제일은행 차장으로 교체하였음을 참고바람. 끝

(대사 노창희-국장)

예고:91.12.31. 일반

19 91.12.31. 에 예고문에 의거 일반문서로 재분류됨

국기국

PAGE 1

91.09.20 06:19

외신 2과 통제관 CE

0135

관리 번호	91 -5063

원 본

연일 황

외 무 부

종 별 :

번 호 : UNW-2844 일 시 : 91 0919 1930

수 신 : 장 관(연일)

발 신 : 주 유엔 대사

제 목 : 경축 사절단

경축 사절단원 3 명(노신영, 최광수, 안병훈)예정대로 금일 도착함. 끝

(대사 노창희-국장)

예고 91.12.31 일반

91. 12. 31

국기국 장관 차관 청와대 안기부

PAGE 1

91.09.20 11:26

외신 2과 통제관 BS

0136

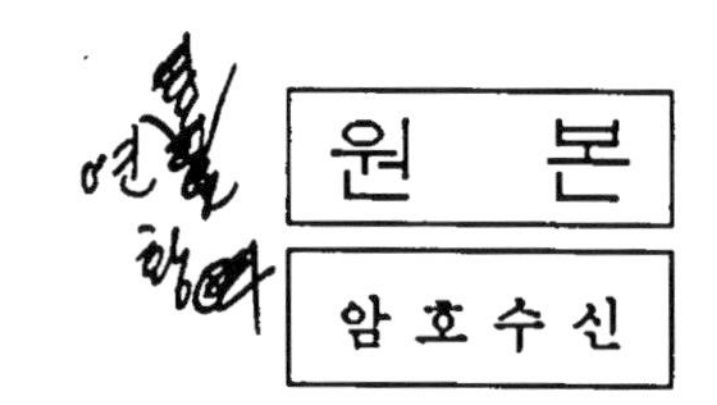

외 무 부

종 별 :

번 호 : UNW-2851 일 시 : 91 0919 2130

수 신 : 장 관(연일)

발 신 : 주 유엔 대사

제 목 : 정무장관 면담주선

연:UNW-2664

연호 이계순장관의 면담 일정을 아래 보고함

9.26(목)12:00 DR. NAFIS SADIK, UNFPA 사무국장 면담

15:30 MR. SHARON CAPELING-ALAKIJA, UNIFEM 사무국장 면담

9.27(금)10:30 MS. THERESE SEVIGNY 사무차장 면담

12:20 MS.KARIN LOKHAUG, UNICEF 사무차장보 예방

13:00 오찬주최(참석자:MS. SEVINGNY, MS. LOKHAUG, MS. CAPELING-ALAKIJA,MR. SAMUEL KOO)끝

(대사 노창희-국장)

국기국

PAGE 1

91.09.20 11:36

외신 2과 통제관 BS

0137

관리 번호	91-5103

	분류번호	보존기간

발 신 전 보

번 호 : WUN-3103 910920 1819 FN 종별 : ~~지 급~~

WNY -1657

수 신 : 주 유엔대사, 주뉴욕 ~~대사~~ 총영사

발 신 : 장 관 (연일)

제 목 : 경축사절단 (뉴욕도착일정)

연 : WUN-2694, WNY-1534

연호, 이방호 수협회장의 뉴욕 케네디 공항 도착이 9.21(토) 09:20 BA-001편으로 변경되었음. 끝.

(국제기구국장대리 금정호)

예고 : 91.12.31.일반

1991.12.31 에 예고문에 의거 일반문서로 재분류됨

보 안 통 제	(서명)

앙 고 재	91년 9월 20일	유엔1과	기안자 성명		과 장		국 장		차 관	장 관
			(서명)			(서명)				

외신과통제

0138

관리번호	91-5102

	분류번호	보존기간

발 신 전 보

번 호 : WUN-3123 910921 1300 ED 종별 : 지급

수 신 : 주 유엔 대사. ~~총영사~~ (사본: 주뉴욕총영사) WNY -1661

발 신 : 장 관 대리 (연일)

제 목 : 경축사절단

연: WNY-1534 (뉴욕)
WUN-2694 (유엔)

1. 연호, 경축사절단 12인 (강영훈, 노재봉, 민관식, 홍성철, 고영식, 김병관, 서기원, 명의식, 현승종, 강신영, 신철열, 조충훈)과 조태용사무관은 9.21(토) 10:30시 뉴욕착 예정으로 KE-026편 출발했음.

2. 또한 경축사절단 5인 (김용식, 이계순, 김홍수, 박종근, 조경희)과 CPD의원단중 3인 (박준병, 도영심, 류인학), 황준국 사무관은 9.21(토) 21:30시 KE-028편 뉴욕향발 예정임.

끝

(국제기구국장대리 금정호)

예고: 91.12.31. 일반

1991.12.31.에 예고문에 의거 일반문서로 재분류됨

보안통제	(서명)

앙고재	91년 9월 20일	유엔과	기안자 성명		과장		국장		차관	장관
			(서명)		(서명)					(서명)

외신과통제

0139

관리 번호	91-5149

	분류번호	보존기간

발 신 전 보

번 호 : WUN-3265 910926 1920 FO 종별 :

수 신 : 주 유엔 대사. 총영사

발 신 : 장 관 (연일)

제 목 : 경축사절단 귀국항공편

경축사절단중 노신영, 강영훈, 노재봉 전총리, 김용식, 박동진, 최광수 전장관의 귀국항공편 가능한한 파악 보고바람(김영삼 대표, 김대중 대표 및 박정수 위원장의 귀국항공편은 기파악함). 끝.

(국기국장대리 금 정호)

(예고문 : 1991.12.31.까지)

1991. 12. 31. 에 예고문에 의거 일반문서로 재분류됨

보안 통제	

앙 고 재	91년 9월 26일	과	기안자 성명		과 장	심의관	국 장		차 관	장 관
			송영완			대결				

외신과통제

0140

관리 번호	91-5160

원 본

외 무 부

종 별 : 지 급

번 호 : UNW-3028　　　　일 시 : 91 0927 1050

수 신 : 장관대리(연일)

발 신 : 주 유엔 대사

제 목 : 경축사절단 귀국보고

대:WUN-3265

1. 대호 사절단원들은 귀국 항공편이 미정인 상태에서 9.26. 오후 지방으로 향발하였음을 참고바람.

2. 미국내 행선지는 노신영(상항), 강영훈(워싱톤),노재봉(L.A),김용식(워싱톤), 박동진(L.A), 최광수(보스톤) 등임. 끝

(대사 노창희-국장)

예고:91.12.31. 일반

91.12.31.

국기국　차관　1차보

PAGE 1

91.09.28　00:23

외신 2과　통제관 CF

0141

2. 자료

0142

8.22.

경축사절단 오찬시 말씀자료

(경축사절단 명단)

1. 정 계 : 김영삼, 김대중
2. 전 총 리 : 노신영, 강영훈, 노재봉 (326)
3. 전직 유엔대사겸 외무장관 : 김용식, 박동진, 최광수 (2L)
4. 통일관련기관 : 민관식, 홍성철, 조영식
5. 언 론 계 : 김병관, 안병훈, 서기원
6. 농 어 민 : 한호선, 명의식, 이방호
7. 국 회 : 박정수, 박관용
8. 경 제 계 : 유창순
9. 교 육 계 : 현승종
10. 예 술 계 : 강선영
11. 예비역 군인 : 소준열
12. 여 성 계 : 이계순
13. 체 육 계 : 김운용
14. 청 년 계 : 조충훈
15. 법 조 계 : 김홍수
16. 노 동 계 : 박종근
17. 대학생 2명 ×

* 계 : 30名

0143

대학생대표 접견시 말씀자료

(대학생 인적사항)

o 서가람(남)

- 22세, 서울대 외교학과 4년, 고등학교 체육교사 2남 1녀중 막내아들

o 고희경(여)

- 22세, 이대 영문과 4년, KAL기장 1남 3녀중 막내딸

(공통대화)

1. 인사말씀

o 만나게 되어 반가우며, 유엔가입 경축사절로 선발된 것을 축하함.

o 사절단을 각계대표로 구성하자면 아무래도 대부분 연로하신 분들이 될터인데, 젊고 발랄한 우리의 미래를 상징하는 의미에서 학생대표를 포함시키자는 의견을 듣고 아주 좋은 아이디어라고 생각하였음.

o 두학생은 학업에 충실하고 또한 여러면에서 다른학생의 모범이 되므로 이렇게 선발된 것으로 생각함.

0144

2. 유엔가입의 의의

o 우리의 오랜 외교숙원과제였던 유엔가입이 특히 유엔의 역할이 더욱 강화되고 있는 때에 이루어진 것은 퍽 다행스러운 일임.

o 그동안 우리는 유엔 바깥에서 참관하고만 있었는데 이제는 정회원국으로서 우리의 능력을 유감없이 발휘할수 있게 되었음. 지난번 어느 TV의 여론조사결과에 따르면 대다수 국민들이 남북한의 유엔가입이 한반도의 통일에 이로울 것이라고 보고 있었음. 앞으로 우리는 유엔가입을 계기로 남북한간 화해와 협력을 증진시키기 위해 더욱 노력할 것임.

o 우리 젊은이들에게 유엔이라는 무대는 새로운 도전과 기회를 제공해 줄것임. 나의 세대가 유엔가입을 위해 일한 세대라면 여러분들 세대는 유엔등 국제무대에서 중추적 역할을 해나가야 할 세대임.

o 우리의 젊은 세대가 세계가 넓고 해야할 일이 많은 것을 느끼고, 매사에 진취적이며 적극적인 자세로 어느것에든 매진할 수 있도록 정부는 더욱 노력할 것임.

3. 당부말씀

o 학교수업을 대신해서 온 만큼 뉴욕방문이 산교육이 되도록 많이 배우고 돌아가게 되기 바람.

o 귀국후 여러 친구, 친지들에게 유엔방문을 통해 느낀 소감을 잘 전달해주기 바람.

0145

(개별대화)

1. 서가람 학생

 o 외교학과 학생으로서 외교의 세계적 중심지라고 할수있는 유엔에 가게된 소감은?

 o 친구들로부터 부러움을 샀으리라 생각되는데?

 o 대학졸업후 계획은?

2. 고희경 학생

 o 해외여행 경험은 있는지?

 o 영문학 전공이라고 들었는데, 국가간 상호의존이 심화되고 있는 국제화시대에 외국어, 외국문학을 공부하는 것은 앞으로 큰 도움이 될것임.

 o 유엔사무국등에서는 여성을 우선 채용한다고 들었음. 친구들에게도 잘 소개하여 앞으로 우리 젊은 여성들이 국제무대에서 적극적으로 활약할수 있게 되기를 바람.

- 끝 -

0146

9.16. 경축사절단 오찬시 개별 말씀자료

91. 9. 12.
국제연합1과

1. 강영훈 전총리(적십자사 총재)

   o 적십자사를 맡고 처음 해외에 나가실 터인데, 차제에 미국등 다른나라 적십자사 관계자들도 만나보시면 좋을 것 같음.

2. 노신영 전총리

   o 노총리는 유엔에서 연설한 경험이 있지요.

     * 1985년 유엔창설 40주년 기념으로 각국대표(비회원국 포함) 연설

3. 노재봉 전총리

   o 노총리는 제자들이 외무부에 많이 있어, 해외여행할때 누구보다 안내자가 많다고 들었는데.

4. 유창순 회장

   o 유총리는 경제계 대표로 뽑혔지만, 한국 유엔협회 회장으로서도 그동안 많은 일을 했다는 것을 잘 알고 있음.

   o 앞으로 우리가 유엔 정회원국이 되면 아무래도 협회 활동이 더 강화되겠지요.

0147

5. 김용식 전외무장관

o 요즈음 한민족 체전 진행에 바쁘시지요.
  잘 되고 있습니까?

  * 한민족 체전
    - 9.12-9.20까지
    - 전세계 100개국에서 1,872명 참가

6. 최광수 전외무장관

o 일전 TV에서 잘 봤음. 언듯 보기에 유엔빌딩앞 길같은데
  에서 방송을 하던데, 수고가 많았겠음.
  - 8.8. 남북한 유엔가입신청서 안보리 통과시 KBS TV
    현지(뉴욕) 생방송 출연

7. 민관식 위원장

o 남북한의 유엔가입은 우리의 통일에 기여할 것임은 틀림
  없음. 독일이나 예멘에서와 같이 확실하게 하기 위하여
  우리 모두가 더욱 힘을 합쳐야 함.

8. 홍성철 평통 수석부의장

o 계속 통일관계 업무를 하느라 바쁘겠음. 이번 뉴욕방문
  길에 그쪽 평통 사람들도 만나보고, 남북한의 유엔가입
  의의등을 잘 설명해주기 바람.

0148

9. 조영식 경희대 총장

o 남북한의 유엔가입으로 하루빨리 남북한 관계가 정상화 되고, 그에 따라 무엇보다도 이산가족들이 더 늦기 전에 고향에 가볼수 있도록 최선을 다할 것임.

10. 김병관, 안병훈, 서기원 회장

o 유엔가입을 계기로 언론에서 많은 특집보도를 계획하고 있다면서요.

o 유엔가입일이나 나의 기조연설시에는 현지 생방송 계획입니까?

o 기자들은 대략 어느정도 갑니까?

11. 한호선, 명의식, 이방호 회장

o 이번 경축사절단에 농.어민 대표를 포함시킨 것은 아직 우리국민중 농어업에 종사하는 사람이 많이 있기 때문이기도 하지만, 우리가 선진사회를 목표로 나아가는 한 모든 부문에서의 국제화를 피할 수 없다는 인식에서 임.

o '우루과이 라운드' 협상과정등을 지켜볼때 이제는 무조건 국내산업보호라는 주장만 내세울 수 없게 되었다는 느낌임.

o 비록 짧은 기간이긴 하지만 국제외교의 본산지라고 할수 있는 유엔방문을 통하여 우리 농어민도 국제사회에 대한 인식을 다시한번 해볼수 있는 계기가 되기를 바람.

12. 박관용 의원

o 김영삼 대표위원과 함께 떠나신다구요. 일본방문에서 좋은 성과가 있기를 바람.

0149

13. 현승종 회장

o 올가을 대학시위는 거의 없었지요. 소련사태영향인지, 아니면 학생들이 이제 데모는 그만하라는 사회여론을 의식한 것인지요.

14. 강선영 예총회장

o 가을은 예술가의 달이라고들 하는데, 올가을 예술행사 경향은 어떻습니까? 예년 수준인가요.

15. 소준열 회장

o 재향군인회 사업은 잘 됩니까?

16. 이계순 정무2장관

o 유엔가입을 계기로 우리 여성들도 국제무대에 더 많이 진출해야 하겠습니다.

o 유능한 인재들을 많이 발굴하고 확보해서 필요한때 즉각즉각 활용되도록 준비해 두시지요.

17. 김운용 IOC 위원

o 올림픽이 끝난지 3년째가 되었음. 그 장대하고 아름다왔던 개막식, 폐막식 장면이 아직도 눈앞에 생생함.

18. 박종근 노총위원장

o 금년도 노사분규 건수는 예년에 비해서 어떻습니까.

0150

19. 조경희 예술의 전당 이사장

o '소리패' 공연준비는 잘 되고 있습니까. 이번에 어디 어디 가지요.

* 소리패 : 유엔가입경축 민속공연단 이름

* 당초 소련등 동구방문 계획은 소련.유고사태등으로 취소되고, 뉴욕 및 L.A만 방문계획

20. 서가람, 고희경 학생

o 두 학생은 학업에도 뛰어나고 모든 면에서 모범이 되어 학생대표로 뽑혔다고 들었음.

o 우리의 미래는 학생들과 같은 우리 젊은이들의 어깨에 걸려 있음.

o 유엔가입은 우리의 새로운 출발임. 또한 그것은 보다 나은 미래을 위한 출발임. 따라서 미래의 주역이 될 학생이 그 현장을 직접 보고, 또 생생하게 느껴 본국의 많은 젊은이에게 전달하는 것은 너무나 당연한 것임.

o 아무쪼록 이번 유엔방문이 학창시절을 마무리 짓는 귀중한 추억이 되기 바람. - 끝 -

0151

UN 加入 慶祝 使節團

參考資料

1991. 9.

外 務 部

0152

目 次

I. 유엔關係

1. 南.北韓 유엔加入의 意義 1

2. 北韓의 유엔加入 決定背景 2

3. 유엔加入後 南北韓 關係 展望 4

4. 유엔加入과 休戰協定 問題等

가. 南.北韓 休戰協定과 유엔司의 存廢問題 4

나. 南.北韓間 不可侵 協定締結 7

다. 憲法上 領土條項 變更 및 國家保安法廢止 問題 7

II. 南北韓 關係

1. 우리의 對北韓 政策 8

2. 南北 對話 現況 9

3. 北韓情勢 評價 및 展望 9

III. 僑民問題

1. 政府의 基本僑民 政策 및 移民支援 對策 12

2. 美洲地域 居住僑民 支援方案 14

3. 僑民廳 新設 및 領事僑民局 職制改編 問題 15

(添附 資料)

o 北韓人士 접촉시 對應 指針 17

0153

I. 유엔 關係

1. 南北韓 유엔加入의 意義

o 南北韓의 國際的 地位 向上
- 걸프전 이후 유엔의 役割이 더욱 高揚되고 있는 오늘날, 유엔에서 다루어지는 主要國際問題의 意思決定에 직접 參與
- 유엔 주요기관및 산하기구의 理事國으로 進出 또는 유엔 사무국 등 主要機構 補職에도 한국인 進出
- 南北韓은 국제사회에서 각기 능력과 국제적 위상에 합당한 役割과 寄與를 다할수 있게 될것임

o 南北韓 關係의 正常化 圖謀
- 南北韓은 유엔會員國으로서 분쟁의 평화적 해결 및 무력불사용의 義務를 지게 됨
- 이는 결과적으로 한반도의 긴장완화와 평화유지에 유리한 國際的 環境造成에 寄與할것임
- 또한 남북한은 유엔테두리내에서 相互交流와 協力을 쌓아나감으로써 상호신뢰를 증대, 궁극적으로 平和的 統一을 촉진시키는데 寄與하게 될 것임

1

0154

o 對外關係에 있어서 새로운 발판 마련

- 南北韓은 과거 40여년간 국제사회에서 지속되어온 消耗的 對決 外交를 淸算할 수 있게 됨으로써 對外關係에 있어서 보다 正常的인 活動을 수행할 수 있을 것임
- 나아가 7천만 韓民族의 利益을 圖謀할 수 있는 새로운 外交的 발판도 마련할 수 있을 것임

o 東北亞地域 秩序改編에 能動的 參與可能

- 남북한의 유엔가입을 계기로 韓半島 情勢가 보다 안정되면 이에 따라 東北亞 地域에서도 새로운 秩序의 形成이 촉진될 것으로 豫想됨
- 이러한 과정에서 南北韓은 각기 국력과 국제적 위상에 합당한 役割을 하게 될것이며, 周邊國들과의 關係도 再定立해 나가게 될 것으로전망됨

2. 北韓의 유엔加入 결정 배경

o 南北韓 유엔加入 문제에 대한 國際的 분위기 인식

- 國際社會에서 대다수 국가들이 우리의 동시 유엔加入 방안을 지지하는 반면, 北韓의 소위 '單一議席 加入案'에 대하여 한 나라도 지지하지 않는 국제적 분위기를 認識함

o 北韓의 맹방인 中.蘇의 태도 變化

- 6공화국 출범후 노대통령의 적극적인 北方政策 推進으로 北韓

의 전통 友邦國인 蘇聯과 90年 9月 수교하였으며, 91년 4월 제주도 韓.蘇 정상회담등을 통하여 蘇聯은 유엔加入문제에 관한 아국입장을 지지했고, 중국도 한.중간 무역 대표부 설치 등으로 우리와의 關係를 점진적으로 改善하는 가운데, 90.5月 初 이붕 중국총리의 北韓訪問時 北側 입장에 대한 支援에 소극적 자세를 보인바 있음

o 政府의 확고한 유엔加入 의지 認識

- 유엔加入 문제에 관한 政府의 覺書(4.5자)를 통한 우리政府의 확고한 연내 유엔加入 실현 의지를 확인함으로써, 우리의 先加入을 반대할 명분도 없고, 또한 이를 저지할 자신감도 상실하게 되었음

o 北韓側의 반대논리에 대한 國內外的 설득 근거 상실

- 유엔加入이 분단고착화를 의미하고, 南北韓間의 合意가 于先되어야 하며, 單一議席으로 加入해야 한다는 반대논리가 國際的으로 설득력을 상실했을 뿐만 아니라, 아국내에서 '同時加入 不可能時 先加入 推進한다'는 정부의 유엔가입 추진 입장에 대한 지지여론이 强化됨을 분명히 認識하였음

o 北韓의 國際的 곤경 탈피 努力

- 그동안 심화되어온 外交的.經濟的 고립을 탈피하기 위한 돌파구로서 유엔加入을 實現시킴으로써 國際的 地位를 提高시키고자 하고 있음

3

0156

3. 유엔加入後 南北韓關係 展望

o 南北韓의 유엔加入은 韓半島에서의 긴장을 緩和하고 南北韓間 신뢰를 增進할 수 있는 유리한 與件을 造成.促進할 것이며, 南北韓이 相互 共同關心事項에 대해 協議하고, 궁극적인 統一을 위해 서로의 障碍 要因을 극복할수 있는 적합한 장소를 마련한 것이라고 봄

o 우리로서는 南北韓의 유엔加入을 계기로 南北韓 關係의 새로운 轉換點 모색하는데 최선의 努力을 傾注해 나갈것인 바, 우선적으로 韓半島 情勢의 구조적 安定을 圖謀, 平和共存體制를 확립하는 방향으로 추진해 나가는 한편, 새로운 南北韓 關係의 기본골격을 마련하는 문제를 積極 推進해 나갈것임

4

0157

공 란

공 란

공　　란

II. 南北韓 關係

1. 우리의 對北韓 政策

- 우리는 北韓을 對決의 相對가 아닌 民族繁榮을 함께 追求하는 동반자로 천명한 7.7宣言 이래, 南北關係 改善과 平和統一 基盤 造成을 위한 積極的이고 前向的인 對北政策을 推進해 오고 있음.

- 우리의 對北韓 政策의 基本 方向은

  첫째, 北韓이 武力統一路線을 抛棄하고 南北韓이 平和的으로 공존공영하며, 나아가 궁극적으로 平和統一을 이루겠다는 쪽으로 政策을 變化시키도록 하는 것임.

  둘째, 南北間 對話, 交流와 協力을 통해 각각의 社會를 開放해 나가면서 相互信賴와 民族同質性을 回復시키는 일임.

- 우리는 이러한 對北政策을 推進함에 있어 美國은 물론 日.中.蘇等 周邊國의 役割에 큰 期待를 걸고 있음. 앞으로도 南北關係 改善과 平和統一 基盤造成을 위해 우리의 努力은 더욱 倍加 될것임.

2. 南北對話 現況

o 우리는 北韓이 南北高位級會談 뿐만 아니라 그간 中斷시켜온 離散家族 問題解決을 위한 赤十字 會談과 國會會談등 여타 會談에도 호응해 오기를 期待하고 있음.

o 한편, 南北間 人的.物的交流와 協力은 점진적으로 增加되고 있는 추세에 있기는 하나, 北側의 회피적인 態度로 인하여 아직 미미한 水準에 머물고 있음.

o 最近 北韓은 유엔加入申請과 核安全措置協定締結 용의 표명등 對外 關係에서는 일부 政策變化를 보여주고 있으나, 對南關係에서는 그러한 조짐을 아직 보여주지 못하고 있음.

o 우리는 北韓이 우리와의 共存共榮과 關係改善에 呼應해 오도록 제반 努力을 경주하고 있으며 이와 관련 友邦國의 적극적인 支持와 협조를 期待함

3. 北韓情勢 評價 및 展望

o 사회주의권의 質的 變化에도 不拘하고 北韓은 스탈린형 計劃經濟下의 閉鎖的인 政策을 固守하고 있으나, 國際的 孤立의 深化, 經濟難等 體制內的 矛盾의 增大, 그리고 김일성 이후

9

0162

權力移讓의 불투명등으로 어려움을 겪고 있음.

o 北韓은 體制에 危險을 招來할 수 있는 改革,開放의 물결이 北韓에 流入되는 것을 차단하기 위해 住民들에 대한 政治 思想的 統制를 더욱 强化하는 한편, 제한적인 경제관리체제의 改善, 先進資本 및 技術導入 등에 의한 住民生活의 向上을 통해 이를 克服코자 試圖하고 있는 것으로 보임.

o 그러나, 北韓이 長期的인 經濟的 沈滯로 인한 住民들의 生活 改善 욕구를 충족시켜 주지 못하거나 南北韓間의 體制競爭 에서 패배한 것이 명백히 드러날 경우, 이는 北韓體制 自體의 붕괴위기를 초래할 수 있기 때문에 北韓指導部는 보다 진전된 改革.開放을 推進하지 않을 수 없을 것임.

o 北韓體制 變化의 또다른 요인은 政治的 側面에서 찾아질 수 있음.
김일성 - 김정일 權力承繼는 김일성의 나이가 91년 現在 79 세에 이른것을 감안할 때 90년대 중반까지는 마무리될 展望 인데, 北韓에서의 最高指導者의 交替는 다른 社會主義 國家 들의 權力交替 過程이 보여준 바와 같이 北韓社會 變化의 중요한 契機가 될 것임.

o 우선 김일성-김정일 權力承繼가 안정적으로 이루어질 경우 김정일 體制는 김일성 체제의 全般的인 政策基調를 답습하게 될 것으로 보이나, 김정일체제의 등장은 단순한 最高權力者의

交替次元을 넘어 北韓 支配勢力의 성격변화라는 意味가 있기 때문에 政策方向과 집행 스타일에 있어서는 커다란 변화가 있을 것으로 豫想됨.

* 김일성 體制의 北韓 支配勢力이 保守的인 革命 1세대들인데 반해 김정일 體制의 核心勢力들은 解放이후 성장교육을 받은 전문가 및 실무형의 관료들이 주축을 이룰 것인 바, 이들은 理念中心의 閉鎖主義的 政策보다는 실용주의적 改革, 開放政策을 통해 內外的 위기를 극복하고 정권적 안정과 發展을 摸索할것으로 豫想

11

0164

III. 僑民問題

1. 政府의 基本僑民政策 및 移民支援對策

(基本僑民政策)

o 自律性 原則
  - 居住國內에서 '尊敬받는 市民'으로 安定된 生活基盤 造成
  - 僑胞社會의 政治化를 排除하고 教育, 文化등 分野의 支援을 통하여 健全한 母國觀 涵養

o 互惠原則
  - 僑胞들이 母國과 居住國間의 關係强化 및 相互利益의 교량역으로서 기능하며, 각 方面에 걸친 우리 國民生活의 國際化에 寄與

(海外僑民 現況)

o 自由國家 居住者 : 232만명 (90.6.30.현재)
  - 美國地域 : 134만명
  - 日本地域 : 69만명
  - 其他地域 : 29만명

0165

o 社會主義圈國家 居住者 : 236만명

- 中 國 : 192만명 (90년 中國側 統計)
- 蘇 聯 : 43만 7천명 (89년 蘇聯側 統計)

(僑民支援 對策)

o 僑民團體 育成 支援

- 各地域 僑民團體 主要活動 및 組織强化 支援

o 僑民의 法的, 社會的 地位向上을 위한 努力

- 僑民社會 早期定着 및 生活安定 支援
- 특히 在日同胞의 法的地位 및 社會的 處遇改善을 위한 對日 交涉 推進

o 健全한 母國觀 涵養

- 海外同胞의 母國訪問 機會 擴大
- 海外同胞社會 및 母國發展 有功者에 대한 士氣振作
- 僑胞青少年의 民族意識 養成 및 傳統文化 繼承 支援

o 僑胞社會 團合 推進

- 7.7. 宣言 精神에 입각, 親北.反韓 동포와의 積極的 和解 協力 主導
- 母國의 民主發展 參與 誘導

13

0166

2. 美洲地域 居住 僑民 支援方案

가. 僑民團體 育成支援

o 各地域 僑民團體 主要活動 및 組織强化 支援

나. 健全한 母國觀 涵養

o 海外同胞의 母國訪問 機會 擴大

o 海外同胞社會 및 母國發展 有功者에 대한 士氣振作

o 僑胞 青少年의 民族意識 育成 및 傳統文化 繼承지원

다. 僑胞社會 團合推進

o 7.7宣言精神에 입각, 親北.反韓동포와의 積極的 和解協力 主導

o 母國의 民主發展 參與 誘導

(뉴욕 僑民現況 : 90.6.30.現在)

o 僑 民 數 : 164,459명

滯留者數 : 9,108명

僑民團體數 : 89개 단체

14

0167

3. 僑民廳 新設 및 領事僑民局 職制改編 問題

(現 況)

o 88年代 들어와 僑民社會의 大型化, 社會主義圈 居住 同胞問題 대두에 따라 一部 僑民社會 혹은 政黨들이 僑民業務 綜合 專擔 機構 新設 및 僑民 領事業務 機能强化 要求

o 行政改革委員會는 僑民行政 强化에 必要한 機構와 人力補强 建議 (89.4.)

(僑民廳 新設 法案 國會審議 經過)

o 89.5. 第146回 臨時國會 行政委員會는 政府 各部處 관장업무를 單一部處로 통합하는데 따르는 機能, 組織上의 문제에 대하여 愼重 檢討를 要한다는 이유로 僑民廳 新設法案의 審議 繫留 決定

(措置事項)

o 現在 僑民行政을 맡고 있는 領事僑民局을 擴大 改編

- 91.1. 大統領 재가된 '先進 外交强化 細部計劃'에 따라 91.6. 在外國民課를 在外國民 1課, 2課로 增設, 外務部 직제개정 完了

공 란

공 란

공 란

국제연합 1,2과 업무분장

1. 기본분류

1과 : 정치분야 (남북한관계, 안보, 행정등)

2과 : 비정치분야 (경제, 사회, 인권, 난민등)

2. 업무분장

1과 : 남북한관계, 총회(1위, 특정위, 4위, 5위), 안보리, 비동맹, 국서무

2과 : 총회(2, 3, 6위), 경사리, 인권, 난민, 마약, 아동, 여성, 범죄

3. 기구별 업무분장

1과 : 아주그룹회의, 군축관련기구(CD, UNIDIR), 평화유지군

2과 : CERD, 인권관련기구(HRC, Sub-Committee 등)
여성관련기구(CSW, CEDAW INSTRAW), 마약관련기구(UNDCP, CND),
경사리 기능위 및 지역 경제기구, UNHCR, UNICEF, UNDP, WFP,
UNFPA, UNITAR, UNU, UNV, UNRWA, UNDRO, UNBRO

0173

연설문 인쇄 및 배포계획

1. 인쇄 및 배포대상

   o 영문: 1,000부

   - 전재외공관: 523부(13개 주요공관 10부, 기타공관 3부)
   - 각실국과: 90부
   - 주한공관: 78부
   - 보 관 분: 300여부

   o 국문: 8,500부

   - DM망: 8000부
   - 정부부처(청와대, 총리실, 국방부, 통일원, 안기부등): 102부
   - 각 실국과: 90부
   - 전재외공관: 141부
   - 보 관 분: 200여부

2. 배포시기

   o 외무부 출입기자: 9.14.(토) 10:00시

   - 보도통제 9.18.(수) 06:00시

   * 외무부 출입기자의 대부분이 장관수행

   o 각부처(청와대, 통일원, 안기부등): 9.16.(월) 송부

   - 보도통제 9.18.(수) 06:00시

   o 전재외공관: 9.16.(월)부터 파편으로 송부

   o 부내 각실국과: 9.18.(수) 배포

   (간부는 9.16. embargo로 배포)

0174

第46次 유엔總會 概括

1991. 9.

外 務 部

0175

정확사본 File

第46次 유엔總會 概括

(慶祝使節團 參考資料)

1991. 9.

外 務 部

0176

目 次

1. 第46次 定期總會 展望 1

o 會 期

o 全般的 雰圍氣

o 議題 概括

o 유엔事務總長 選出 關聯動向

2. 今秋 總會 討議參與 對策 3

o 基本方向

o 主要關心議題

o 代表團

3. 北韓態度 展望 및 對應方向 4

o 北韓代表

o 北韓側 態度展望

o 우리의 對應方向

4. 유엔事務局에의 我國人 進出推進 5

* 南北韓의 유엔加入承認 關聯行事 7

0177

1. 第46次 定期總會 展望

가. 會 期 : 91.9.17(火)-12.20(金)경

＊ 基調演說 : 91.9.23(月)-10.11(金)

나. 全般的 雰圍氣

o 冷戰終熄에 따라 和解.協力 雰圍氣가 深化되는 가운데, 美國의 中心的 役割이 두드러지고, 유엔의 權能 및 役割强化 必要性에 대한 國際的 認識增大

- 蘇聯變革을 계기로 自由, 民主, 人權等 人類의 共同價値觀에 대한 國際社會의 關心表明 增大

o 각국은 實質事案 討議過程에서 合意導出 姿勢를 보일 것으로 豫想되나, 軍縮, 經濟開發, 人權問題等에 있어서는 先進國과 제3세계간의 立場差 계속

o 유엔 및 傘下機構內 脫政治化 雰圍氣가 擴散되고 機能合理化 努力 加速

다. 議題 槪括

1) 總會議題 : 142개

o 政治, 軍縮, 安保問題 關聯(第1委) : 25개

o 유엔平和維持活動, 外氣圈 關聯(特別政治委員會) : 8개

o 經濟, 環境, 開發問題 關聯(第2委) : 40개

- 1 -

0178

o 人權, 女性, 兒童, 麻藥問題 關聯(第3委) : 24개
o 非自治地域(第4委) : 5개
o 유엔行政, 豫算(第5委) : 20개
o 國際法 關聯(第6委) : 20개

2) 各國(그룹)의 主要 關心事案

o 美 國
- 中東, 남아공 人種差別問題
- 人權問題
- 유엔의 機能合理化 問題

o 日 本
- 紛爭豫防裝置 構築, 在來式武器 去來問題
- 環境問題
- 캄보디아問題

o EC 諸國
- 國際武器去來問題
- 유엔의 緊急援助 運用問題
- 유엔事務總長 選出, 유엔事務局 改編問題

o 非同盟그룹
- 유엔改編問題
- 남아공 人種差別, 地域紛爭問題
- 아프리카 經濟危機, 開途國間 經濟協力, 外債問題

라. 유엔事務總長 選出 關聯動向

ㅇ 아프리카地域國들은 금번 事務總長은 아프리카 地域에서 選出되어야 할 순서임을 主張

ㅇ 美國은 상금 立場 未定

ㅇ 安保理 常任理事國 全員合意가 必要하므로 政治的 折衷이 不可避

* 유엔 事務總長 任期는 5년(連任可能)이며, 페레스 데 꾸에야르 現事務總長 任期는 91.12.31. 滿了豫定

2. 今秋總會 討議參與 對策

가. 基本方向

ㅇ 能動的인 實質問題 討議 參與와 會員國과의 활발한 接觸을 통해 新規會員國으로서의 位置 定立

ㅇ 南.北韓間의 論爭은 가급적 止揚

나. 主要關心 議題

ㅇ 主要 會員國이 主要議題로 다루고 있는 議題

- 軍縮, 開發, 環境, 人權, 유엔의 機能提高等

ㅇ 總會 및 傘下委員會에서 會員國間 票對決이 豫想되는 議題

- 아랍.이스라엘 紛爭, 남아공 人種差別問題

ㅇ 南北韓間 立場差異가 不可避한 議題

- 政治, 軍縮, 安保 및 人權關聯 問題

- 3 -

0180

다. 第46次 定期總會 代表團

1) 大統領 基調演說時

o 公式隨行員

o 慶祝使節團 : 30명

- 國內 各界 人士

2) 總會開幕日

o 首席代表 : 外務長官

o 國會外務委 委員長團

o 外務部 政策諮問委員 一部

o 外務部 實務級

3) 總會 各委員會 討議時

o 外務部 實務級

o 關係部處 專門家

3. 北韓態度 展望 및 對應方向

가. 北韓 代表

o 基調演說 契機 : 연형묵 總理 또는 김영남 外交部長 參席豫想

- 10.2(수) 오후 演說豫定

* 總會開幕당일 加入時는 外交部 第1副部長 강석주 參席

나. 北韓側 態度 展望

o 유엔내의 脫冷戰的 雰圍氣等으로 韓半島問題 관련 本格的 對決試圖는 어려울 것으로 보이나, 加入後 최초 活動임과 관련, 下記問題와 관련하여 宣傳攻勢를 취할 可能性

- 유엔司 解體, 外軍(미군) 撤收 및 休戰協定의 平和協定으로의 代替
- 南北韓 不可侵 宣言 採擇
- 駐韓美軍 核武器 撤去와 韓半島 非核地帶化

다. 우리의 對應方向

o 韓半島問題를 유엔總會 議題로 上程하지 않으며 (不上程), 關聯 議題下에서 韓半島問題가 討議되는 것도 止揚 (不討議)

o 韓半島問題의 當事者 解決原則 强調

o 宣傳攻勢的 次元의 北韓의 策動(발언, 문서배포)에 대해 우리의 적절한 對應方案 講究

4. 유엔 事務局에의 我國人 進出推進

o 會員國의 分擔金 納付 比率에 따른 쿼터내에서 充員原則

- 우리의 유엔豫算 分擔率(0.69%예상)에 따라 향후 專門職 職員 20-30명 進出 可能視

* 유엔加入後 우리의 유엔관련 分擔金 豫想額
  (현재 1,000만불 규모 납부중)
  - 유엔分擔金 : 약 1,000만불
  - 유엔傘下機構 및 其他 國際機構 分擔金 :
    약 2,000만불

o 유엔事務局 職員은 缺員發生時 所定의 競爭을 거쳐
  充員되므로 相當期間 所要 豫想
  - 유엔事務局 局長級 1-2명 進出 積極 推進
  - 有能한 候補者 發掘

o 유엔事務總長 및 事務局 幹部와의 協力 强化

南北韓의 유엔加入承認 關聯行事

1. 總會의 유엔加入 決議 採擇
   - o 全會員國의 贊成으로 投票없이 採擇 豫定

2. 南北韓 代表團 正會員國 座席 着席
   - o 유엔儀典長 案內

3. 加入祝賀發言
   - o 總會議長
   - o 6개지역 그룹代表
   - o 美國代表(유엔본부 소재국)

4. 新規加入國 代表發言
   - o 南.北韓, 마샬군도, 마이크로네시아, 발트 3국 각각 5-10분 發言

5. 新規加入國 國旗揭揚式
   - o 開幕日 會議日程 終了後 開催

0184

경축사절단 귀국항공편

91. 9. 26.
유엔 1과

1. 9.26(목) 17:30 (KE-025편) 도착
   - o 박정수 외무위원장, 이경숙 교수, 이방호 수협회장, 조충훈 JC회장.
2. ~~9.27(금) 17:30 (KE-025편) 도착~~
   - o 김영삼 대표, 박관용 의원, 유창순 전경련회장, 소준열 재향군인회장, 한호선 농협회장, 학생 2(서가람, 고혜경)
3. 9.29(토) 17:30 (KE-025편) 도착
   - o 조영식 경희대총장, 이계순 정무제2장관, 조경희 예술의 전당 이사장, (안병훈 신문편집인협회 이사장)
4. 9.30(일) 17:30 (KE-025편) 도착
   - o 강선용 예총회장
5. 전총리 일정(귀국일정 미정)
   - o 노신영 전총리 : 9.26(목) 12:00 뉴욕출발(라성향발)
   - o 강영훈 전총리 : 9.26(목) 15:00 뉴욕출발(워싱턴향발)
   - o 노재봉 전총리 : 9.26(목) 12:00 뉴욕출발(샌프란시스코 향발)
6. 김대중 총재 귀국일정
   - o 10.3(목) 13:40 (KE-904편) 도착 (독일출발)

0185

경축사절단 귀국항공편

91. 9. 26.
유엔 1과

1. 9.26(목) 17:30 (KE-025편) 도착
   - o 박정수 외무위원장, 이경숙 교수, 이방호 수협회장, 조충훈 JC회장.
2. ~~9.27(금) 17:30 (KE-025편) 도착~~
   - o 김영삼 대표, 박관용 의원, 유창순 전경련회장, 소준열 재향군인회장, 한호선 농협회장, 학생 2(서가람, 고혜경)
3. 9.29(토) 17:30 (KE-025편) 도착
   - o 조영식 경희대총장, 이계순 정무제2장관, 조경희 예술의 전당 이사장, (안병훈 신문편집인협회 이사장)
4. 9.30(일) 17:30 (KE-025편) 도착
   - o 강선용 예총회장
5. 전총리 일정(귀국일정 미정) 국내연락처
   - ✓o 노신영 전총리 (반기문 국장) : 9.26(목) 12:00 뉴욕출발(라성향발) 10.7.
   - ✓o 강영훈 전총리 (1시간 후 전화) : 9.26(목) 15:00 뉴욕출발(워싱턴향발) — 적십자사
   - ✓o 노재봉 전총리 (연락 없음) : 9.26(목) 12:00 뉴욕출발(샌프란시스코 향발)
6. 김대중 총재 귀국일정
   - o 10.3(목) 13:40 (KE-904편) 도착 (독일출발)

✓o 최막수 : 10.5 (예정).
✓o 박영진 : 10.1. UA 12:20 착.
✓o 김용식 :

0186

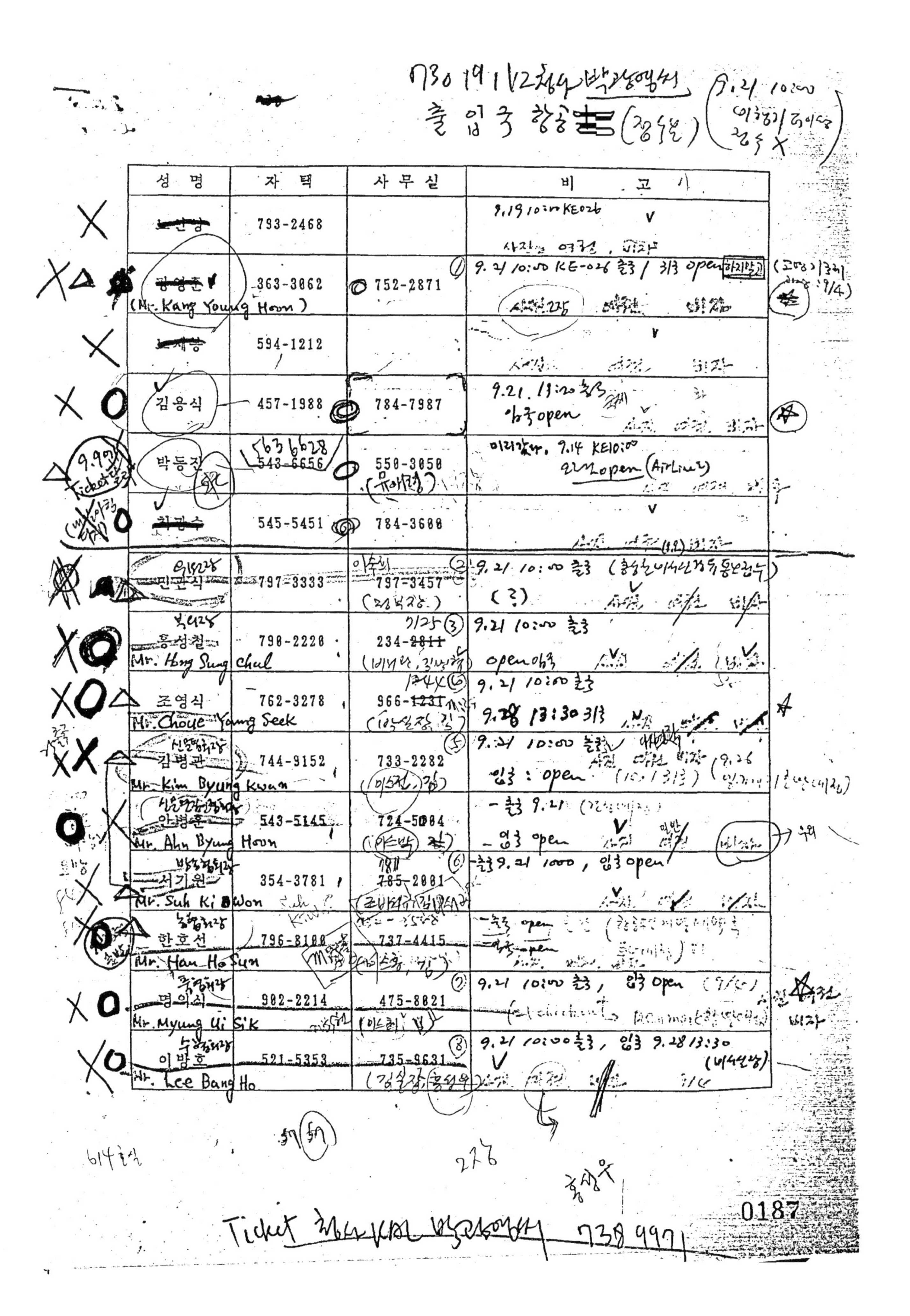

730 1911 12 청사 박과장 앞서

출입국 항공 (정수봉)

성 명	자 택	사 무 실	비 고
~~(struck out)~~	793-2468		9.19 10:00 KE026 V 사진, 여권, 비자
~~강영훈~~ (Mr. Kang Young Hoon)	363-3062	752-2871	① 9.21 10:00 KE-026 출국 / 입국 open
~~(struck out)~~	594-1212		V
김용식	457-1988	784-7987	9.21. 13:20 출국 입국 open
박동진	563-6628 ~~543-6656~~	550-3050 (유아현)	미리갔다. 9.14 KE 10:00 입국 open (Airline)
~~최광수~~	545-5451	784-3600	V
~~민관식~~	797-3333	797-3457 (김비서장)	② 9.21 10:00 출국
~~홍성철~~ Mr. Hong Sung Chul	790-2220	234-~~2811~~	③ 9.21 10:00 출국 open 입국
조영식 Mr. Choue Young Seek	762-3278	966-~~1231~~	④ 9.21 10:00 출국 9.28 13:30 입국
~~김병관~~ Mr. Kim Byung Kwan	744-9152	733-2282	⑤ 9.21 10:00 출국 입국 : open
~~안병훈~~ Mr. Ahn Byung Hoon	543-5145	724-5004	- 출국 9.21 - 입국 open
~~서기원~~ Mr. Suh Ki Won	354-3781	~~785-2081~~	⑥ 출국 9.21 1000, 입국 open
한호선 Mr. Han Ho Sun	796-8100	737-4415	출국 open 입국 open
명의식 Mr. Myung Ui Sik	902-2214	475-8021	⑦ 9.21 10:00 출국, 입국 open
이방호 Mr. Lee Bang Ho	521-5353	735-9631	⑧ 9.21 10:00 출국, 입국 9.28 13:30 V

Ticket 청사 KAL 박과장 앞서 738 9971

0187

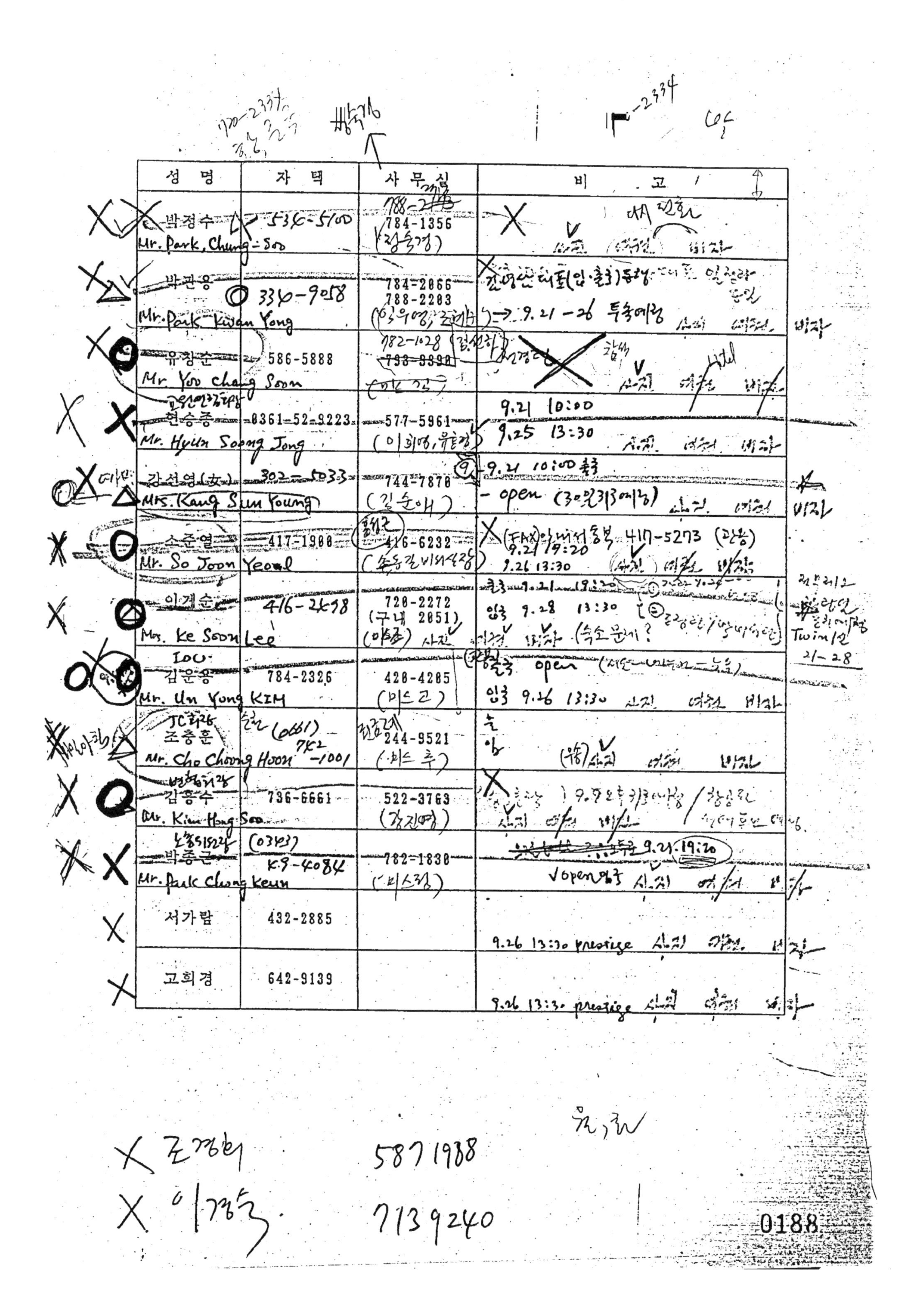

성 명	자 택	사 무 실	비 고
박경수 Mr. Park, Chung-Soo	536-5100	784-1356 (정숙경)	
박관용 Mr. Park Kwan Yong	336-9058	784-2066 788-2203	→ 9.21 – 26 투숙예정
유창순 Mr. Yoo Chang Soon	586-5888	782-1028 ~~793-8890~~	
현승종 Mr. Hyun Soong Jong	0361-52-9223	577-5961	9.21 10:00 9.25 13:30
강선영(女) Mrs. Kang Sun Young	302-5033	744-7870 (김순애)	9.21 10:00 출국 - open
소준열 Mr. So Joon Yeoul	417-1900	416-6232	9.21 19:20 9.26 13:30
이계순 Mrs. Ke Soon Lee	416-2698	720-2272 (구내 2051)	입국 9.28 13:30
김운용 Mr. Un Yong KIM	784-2326	420-4285 (미스고)	입국 9.26 13:30
조충훈 Mr. Cho Choong Hoon		244-9521 (미스 추)	
김홍수 Mr. Kim Hong Soo	736-6661	522-3763	
박종근 Mr. Park Chong Keun		782-1830 (미스정)	9.21 19:20 open 입국
서가람	432-2885		9.26 13:30 prestige
고희경	642-9139		9.26 13:30 prestige

X 조경희 5871988

X 이경숙 7139240

0188

성 명	자 택	사 무 실	비 고
노신영	793-2468	✓	본인
강영훈	363-3062	752-2871	9.21 10:00
노재봉	594-1212		본인
김용식	457-1988	784-7987	본인 OK (김) 미스유
박동진	~~543-6656~~ 563-6628	550-3050	이과장 OK
최광수	545-5451	784-3600	부인 OK 현대사회경제연구소 회장
민관식	797-3333	797-3457	정부과장 OK
홍성철	790-2220	234-~~2011~~	✓김 OK
조영식	762-3278	966-~~1231~~ 2444	박실장 (김) OK
김병관	744-9152	733-2282	미스정 (김) OK
안병훈	563-5165	724-5104	미스박 (김) OK
서기원	354-3781	788-2001	조비서 (김) OK
한호선	796-8100	737-4415	미스홍 (김) OK
명의식	902-2216	475-8021	미스허 (김) OK
이방호	521-5353	735-9631	김실장 (김) OK
박정수		784-1356	어비서 (윤)
박관용	334-9058	784-2066 788-2203	不参 (조혜순)
~~유창순~~	~~586-5888~~	~~733-3333~~ 782-1028	미스김 OK
현승종	0361-52-9223	577-5961	유호경 OK (이희영)
강선영(女)		744-7870	본인 OK → 김순애 OK
소준열	417-1900	416-6232	불참 (미국) 비서실장 (손동길)
이계순	정무2장관	720-2272 (구내 2051)	미스조 OK
김운용	784-2326	420-4205	미스고 OK
조충훈		244-9521	미스추 OK
김홍수	736-6661	522-3763	불참 (중국)
박종근		782-1830	미스정 OK
서가람	432-2885		어머니 OK (본인)
고희경	642-9139		아버지 OK

0189

738 9971 / 2청사 박과장 ... (handwritten)

DJ
YS 783 9811 허용상 ... 7842958 (handwritten)

출입국 항공일 (handwritten)

성 명	자 택	사 무 실	비 고
노신영 Mr. Shin Yong LHO	793-2468	안내	9.19 10:00 KE026 입국
강영훈 (Mr. Kang Young Hoon)	363-3062	고려대학교 755-9301 752-2871 안내	9.21 10:00 KE-026 출국 / 입국 open
노재봉 Mr. Jai Bong Ro	594-1212	안내	출국 9.21 10:00 입국 9.26 NY-LA
김용식 Mr. Yong Shik KIM	457-1988	784-7987 안내	9.21. 19:20 출국 입국 open
박동진 Park Tong Jin	563-6628 543-6656	550-3050 안내	미리갔음. 9.19 KE10:00 입국 open
최광수 Mr. Kwang Soo Choi	545-5451	784-3600 안내	9.19 10:00 출국 open 입국
민관식 Mr. Kwan Shik MIN	797-3333	797-3457 안내	9.21 10:00 출국 open 입국
홍성철 Mr. Hong Sung Chul	790-2220	234-2811 234-7125 안내	9.21 10:00 출국 open 입국
조영식 Mr. Choue Young Seek	762-3278	966-1231 안내	9.21 10:00 출국 9.28 13:30 입국
신문협회장 김병관 Mr. Kim Byung Kwan	744-9152	733-2282 안내	9.21 10:00 출국 입국 : open
안병훈 Mr. Ahn Byung Hoon	543-5145	724-5[illegible]04 안내	- 출국 9.19 10:00 - 입국 open
방송협회장 서기원 Mr. Suh Ki Won	354-3781	785-2001 안내	- 출국 9.21 1000, 입국 open
농협회장 한호선 Mr. Han Ho Sun	796-8100	732-3542 737-4415 안내	출국 / open 입국 9.14 19:20 - 21:30 (KE028)
축협회장 명의식 Mr. Myung Ui Sik	902-2214	475-8021 안내	9.21 10:00 출국, 입국 open
수협회장 이방호 Mr. Lee Bang Ho	521-5353	735-9631 안내	출국, 입국 9.28 13:30 BA175 (13:35 도착 JFK)

4층-75(工)

0190

공항귀빈실 : 1.6002256 장실장 (handwritten)

6607189 국제여객터미널 과장 (handwritten)

성 명	자 택	사 무 실	비 고
박정수 Mr. Park, Chung-Soo	536-5100	784-1356	9.21 10:00 출국 9.25 13:30 입국
박관용 Mr. Park Kwan Yong	336-9058	784-2066 788-2203	9.21 - 26 특송예정
유창순 Mr. Yoo Chang Soon	586-5888	~~733-3390~~ 782-1028	9.22 18:35
현승종 Mr. Hyun Soong Jong	0361-52-9223	577-5961	9.21 10:00 ~~9.25 13:30~~ 9.26 Denver
강선영(女) Mrs. Kang Sun Young	302-5033	744-7870	9.21 10:00 출국 open
소준열 Mr. So Joon Yeoul	417-1900	416-6232	FAX 417-5273 9.21 10:00 9.26 13:30
이계순 Ms. Ke Soon Lee	416-2698	720-2272 (구내 2051)	출국 9.21 19:20 입국 9.28 13:30
IOC 김운용 Mr. Un Yong KIM	784-2326	420-4205 5533616	출국 open 입국 9.26 13:30
JC회장 조충훈 Mr. Cho Choong Hoon	(0661) 742-1001	244-9521	출국 9.21. 10:00 입국 9.25 13:30
김홍수 Mr. Kim Hong Soo	736-6661	522-3763	출국 9.21. 19:20 FAX 522-3767 open 입국
박종근 Mr. Park Chong Keun	(0343) 69-4084	782-1830 783 1495	9.21. 19:20 open 입국
서가람 Mr. Ka Ram Seo	432-2885		특별기 9.22 16:30 도착 9.26 13:30 prestige
고희경 Ms. HeeKyung Koh	642-9139		특별기 9.22(일) 16:30 도착 9.26 13:30 prestige

DJ 부부(2) + 보좌관 박상천 출입국 open

Ms. 조경희 ← 9140508 출국 9-21 19:20 FAX 587 5841
9.28 13:30

5871988

Ms. 이경숙 5439970

0191

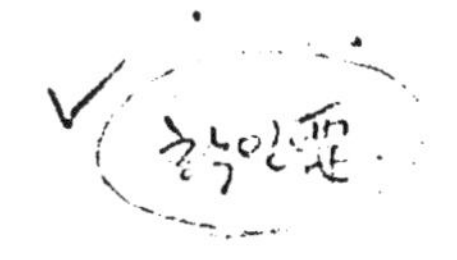

성 명	자 택	사 무 실	비 고
노신영	793-2468	✓	본인
강영훈	363-3062	752-2871	9.21 10:00 / open
노재봉	594-1212		본인
김용식	457-1988	784-7987	본인 OK (김) 미스유
박동진	563-6628 (~~543-6656~~)	550-3050	이과장 OK
최광수	545-5451	784-3600	부인 OK
민관식	797-3333	797-3457	OK
홍성철	790-2220	234-7125 (~~234-2811~~)	OK
조영식	762-3278	966-1244 (~~966-2231~~)	OK
김병관	744-9152	733-2282	OK
안병훈	563-5145	724-5904	미스백 (김) OK
서기원	354-3781	788-2001	OK
한호선	796-8100	737-4415	미스홍 (김) OK
명의식	902-2216	475-8021	(김) OK
이방호	521-5353	735-9631	(김) OK
박정수		784-1356	
박관용	334-9058	784-2066 / 788-2203	不參 (조혜순)
유창순	586-5888	782-1028	OK
현승종	0361-52-9223	577-5961	OK
강선영(女)		744-7870	본인 OK
소준열	417-1900	416-6232	
이계순		720-2272 (구내 2051)	미스조 OK
김운용	784-2326	420-4205 / 553-3616	미스고 OK
조충훈		244-9521	미스추 OK
김홍수	736-6661	522-3763	
박종근		782-1830	미스정 OK
서가람	432-2885		어머니 OK (본인)
고희경	642-9139		아버지 OK

0192

행사별참가현황

성 명	경축민속공연(9.25)	뉴욕한인회 만찬(9.21)	유엔대사오찬(9.25)
김영삼	O		
김대중	X		
노신영			
강영훈	O		
노재봉			
김용식	O	O	O
박동진		O	O
최광수	O	O	O
민관식	O	O	O
홍성철	O	O	O
조영식	O	O	O
김병관	X	O	X
안병훈	O	O	O
서기원		O	O
한호선	O	O	O
명의식	O	O	O
이방호	O	O	O
박정수	X		
박관용	O		
유창순	O	O	O
현승종	X	O	X
강선영		O	O
소준열	O		
이계순	O	O	O
김운용	O	O	O
조충훈	X		
김홍수	O		
박종근	X	O	O
서가람	O	O	O
고희경	O	O	O
조경희	O		

0193

경축사절단 출국항공일정(서울발)

성 명	9.21(土)10:00 KE-026	9.21(土)19:20 KE-028	별 도
김영삼			9.18. 11:55 9.21(토) 16:35착 (UA800)
김대중			9.17. 09:30
노신영			9.19. 10:00 10:30착
강영훈	○		
노재봉	○		
김용식		○	
박동진			9.17 10:00
최광수			9.19. 10:00 9.22착
민관식	○		
홍성철	○		
조영식	○		
김병관	○		
안병훈			9.19. 10:00
서기원	○		
한호선			open 9.14. 21:30 뉴욕착 (KE-028)
명의식	○		
이방호			open 9.21. 09:20 착 (BA-001)
박정수			9.15. 10:00
박관용			9.18. 11:55 9.21(토) 16:35착 (UA800)
유창순			open 9.22. 13:35 착 (BA-175)
현승종	○		
강선영	○		
소준열	○		
이계순		○	
김운용			open 9.20. 15:00 착 (SR-100)
조충훈	○		
김홍수		○	
박종근		○	
서가람			9.20. 특별기
고희경			9.20. 특별기
조경희		○	
이경숙			9.22(일) 16:51 뉴욕착 (TW) from 시카고

0194

경축사절단 귀국항공일정(뉴욕발)

성 명	(목) (확정) 9.26/13:30 KE-025	(토) 9.28/13:30 KE-025	별 도
김영삼	○		
김대중			9.25. 16:30
노신영			9.26 12:00(상항향발)
강영훈			open
노재봉			9.26 12:00(L.A향발)
김용식			open
박동진			open
최광수			open
민관식			open
홍성철			open
조영식		○	
김병관			open
안병훈			open
서기원			open
한호선			open
명의식			open
이방호		○	
박정수			9.25. 13:30
박관용	○		
유창순	○		
현승종			~~9.25. 13:30~~ 9.26 Denver로
강선영			open
소준열	○		
이계순		○	
김운용	~~○~~		특별기편
조충훈	~~○~~		9.25 13:30
김홍수			open
박종근			open
서가람	○		
고희경	○		
조경희		○	
이경숙			9.25(목)13:30

0195

안내책자, 기타 참고자료 수령 (1991. 9. 19. 木)

	서명	
김영삼		누락
김대중		누락
노신영	황준국	
강영훈	대한매일신보사 국제과 박정규	
노재봉	이 [illegible]	
김용식	(기사)	
박동진		누락
최광수	황준국	
민관식	박혜정	
홍성철	김범형	
조영식	경희대 비서실 김 우현	
김병관	신영선	
안병훈	황준국	
서기원	이 형근	
한호선		누락
명의식	황 [illegible]	
이방호		누락
박정수		누락
박관용		누락
유창순	김선하 9/19	
현승종	공관기	
강선영	김인규	
소준열	함세관	
이계순	조인자	
김운용		누락
조충훈	한국JC 이영식	
김홍수	채희정	
박종근	김성진	
서가람	가영[illegible] ([illegible])	
고희경	〃 〃	
조경희	조경희	
이경숙		누락

0196

경 축 사 절 단

※ 경축사절단 CP : #1418

성 명	Rm No.	안 내	비 고
김영삼	1 1 2 5	박인국 서기관	
김대중	별도호텔	김영목 서기관	
노신영	4 1 1	유근성 구매관	
강영훈	1 2 2 5	황승정 세무관	
노재봉	8 3 7	김지수 장학관	
박정수	6 2 9	성기주 부영사	
박관용	8 2 9	조정홍 구매관	
민관식	7 2 3	김진표 외은과장	
홍성철	4 3 7	한이식 조은과장	
조영식	1 4 2 2	윤보현 상은차장	
유창순	5 0 1	박동우 무협부장	
김용식	5 1 1	김진억 서울신탁차장	
박동진	4 2 9	김충삼 한전부장	
최광수	5 2 9	이호강 현대부장	
김병관	1 3 0 8	대우	
안병훈	1 3 0 9	이제세 삼성과장	
서기원	1 3 2 2	이완경 럭금부장	
현승종	1 4 0 5	포철	
강선영	1 6 2 7	강창훈 관광공사 지사장	
소준열	1 3 6 7	김정훈 한은차장	
이계순	1 5 3 3	노 철 KOTRA 과장	
김운용	1 6 2 9	오승범 선경과장	
김홍수	1 6 2 2	박기환 쌍용차장	
박종근	1 3 5 8	허경만 제은차장	
한호선	1 4 6 2	최한규 농협지소장	
명의식	1 4 6 1	남성우 축협지소장	
이방호	1 4 5 8	"	
조충훈	1 1 7 0	이민범 효성과장	
서가람	1 3 1 0	Chris 황(코오롱)	
고희경	1 6 1 0	"	
조경희	1 6 2 1	김송희 한국일보 부국장	
이경숙	1 6 0 8	"	

0197

박금병 의원
도영심 〃
유인학 〃
The Plaza

경축사절단 출국항공일정(서울발)

(32人)

성 명	9.21(토)10:00 KE-026	9.21(토)19:20 KE-028	별 도
김영삼			9.18. 11:55 9.21(토)16:35착(UA8…
김대중			9.17. 09:30
노신영			9.19. 10:00 10:30착
강영훈	○		
노재봉	○		
김용식		○	
박동진			9.17 10:00
최광수			9.19. 10:00 9.22착
민관식	○		
홍성철	○		
조영식	○		
김병관 신문협회장	○		
안병훈			9.19. 10:00
서기원 방송협회장	○		
한호선			open 9.14. 21:30뉴욕착(KE-028)
명의식 출판협회장	○		
이방호			open 9.21. 13:35착(BA-175)
박정수			9.15. 10:00
박관용			9.18. 11:55 9.21(토)16:35착(UA800)
유창순			open 9.22. 13:35착(BA-175)
현승종	○		
강선영 예총회장(女)	○		
소준열 재향군인회장	○		
이계순		○	
김운용			open 9.20. 15:00착(SR-100)
조충훈 JC회장	○		
김홍수 대한변협회장		○	
박종근 노총위원장		○	
서가람			9.20. 특별기
고희경			9.20. 특별기
조경희 예술의전당이사장		○	
이경숙			9.22(일)16:51뉴욕착(TW)

0198

경축사절단 출국항공일정(서울발)

91. 9. 12.

성 명	9.21 10:00 KE-026	9.21 19:20 KE-028	별 도
김영삼			9.18. 11:55
김대중			9.17. 09:30
노신영			9.19. 10:00
강영훈	○		
노재봉	○		
김용식		○	
박동진			9.17 10:00
최광수			9.19. 10:00
민관식	○		
홍성철	○		
조영식	○		
김병관	○		
안병훈			9.19. 10:00
서기원	○		
한호선			open
명의식	○		
이방호			open
박정수			9.15. 10:00
박관용			9.18. 11:55
유창순			open
현승종	○		
강선영	○		
소준열	○		
이계순		○	
김운용			open
조충훈	○		
김흥수		○	
박종근		○	
서가람			9.20. 특별기
고희경			9.20. 특별기
조경희		○	

0199

경축사절단 귀국항공일정(뉴욕발)

성 명	9.26 13:30 KE-025	9.28 13:30 KE-025	별 도
김영삼	○		
김대중			9.25. 16:30
노신영			9.26 12:00(상항향발)
강영훈			open
노재봉			9.26 12:00(L.A향발)
김용식			open
박동진			open
최광수			open
민관식			open
홍성철			open
조영식		○	
김병관			open
안병훈			open
서기원			open
한호선			open
명의식			open
이방호		○	
박정수			9.25. 13:30
박관용	○		
유창순	○		
현승종			9.25. 13:30
강선영			open
소준열	○		
이계순		○	
김운용	○		
조충훈	○		
김홍수			open
박종근			open
서가람	○		
고희경	○		
조경희		○	

0200

[illegible]

~~경축사절단 출국항공일정(서울발)~~

성 명	[illegible](9.25) ~~9.21 10:00 KE 026~~	[illegible](9.25) ~~9.21 19:20 KE 0[illegible]~~	[illegible](9.23) ~~[illegible]~~
김영삼			9.19. 11:55
김대중			9.17. 09:30
노신영	△		9.19. 10:00
강영훈	O		
노재봉			미 정
김용식	O	O	O
박동진	△	O	9.14. O [illegible]:00
최광수	O	O	9.19. O [illegible]:00
민관식	O	O	O
홍성철	O	O	O
조영식	O	O	O
김병관	X	O	X
안병훈	O	O	9.19. O [illegible]:00
서기원	△	O	O
한호선	O	O	open O
명의식	O	O	O
이방호	O	O	open O
박정수			9.15. 10:00
박관용	O		김영삼대표 수행
유창순	O	O	open O
현승종	X	O	X
강선영	O	O	O
소준열	O		
이계순	O	O	O
김운용	O	O	open O
조충훈	△		
김홍수	O		
박종근	X	O	O
서가람		O	9.20. O [illegible]별기
고희경		O	9.20. O [illegible]별기
조경희	O		

0201

청와대 오찬(9.16, 월)

성명	참가여부	차량번호	비고
김영삼			
김대중			
노신영			
강영훈			
노재봉			
김용식			
박동진			
최광수			
민관식	△		787-3457 이승희
홍성철	△		234-7125 김범형
조영식			
김병관	O	서울3포 9613 흑색 그랜저	733-2282 미스 전
안병훈			724-5004 미스 朴 732-1926(아시아 국장)
서기원	O	서울1므 8951 흑색 그랜저	781-2001 조재(제)현 735-7117
한호선	X		737-4415 Miss 李 14일출국 미국
명의식	△		475-8021 미스 최
이방호	X		735-9631 김 실장 14일~(한농연 ...)
박정수	X		784-1356 788-2713 정숙경 15일출국
박관용	△	서울3보 4143 흑색 그랜저	784-2066 임무영
유창순	△		782-1028 김선하
현승종	O	경원1가 9228 흑색 그랜저	577-5961 유효경
강선영	△		744-7870 김순애
소준열	O	서울1우 9312 흑색 그랜저	416-6232 손동길 비서실장
이계순	O	서울3주 9625	720-2272 미스 조
김운용	X		420-4205 미스 고 14-20 IOC출장
조충훈	O	서울2코 3309 곤색 그랜저	244-9521 권공례 (Miss 추)
김흥수	O	서울1모 6934 곤색 프린스	522-3763 강진영
박종근	△ 아침		782-1830 미스 정
서가람			
고희경			
조경희	△		587-1988 곽동희

5871988 곽동희

713-8271 (숙대) Pn

0202

청와대 오찬(9.16. 월)

연락 完 14:00

성 명	참가여부	차량번호	비 고
김영삼			
김대중			
노신영			
김영훈			
노재봉			
김용식			
박동진			
최광수			
민관식	△위원장	X	797-3457 이숙희
홍성철	△부위원장	X	234-7125 김범형
조영식			
김병관	신문협 O	X 서울3포 9613 흑색 그랜저	733-2282 미스 전
안병훈	신문편집인협		724-5004 미스 朴
서기원	방송협 O	X 서울1므 8951 흑색 그랜저	781-2001 조재(제)현
한호선	농협 X		737-4415 Miss 李 14일출국 미국
명의식	△축협		475-8021 미스 최
이방호	수협 X		735-9631 김 실장 14일~(한소어업협)
박정수	의원 X		784-1356 788-2713 정숙경 15일출국
박관용	△의원	서울3보 4143 흑색 그랜저	784-2066 임무영
유창순	△전경련		782-1028 김선하
현승종	교원연 O	경원1가 9228 흑색 그랜저	577-5961 유호경
강선영	△		744-7870 김순애
소준열	재향군인회 O	서울1우 9312 흑색 그랜저	416-6232 손동길 비서실장
이계순	정무2 O	서울3주 9625	730-2272 미스 조
김운용	X		420-4285 미스 고 14-20 IOC총회
도종환	JC O	서울2교 3309 곤색 그랜저	244-9521 권금례 (Miss추)
김홍수	변협 O	1모 6934 곤색 트린스	522-3763 강진영
박종근	△한국노총위		782-1830 미스 정
서가람			
고희경			
조경희	△		587-1988 곽동희

0203

청와대오찬(9.16. 월)

	성 명	참가여부	차량번호	비 고
V	김영삼			
V	김대중			
V	노신영			
V	강영훈			
V	노재봉			
V	김용식			
V	박동진			
V	최광수			
	민관식	△		797-3457 이승희
	홍성철	△		234-7125 김범형
o	조영식			
	김병관	O	서울3표 9613 흑색 그랜저	733-2282 미스 전
V	안병훈			
	서기원	O	서울1즈 8951 흑색 그랜저	781-2001 조재(제)형
	한호선	X		737-4415 Miss 李 14일출국 미국
	명의식	△		475-8021 미스최
	이방호	X		735-9631 김실장 14일~(한소어업협정)
	박정수	X		~~784-1356~~ ~~788-2713~~ 정숙경 15일출국
	박관용	△	서울3부 4143 흑색 그랜저	784-2066 임무영
	유창순	△		782-1028 김선하
	현승종	O	경원1가 9228 흑색 그랜저	577-5961 유효경
	강선영	△		744-7870 김순애
	소준열	O	서울1우 9312 흑색 그랜저	416-6232 손동길 비서실장
	이계순	O	서울3주 9625	720-2272 미스 조
	김운용	X		420-4285 미스 고 14-20 IOC출장
	조충훈	△		244-9521 권공례
	김홍수	O	1모 6934 곤색 프린스	522-3763 강진영
	박종근	△ 아침		782-1830 미스 정
V	서가람			
V	고희경			
	조경희	△		587-1988 곽동희

5871988
곽동희

0204

청와대오찬(9.16. 월)

	성 명	참가여부		차량번호	비 고	
V	김영삼					
V	김대중					
V	노신영					
V	강영훈					
V	노재봉					
V	김용식					
V	박동진					
V	최광수					
	민관식	△			787-3457 이숙희	
	홍성철	퇴근				
	조영식	퇴근				
	김병관	△			733-2282 미스 전	
V	안병훈					
	서기원	△	O	서울1 드 8951 흰색 그랜저	781-2001 조재(제)현	
	한호선	△	X		737-4415 Miss 李	14일출국 미국
	명의식	△			475-8021 미스 최	
	이방호		X		735-9631 김 실장	14 – [illegible]
	박정수					
	박관용					
	유창순	△			782-1028 김선하	
	현승종	△	O	서울1가 9228 흑색 그랜저	577-5961 유효정	
	강선영	△			744-7870 김순애	
	소준열		O	서울1우 9312 흑색 그랜저	416-6232 손동길 비서실장	
	이계순		O	서울3주 9625	720-2272 미스 조	
14-20 [illegible] IOC출장	김운용		X		420-4205 미스 고	14-20 IOC출장
	조충훈	△			244-9521 권공례	
	김종수	△	O	1모 6934 흰색 프린스	522-3763 강진영	
	박종근	△ 아침			782-1830 미스 정	
V	서가람					
V	고희경					
	조경희	퇴근				

0205

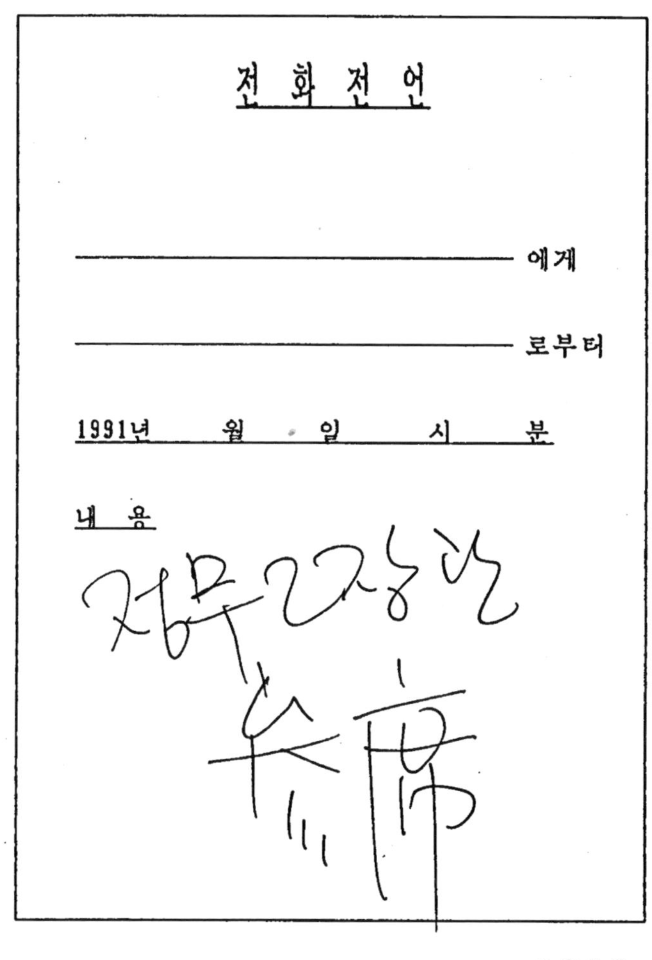

전화전언

__________ 에게

__________ 로부터

1991년 월 일 시 분

내용

0206

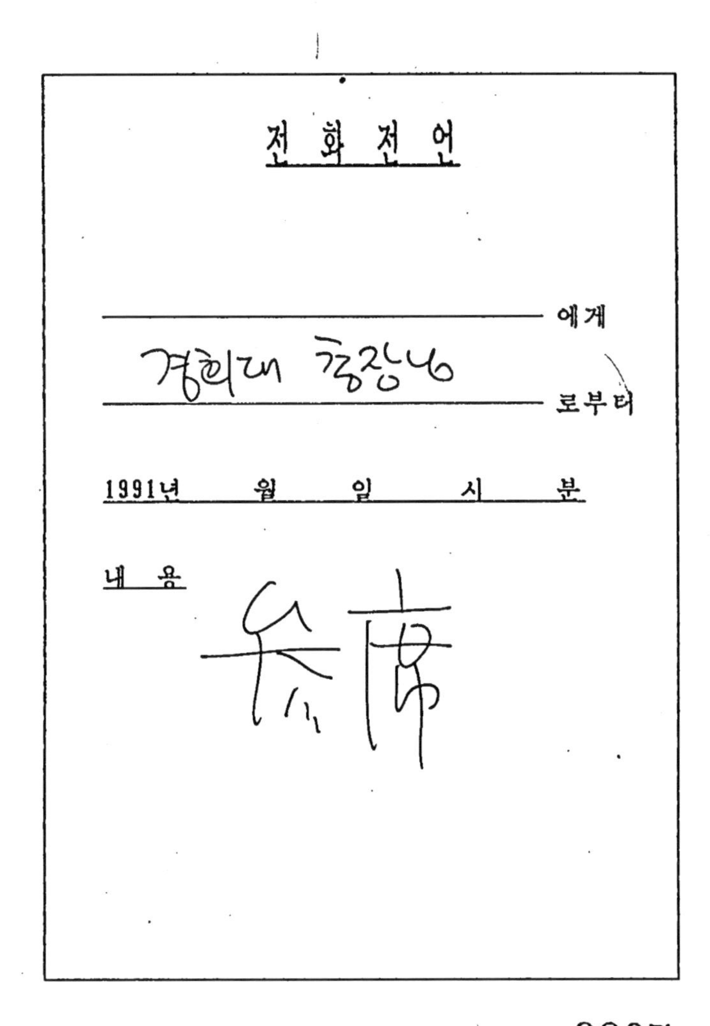

전 화 전 언

에게

경희대 총장님 로부터

1991년 월 일 시 분

내 용

參席

0207

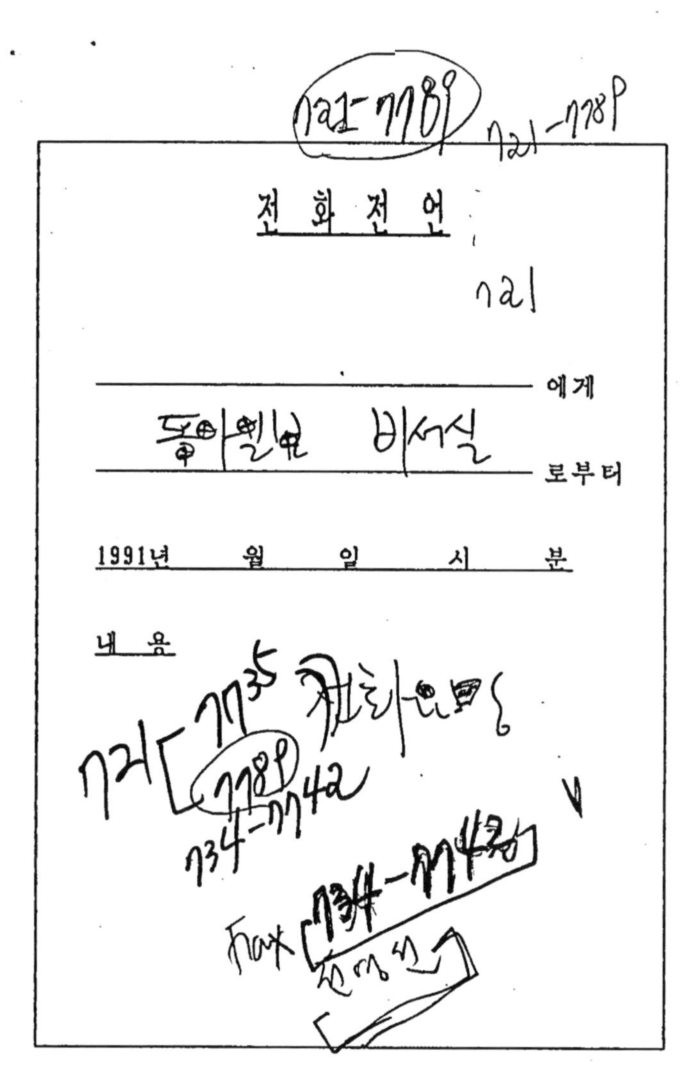
전 화 전 언

721

에게

동아일보 비서실 로부터

1991년 월 일 시 분

내 용

721-7789 721-7789

721 [7735 편집국
7789
7742
734-7742

Fax 734-7742
전영신

0208

수신: 東亞日報 비서실(전영선) 91. 9. 12.

발신: 외무부 국제연합과

유엔가입 경축사절단 공식일정

0209

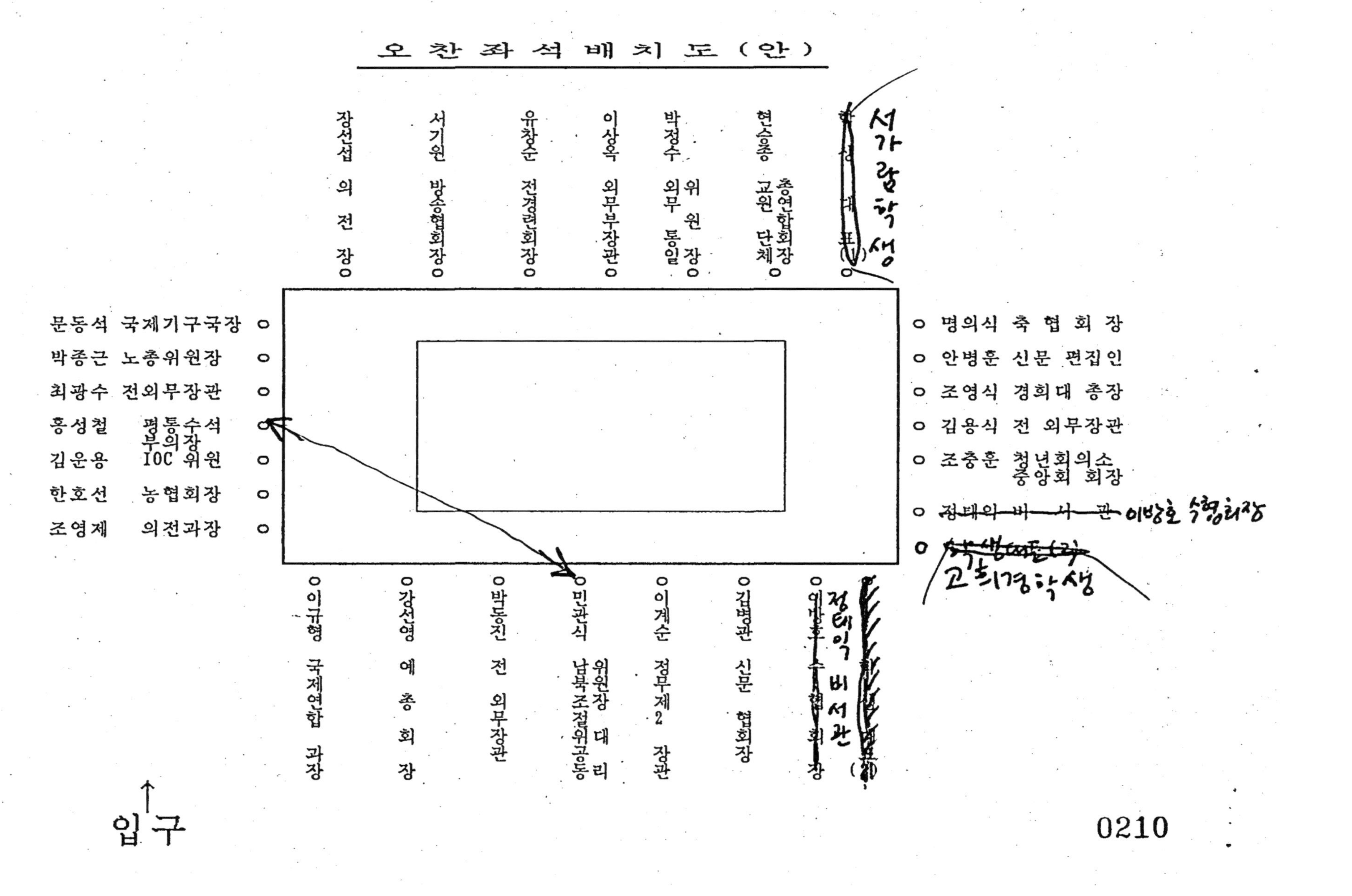

오 찬 좌 석 배 치 도 (안)
장선섭 의전장
서기원 방송협회장
유창순 전경련회장
이상옥 외무부장관
박정수 외무통일위원장
현승종 교원단체총연합회장
서가람 학생
문동석 국제기구국장
박종근 노총위원장
최광수 전외무장관
홍성철 평통수석부의장
김운용 IOC 위원
한호선 농협회장
조영제 의전과장
명의식 축협회장
안병훈 신문 편집인
조영식 경희대 총장
김용식 전 외무장관
조충훈 청년회의소 중앙회 회장
정태익 비서관
이방호 수협회장
고희경 학생
이규형 국제연합 과장
강선영 예총회장
박동진 전 외무장관
민관식 남북조절위공동위원장 대리
이계순 정무제2장관
김병관 신문협회장
입구
0210

2 . 宿所 및 個別 案市擔當

姓 名		The Plaza 房番號	個別案內擔當	
김영삼	代表最高委員	1125	박인국	주미 1 등서기관
김대중	總裁	별도호텔	김영목	주미 1 등서기관
노신영	前總理	411	유근성	구매관
강영훈	前總理	1501	황승정	세무관
노재봉	前總理	837	김지수	장학관
박정수	國會外統委員長	629	성기주	부영사
박관용	國會統一特委委員長	829	조정홍	구매관
민관식	南北調節委共同委員長	723	김진표	외환은행과장
홍성철	民主平統 首席副議長	437	한이식	조흥은행과장
조영식	경희대總長	1422	윤보현	상업은행차장
유창순	全經聯會長	501	박동우	무협부장
김용식	前外務長官	511	허경만	제일은행차장
박동진	前外務長官	429	김충삼	한전부장
최광수	前外務長官	529	이호강	현대부장
김병관	新聞協會長	1308	대우	
안병훈	新聞編輯人 協會長	1310	이제세	삼성과장
서기원	放送協會長	1322	이완경	럭금부장

0211

姓　　名	The Plaza 房番號	個別案內擔當
현승종　教員團體總聯合會長	1405	포철
강선영　藝總會長	1627	강창훈　관광공사지사장
소준열　在鄕軍人會長	1367	김정훈　한일은행차장
이계순　政務第 2 長官	1533	노철　KOTRA 과장
김운용　IOC 委員	1629	오승범　선경과장
김홍수　大韓辯協會長	1622	박기환　쌍용차장
박종근　勞總委員長	1358	김진억　서울신탁차장
한호선　農協會長	1462	최한규　농협지소장
명의식　畜協會長	1461	남성우　축협지소장
어방호　水協會長	1458	
조충훈　靑年會議所會長	1371	이민범　효성과장
서가람　學　生	1310	CHKIS 황 (코오롱)
고희경　學　生	1610	

조경희　예술의전당　理事長	1621	김승희　한국일보부국장
이경숙　숙명여대　教授	1608	

※ 김대중　總裁　宿所는　Mariott Marquis Hotel, 1535 Broadway, Tel : 704-8700 임.
※ 慶祝使節團　連絡室(CP) : The Plaza　# 1418
※- 隨行案內總括　조태용, 황준국사무관 : The Plaza　# 243

0212

2. 宿所 및 個別 案內擔當

姓 名		The Plaza 房番號	個別案內擔當	
김영삼	代表最高委員	1125	박인국	주미 1등서기관
김대중	總裁	별도호텔	김영목	주미 1등서기관
노신영	前總理	411	유근성	구매관
강영훈	前總理	~~1501~~ 1225	황승정	세무관
노재봉	前總理	837	김지수	장학관
박정수	國會外統委員長	629	성기주	부영사
박관용	國會統一特委委員長	829	조정홍	구매관
~~민관식~~	~~南北調節委共同委員長~~	~~723~~	~~김진표~~	~~외환은행과장~~
홍성철	民主平統 首席副議長	437	한이식	조흥은행과장
조영식	경희대總長	1422	윤보현	상업은행차장
유창순	全經聯會長	501	박동우	무협부장
~~김용식~~	~~前外務長官~~	~~511~~	~~허경만~~	~~제일은행차장~~
박동진	前外務長官	429	김충삼	한전부장
최광수	前外務長官	529	이호강	현대부장
김병관	新聞協會長	1308	대우	
안병훈	新聞編輯人 協會長	1310	이제세	삼성과장
서기원	放送協會長	1322	이완경	럭금부장

0213

姓　　名		The Plaza 房番號	個別案內擔當
현승종	教員團體總聯合會長	1405	포철
강선영	藝總會長	1627	강창훈 관광공사지사장
소준열	在鄕軍人會長	1367	김정훈 한일은행차장
이계순	政務第 2 長官	1533	노철 KOTRA과장
김운용	IOC委員	1629	오승범 선경과장
김홍수	大韓辯協會長	1622	박기환 쌍용차장
박종근	勞總委員長	1358	김진억 서울신탁차장
한호선	農協會長	1462	최한규 농협지소장
명의식	畜協會長	1461	남성우 축협지소장
이방호	水協會長	1458	
조충훈	青年會議所會長	1371	이민범 효성과장
서가람	學 生	1310	CHKIS 황(코오롱)
고희경	學 生	1610	

조경희	예술의전당 理事長	1621	김승희 한국일보부국장
이경숙	숙명여대 敎授	1608	

※ 김대중 總裁 宿所는 Mariott Marquis Hotel, 1535 Broadway, Tel : 704-8700 임.
※ 慶祝使節團 連絡室(CP) : The Plaza # 1418
※- 隨行案內總括 조태용, 황준국사무관 : The Plaza # 243

0214

80

慶祝使節團
유엔訪問案內書

(1991. 9. 21~9. 26)

外 務 部

0215

80

慶祝使節團

유엔訪問案內書

(1991. 9. 21～9. 26)

外 務 部

0216

目　次

1. 日程概要 ········· 3

2. 宿　所 ········· 4

3. 參考事項 ········· 6

4. 主要電話番號 ········· 6

1. 日程概要

※ 宿所 : The Plaza호텔【 768,5th Ave,59th St/Tel(212)759 3000】

日　時	行　　　事	場　　　所	備　　考
9.22 (日)			
19:00-20:00	뉴욕總領事主催 僑民리셉션	宿所 1st Floor Grand Ballroom	
9.23 (月)			
19:00	뉴욕韓人會主催 慶祝使節團을 위한 리셉션	韓國食堂 대화회관 (33-15,56th St. Woodside)	
9.24 (火)			
10:40-11:25	유엔總會 基調演說 參觀	總會 本會議場	團體移動 (버스)
12:15-13:45	慶祝使節團을 위한 午餐	宿所 Ground Floor Oak Room	
18:30-20:00	유엔大使主催 各國代表 招請 慶祝리셉션	宿所 1st Floor Grand Ballroom	
9.25 (水)			
12:30	유엔大使主催 午餐	중국식당Chez Vont (220 E,46th St)	
19:00	慶祝民俗公演	카네기홀 (147W,57th St. 7th Ave)	團體移動 (버스)

-3-

0218

2. 宿 所

姓 名	The Plaza 房番號	備 考
김영삼 代表最高委員	1125	
김대중 總裁	별도호텔	
노신영 前總理	411	
강영훈 前總理	~~1501~~ 1225	
노재봉 前總理	837	
박정수 國會外統委員長	629	
박관용 國會統一特委委員長	829	
민관식 南北調節委共同委員長	723	
홍성철 民主平統 首席副議長	437	
조영식 경희대總長	1422	
유창순 全經聯會長	501	
김용식 前外務長官	511	
박동진 前外務長官	429	
최광수 前外務長官	529	
김병관 新聞協會長	1308	
안병훈 新聞編輯人 協會長	~~1310~~ 1309	
서기원 放送協會長	1322	

-4-

0219

姓　　名	The Plaza 房番號	備　考
현승종　教員團體總聯合會長	1405	
강선영　藝總會長	1627	
소준열　在鄕軍人會長	1367	
이계순　政務第 2 長官	1533	
김운용　IOC 委員	1629	
김홍수　大韓辯協會長	1622	
박종근　勞總委員長	1358	
한호선　農協會長	1462	
명의식　畜協會長	1461	
이방호　水協會長	1458	
조충훈　靑年會議所會長	~~1371~~ 1170	
서가람　學　生	1310	
고희경　學　生	1610	

조경희　예술의전당　理事長	1621	
이경숙　숙명여대　教授	1608	

※ 김대중　總裁　宿所는　Mariott Marquis Hotel, 1535 Broadway, Tel : 704-8700 임.

※ 慶祝使節團　連絡室 (CP) : **The Plaza　# 1418**

※ 隨行案內總括　조태용, 황준국사무관 : **The Plaza　#　243**

3. 參考事項

o 行事參席을 위한 詳細案內 事項은 수시로 各 房에 回覽을 配布 豫定

- 行事전날밤 翌日行事 總括案內書 配布

o 모든 問議 또는 要請事項은 宿所내 慶祝使節團 CP 또는 隨行案內員에게 連絡要望

o 車輛必要時

- 交通便 支援을 위하여 항시 車輛待機하고 있음

4. 主要 電話番號

가. 北美地域公館 및 公館長

주 미대사관 현홍주대사 관저	(202) 939-5600 (202) 939-5608-10
주 유엔대표부 노창희대사 관저	(212) 371-1280 주소 : 866 UN Plaza #300 (212) 980-0180
주 카나다대사관 박건우대사 관저	(613) 232-1715/7 (613) 744-3232

주 뉴욕총영사관	(212) 752-1700 주소 : 460 Park Ave 57th St.
채의석총영사 관저	(212) 472-7922
주 시카고총영사관	(312) 822-9485/8
김정기총영사 관저	(708) 466-3740
주 라성총영사관	(213) 385-9300
박종상총영사 관저	(213) 939-2845
주 상항총영사관	(415) 921-2251/3
박춘범총영사 관저	(415) 752-6508
주 보스톤총영사관	(617) 348-3660
박상식총영사 관저	(617) 431-1398
주 휴스톤총영사관	(713) 961-0186
최대화총영사 관저	(713) 984-2807
주 호놀루루총영사관	(808) 595-6109
손장래총영사 관저	(808) 737-2852
주 시애틀총영사관	(206) 441-1011/14
고창수총영사 관저	(206) 546-1224
주 아틀란타총영사관	(404) 522-1611/3
김현곤총영사 관저	(404) 256-3203
주 앵커리지총영사관	(907) 561-5488
허방빈총영사 관저	(907) 276-1076

주 마이애미총영사관	(305) 372-1555
김동호총영사 관저	(305) 444-1423
주 토론토총영사관	(416) 598-4608/10
이병해총영사 관저	(416) 245-5961
주 몬트리올총영사관	(514) 845-3243/4
최성홍총영사 관저	(514) 935-3405
주 뱅쿠버총영사관	(604) 681-9581/2
이두복총영사 관저	(604) 263-0149

나. 유엔대표부 主要幹部

차석대사	신기복	(212) 808-4932
공사	오윤경	(201) 768-6687
공사	송종환	(201) 891-1681
참사관	서대원	(201) 848-8117
참사관	강광원	(914) 725-9781
공보관	서종환	(201) 670-1819
참사관	최종무	(914) 834-1936
참사관	이영현	(914) 472-1263

다. 뉴욕總領事館 主要幹部

부총영사	최 경 보	(914) 725-2313
부총영사	윤 석 훈	(212) 980-0121
영 사	한 재 천	(201) 612-0217

라. 뉴욕주재 特派員 名單

연합통신 노정선, 中央日報 박준영, 內外經濟新聞 권화섭, 한국일보 김수종, 서울신문 임춘웅, 朝鮮日報 김승영, KBS 김광일, KBS 김형태, KBS (카메라) 백승대, MBC 이대우, MBC (카메라) 전재철

마. 호 텔

The Waldorf Astoria	355-3000
- 301 Park Ave.(49th/50th St.)	
Intercontinental	755-5900
- 111 E. 48th St.(Lex./Park)	
Beekman Towers	355-7300
- 3 Mitchell Place (49th St.)	
Doral Inn	755-1200
- 541 Lexington Ave.(49th St.)	
Helmsley Palace	888-7000

-9-

0224

- 455 Madison Ave.(50th/51st St.)

The New York Hilton		586-7000
- 1335 Ave. of the Americas (53rd/54th St.)		
N.Y.Helmsley		49-8900
- 212 E. 42nd St.(2nd/3rd)		
Regency		759-4100
- 540 Park Ave.(61st St.)		
U.N. Plaza		355-3400
- 1 U.N. Plaza (E. 44th/1st/2nd)		

바. 식 당

【한 식】

우 래 옥	77 W. 46th St. (5th/6th)	869-9959
뉴욕곰탕하우스	32 W. 32nd St. (5th/B'way)	947-8482
서울 하우스	9 W. 32nd St. (5th/B'way)	279-9400
새 집	34 W. 36th St. (5th/6th)	279-2086
우리 하우스	302 W. 51st St. (8th/9th)	757-0776

홍 빈 원	51 W. 35th St. (5th/6th)	695-7167
우 촌	5 W. 36th St. (5th/6th)	895-8676
강서회관	1250 32nd St. (Broadway)	564-6845
사 라	148 E. 46th St. (3rd/Lexington)	983-7445

【일 식】

Hakubai	66 E. 38th St. (Park)	686-3770
Inagiku	111 E. 49th St. (Lex./Park)	355-0440
Mitsukoshi	461 Park Ave. (57th St.)	935-6444

【중국식】

Flower Drum	856 2nd Ave. (45th/46th St.)	697-4280
Four Five Six	5 E. Broadway	964-5853

J. Sung Dynasty	511 Lex. Ave. (48th St.)	355-1200
Fortune Garden	209 E. 49th St. (2nd/3rd)	753-0101

사. 백화점

Saks Fifth Ave.	611 5th Ave. (E.50th St.)	753-4000
Bloomingdale's	1000 3rd Ave. (E. 59th St.)	355-5900
Macy's (Herald Square)	151 W. 34th St. (5th/7th)	695-4400
CiCi	39 W. 32nd St. (5th/B'way)	947-3077

아. **Arts and Entertainment**

Metropolitan Museum of Art 535-7710

- 5th Ave. & 82nd St.

Museum of Modern Art 708-9480

- 11 W. 53rd St./5th-6th Ave.

Lincloln Center	877-1800
- Broadway & 65th St.	
o New York State Theater	870-5570
- New York City Ballet and Opera	
o Metropolitan Opera House	362-6000
Madison Square Garden/Felt Forum	563-8300
- 7th Ave(31st/33rd St.)	
Radio City Music Hall	247-4777
- 6th Ave. & 50th St.	

자. 한국여행사

Cecillia Tours & Travel	239-4090
- 45 W. 34th St. # 1000 (5th/6th)	
Han Mi Travel & Tours	736-8863
- 22 W. 32nd St. # M-1 (5th/B'way)	
Sejong Travel Service	986-4940
- 60 E. 42nd St. # 1215 (Madison/Park)	

차. 서　　점

Barnes and Noble	
- 105 5th Ave. & 18th St.	807-0099
- 600 5th Ave. & 48th St.	765-0590
B. Dalton Bookseller	247-1740
- 665 5th Ave. (52nd/53rd St.)	
Doubleday Book Shops	
- 777 3rd Ave. at 49th St.	888-5590
- 724 5th Ave. at 57th St.	397-0550
Discount Bookstore	751-3839
- 897 1st Ave. at 50th St.	

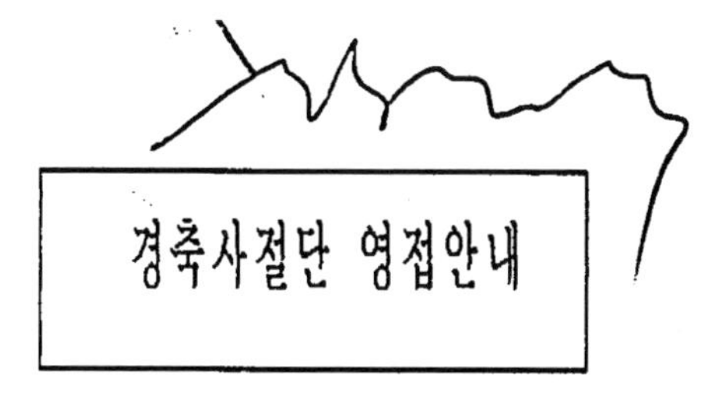

경축사절단 영접안내

경축사절단 CP : The plaza #1418

1991. 9. 21

전화 718 651 3939

620호

주 유 엔 대 표 부

0230

목 차

1. 공식일정 2

2. 사절단 명단 및 숙소 3

3. 도착 및 출발일정 6

4. 안내 및 차량 배정표 10

5. 세부일정 14

6. 행사 총괄표 19

7. 주요전화번호 20

0231

1. 공식일정

일 시	행 사 내 용
9.21(토) 이전	뉴욕도착
9.22(일) 18:30-20:00	교민리셉션 (숙소)
9.23(월) 19:00-21:30 o 18:00	한인회주최리셉션 (초원연회장) o 숙소출발 (버스)
9.24(화) 10:30 o 09:30	대통령총회연설 o 숙소출발 (버스)
12:15-13:45 o 12:05	경축사절단오찬 (숙소) o 입장완료
18:30-20:00	경축리셉션 (숙소)
9.25(수) 12:30-14:00 o 12:15	유엔대사 초청오찬) (Tse Yang) o 숙소출발 (버스)
20:00-22:00 o 19:30	경축공연 (카네기홀) o 숙소출발 (버스)

2

0232

2. 사절단 명단 및 숙소 (The Plaza)

성 명	직 위	방 번 호
1. 김 영 삼 (내외)	민자당대표 최고위원	1125
2. 김 대 중 (내외)	민주당 공동대표	704-8700 Marriot Marquis
3. 노 신 영	전 국무총리	411
4. 강 영 훈	"	1225
5. 노 재 봉	"	837
6. 박 정 수	외무 통일 위원장	629
7. 박 관 용	평화통일특별위원장	829
8. 민 관 식	남북조절위 공동 위원장 대리	723
9. 홍 성 철	민주평통수석부의장	437
10. 조 영 식	이산가족재회추진 이사장	1422
11. 유 창 순	전경련 회장	501

3

0233

성 명	직 위	방 번 호
12. 김 병 관	신문협회장	1308
13. 안 병 훈	신문편집인협회장	~~1809~~ 1217
14. 서 기 원	방송협회장	1322
15. 현 승 종	교원단체 총연합회장	1405
16. 강 선 영	예총회장	1627
17. 소 준 열	재향군인회장	1367
18. 김 용 식	전 외무장관	511
19. 박 동 진	전 외무장관	429
20. 최 광 수	전 외무장관	529
21. 이 계 순	정무 2장관	1533
22. 김 운 용	IOC 위원	1629
23. 조 충 훈	JC 중앙회장	1170
24. 김 홍 수	대한변협회장	1622
25. 박 종 근	노총위원장	1358

4

0234

성 명	직 위	방번호
26.한 호 선	농협회장	1462
27.명 의 식	축협회장	1461
28.어 방 호	수협회장	1458
29.서 가 람	서울대 외교 4	~~1318~~ 670
30.고 희 경	이대 영문 4	~~1618~~ 672
31.조 경 희	예술의 전당 이사장	1621
32.이 경 숙	외교정책 자문위원	1608

조태용, 황준국 265

[illegible] 1205

미주 CP 1345

정무 CP 1336

이규형과장 1341

5

0235

3. 도착·출발 일정

성 명	도착. 출발 일정	
	도 착	출 발
1. 김영삼 (내외)	9.21(토) 16:35 UA-800	9.26(목) 13:30 KE-025
2. 김대중 (내외)	9.22(일) 20:15 LH-404	9.25(수) 16:30 LO-007
3. 노신영	9.19(목) 10:30 KE-026	9.26(목) 12:00 AA-017
4. 강영훈	9.21(토) 10:30 KE-026	
5. 노재봉	9.21(토) 10:30 KE-026	9.26(목) 12:00 TW-007
6. 박정수	9.15(일) 10:30 KE-026	9.25(수) 13:30 KE-025
7. 박관용	9.21(토) 16:35 UA-800	9.26(목) 13:30 KE-025
8. 민관식	9.21(토) 10:30 KE-026	
9. 홍성철	9.21(토) 10:30 KE-026	

6

0236

성 명	도착. 출발 일정	
	도 착	출 발
10. 조영식	9.21(토) 10:30 KE-026	9.28(토) 13:30 KE-025
11. 유창순	9.22(일) 13:35 BA-175	9.26(목) 13:30 KE-025
12. 김병관	9.21(토) 10:30 KE-026	
13. 안병훈	9.19(목) 10:30 KE-026	
14. 서기원	9.21(토) 10:30 KE-026	
15. 현승종	9.21(토) 10:30 KE-026	9.25(수) 13:30 KE-025
16. 강선영	9.21(토) 10:30 KE-026	
17. 소준열	9.21(토) 10:30 KE-026	9.26(목) 13:30 KE-025
18. 김용식	9.21(토) 21:30 KE-028	

7

0237

성 명	도착. 출발 일정	
	도 착	출 발
19. 박동진	9.17(화) 10:30 KE-026	
20. 최광수	9.19(목) 10:30 KE-026	
21. 이계순	9.21(토) 21:30 KE-028	9.28(토) 13:30 KE-025
22. 김운용	9.20(금) 15:00 SR-100	9.26(목) 13:30 KE-025
23. 조충훈	9.21(토) 10:30 KE -026	
24. 김홍수	9.21(토) 21:30 KE-028	
25. 박종근	9.21(토) 21:30 KE-028	
26. 한호선	9.14(토) 21:30 KE-028	
27. 명의식	9.21(토) 10:30 KE-026	

8

0238

성 명	도착. 출발 일정	
	도 착	출 발
28. 이방호	9.21(토) 13:35 BA-175	9.28(토) 13:30 KE-025
29. 서가람	특 별 기	9.26(목) 13:30 KE-025
30. 고희경	특 별 기	9.26(목) 13:30 KE-025
31. 조경희	9.21(토) 21:30 KE-028	9.28(토) 13:30 KE-025
32. 이경숙	9.22(일) 16:51 TW-114	9.25(수) 13:30 KE-025

9

0239

4. 안내 및 차량배정표

성 명	안 내	연락전화(안내)	차량번호
1. 김영삼	박인국	사절단 CP	D-1
2. 김대중	김영목	사절단 CP	D-2
3. 노신영	유근성구매관	(212) 752-1700	D-3
4. 강영훈	황승정세무관	(212) 752-1700	D-4
5. 노재봉	김지수장학관	(212) 752-1700	D-5
6. 박정수	성기주부영사	(212) 752-1700 (718) 460-6219	D-6
7. 박관용	조정흥구매관	(212) 752-1700 (201) 501-8124	D-7
8. 민관식	외환은행 (김진표과장)	(212) 838-4949 (201) 346-1125 차212-520-8243	D-8
9. 홍성철	조흥은행 (한이식과장)	(212) 935-3500 (212) 601-0404 차212-359-9101	D-9
10. 조영식	상업은행 (윤보현차장)	(212) 949-1900 (201) 384-8616	D-10

10

0240

성 명	안 내	연락전화(안내)	차량번호
11.유창순	무역협회 (박동우부장)	(212) 421-8804 (201) 670-4206	D-11
12.김병관	대 우 (이병하부장)	(212) 909-8200 (201) 816-0767	D-12
13.안병훈	삼 성 (이제세과장)	(201) 592-7900 (201) 461-3980	D-13
14.서기원	럭키금성 (이완경부장)	(201) 592-7900 (201) 784-3922	D-14
15.현승종	포 철 (장병효과장)	(212) 753-4470 (201) 346-0728	D-15
16.강선영	관광공사 (강창훈지사장)	(201) 585-0909 (201) 461-2760	D-16
17.소준열	한일은행 (김정훈차장)	(212) 355-6440 (201)-461-6351 차914-391-2147	D-17
18.김용식	서울신탁 (김진억차장)	(212) 687-6160 (201) 768-9193	D-18
19.박동진	한 전 (김충삼부장)	(201) 894-8855 (201) 871-6935	D-19

O14 △4

11 31 0241

성 명	안 내	연락전화(안내)	차량번호
20.최광수	현 대 (이호강부장)	(212) 912-9000 (908) 757-2448	D-20
21.이계순	KOTRA (노철과장)	(212) 826-0900 (201) 945-3863 차718-753-7499	D-21
22.김운용	선 경 (오승범과장) (박중섭과장)	(212) 906-8038 (201) 262-3626 차201-314-3921	D-23
23.조충훈	효 성 (이인범과장) (강인식대리)	(212) 736-7100 (908) 548-3041 차212-414-3795	D-24
24.김홍수	쌍 용 (박기환차장)	(201) 939-4300 (201) 935-7961	D-25
25.박종근	제일은행 (허경만차장)	(212) 593-2525 (201) 784-1657	D-26
26.한호선	농협지소장 (최한규)	(202) 625-0021	D-27
27.명의식	축협지소장 (남성우)	(202) 625-0389	D-28

0242

성 명	안 내	연락전화(안내)	차량번호
28. 이방호	신한은행 (김하일과장)	(212) 371-8875 (201) 387-0784	D-29
29. 서가람	코오롱 (Chkis 황)	(201) 601-0500 (201) 545-5436	D-31
30. 고희경	코오롱 (Chkis 황)	(201) 601-0500 (201) 545-5436	D-31
31. 조경희	뉴욕한국일보 (김송희 부국장)	(718) 784-4500 (516) 367-3554 차 212-375-4042	D-22
32. 이경숙	숙대동창회 (유숙희)	(516) 487-6731	D-30

13

0243

5. 세부일정

공항에서 15:20 출발 (버스1대)

9.22 (일)

교민초청 리셉션

Banquet

o 장 소 : 숙소 3층 그랜드 볼룸
o 복 장 : 평복 (영부인 : 한복)
o 참석범위 : 공식수행원, 경축사절단,
비공식 수행원 일부,
기자단, 교민 600-700명
o 안 내 : 조태용, 황준국

18:30 입장 완료
20:00 리셉션 종료

9.23 (월)

한인회 주최 리셉션

o 장 소 : 초원연회장 (구대화회관)
(33-15, 56 St. Woodside, NY 718-476-1200)
o 참석범위 : 경축사절단원
o 교 통 편 : 버스 (1대)
o 탑승안내 및 동행: 조태용, 황준국
총영사관직원
o 차량협조 : 박효성
~~18:00~~ 18:45 숙소출발
19:00-21:30 리셉션
22:00 호텔도착

14 0244

9.24 (화)

대통령 유엔총회 연설

o 교 통 편 : 미니버스 (2대)
o 방청권은 버스에서 배포
o 탑승안내 및 동행 : 조태용, 황준국
o 차량확인 : 박효성

09:30 유엔향발 9:45 (대표단자됨석)
10:00 유엔도착
o 안 내 : 오공사, 윤참사관
- 대표단 방청석으로 입장
o 김영삼 내외 및 김대중 내외는 별도 차량 도착 (안내 : 오공사, 윤참사관)

10:30 지정된 좌석에 착석
10:50-11:25 대통령 연설
11:30-11:55 기증품 전달식
12:00 호텔향발
o 탑승안내 및 동행 :조태용, 황준국

경축사절단 오찬

o 시간 및 장소 : 12:15-13:45 (Lobby, Oak Room)
o 참석범위 : 공식수행원, 경축사절단
o 복 장 : 평복 (영부인 :)
o 안 내 : 조태용, 황준국

15 0245

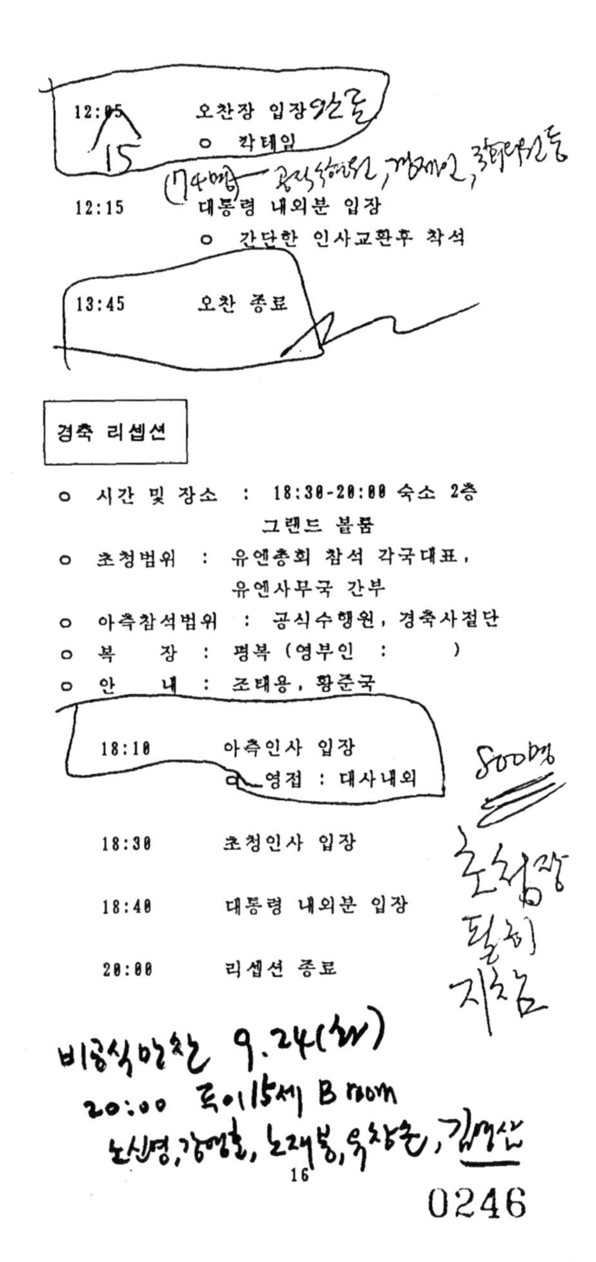

12:05 오찬장 입장

o 칵테일

12:15 대통령 내외분 입장

o 간단한 인사교환후 착석

13:45 오찬 종료

경축 리셉션

o 시간 및 장소 : 18:30-20:00 숙소 2층 그랜드 볼룸

o 초청범위 : 유엔총회 참석 각국대표, 유엔사무국 간부

o 아측참석범위 : 공식수행원, 경축사절단

o 복 장 : 평복 (영부인 :)

o 안 내 : 조태용, 황준국

18:10 아측인사 입장

o 영접 : 대사내외

18:30 초청인사 입장

18:40 대통령 내외분 입장

20:00 리셉션 종료

16

0246

9.25(수)

주유엔대사 초청 오찬

11:00 大출발

o 시 간 : 12:30-14:00
o 장 소 : Tse Yang (34 E. 51st St.
bet. Park & Madison 688-5447)
o 교 통 편 : 버스 (1대)
o 복 장 : 평복
o 참석범위 : 경축사절단, 대표부간부
o 오찬준비 : 강참사관, 지영사
o 탑승안내 및 동행 : 조태용, 황준국

12:15 호텔 출발

12:30 오찬장 도착
o 대사 영접

14:00 오찬 종료

14:15 숙소도착

17

0247

경축 공연

o 시 간 : 20:00-22:00
o 장 소 : 카네기홀
(147 W. 57th St. 903-9600)
o 교 통 편 : 버스 (1대)
o 복 장 : 평복
o 탑승안내 및 동행 : 조태용, 황준국
o 티켓확보 : 문화원장

19:30	호텔출발
19:40	카네기홀 입장
22:00	공연종료, 호텔 향발

18

0248

6. 행사 총괄표

행사내용	담 당 관
행사총괄	신기복 차석대사 (212) 808 4932
일정작성	이영현 참사관, 김수권 부영사 (914) 4721263
사절단 CP	반장 : 최경보 부총영사 (914) 725-2313 반원 : 김수권 부총영사, 홍기화 KOTRA 관장, 김성진 과장
사절단 안내	조태용, 황준국 사무관
정계 대표안내	김영목, 박인국 서기관
차 량	최종무 참사관, 박효성 영사
유엔방청권 확보	오 준 서기관
안내책자	오 준 서기관
호텔방 배정 (의전 CP. 기사 대기실 포함)	유재홍 서기관

(201) 848 8117

7. 주요 전화번호

차관보 CP 751-0862, 0874	전 화 번 호	
	사 무 실	자 택
플라자호텔	759-3000	
경축사절 CP(1418호실)	750-8905, 9642	
대표부 CP (1345호실)		
장관 CP 751-0786, 0776		
유엔대표부		
노창희 대사	212-371-1280	212-980-0180
		차 212-287-1929
신기복 대사	"	212-808-4932
		차 212-301-0950
송종환 공사	"	201-891-1681
		차 212-359-5313
오윤경 공사	"	201-768-6687
		차 212-359-6588
총영사관		
채의석 대사	212-752-1700	212-472-7922
		차 212-359-8963
최경보 부총영사	"	914-725-2313
윤석훈 부총영사	"	212-980-0121
김준길 문화원장	212-759-9550	201-784-8279
Tse Yang	212-688-5447	
카네기홀	212-903-9600	
초원연회장	718-476-1200	

20

0250

정 리 보 존 문 서 목 록					
기록물종류	일반공문서철	등록번호	2020090082	등록일자	2020-09-17
분류번호	731.12	국가코드		보존기간	영구
명 칭	남북한 유엔가입, 1991.9.17. 전41권				
생 산 과	국제연합1과	생산년도	1990~1991	담당그룹	
권 차 명	V.37 후속조치				
내용목차	1. 각국의 지지 사의 표명 2. 유공자 포상 3. 국내외 경축행사(문화부 주관) 4. 유엔가입 기념우표 발행 5. 유엔로고 상업적 사용문제				

0001

1. 각국의 지지 사의표명

0002

<u>유엔가입에 즈음한 관계국 사의표명 및 공관 치하 전문(안)</u>

(핵심우방국)

1. 우리의 유엔가입신청서가 91.8.X. (뉴욕시간) 안보리 심의를 통과함에 따라 금년 제46차 유엔총회 개막일인 9.17(화) 우리의 유엔가입이 실현될 전망임.

2. 귀주재국은 핵심우방국(Core Group) 으로서 우리의 유엔가입 실현을 위하여 아낌없는 지원과 협조를 다해주었는 바, 귀직은 귀 주재국 요로에 대하여 우리정부의 심심한 사의를 전달바람.

3. 또한 그간 유엔가입 추진에 있어 귀직 및 귀 공관원들의 노고를 치하함.

(적극 지원국)

1. 우리의 유엔가입신청서가 91.8.X. (뉴욕시간) 안보리 심의를 통과함에 따라 금년 제46차 유엔총회 개막일인 9.17(화) 우리의 유엔가입이 실현될 전망임.

2. 우리가 유엔가입을 실현할 수 있게 된 것은 귀 주재국(겸임국)의 적극적인 지원이 있었기 때문인 바, 귀직은 귀 주재국(겸임국) 외무성에 우리정부의 깊은 사의를 전달바람.

3. 또한 그간 유엔가입추진을 위하여 애써온 귀직을 비롯한 귀 공관원의 노고를 치하함.

앙 년 / 고 월 / 재 일	담당	과장	국장

0003

(아국입장 지지국)

1. 우리의 유엔가입신청서가 91.8.X. (뉴욕시간) 안보리 심의를 통과함에 따라 금년 제46차 유엔총회 개막일인 9.17(화) 우리의 유엔가입이 실현될 전망임.

2. 금번 우리의 유엔가입 실현에 있어 귀 주재국(겸임국)이 보여준 아국 입장 지지태도가 상당한 기여를 한것으로 평가되는 바, 귀 주재국에 이를 표명하기 바람.

(중 국)

1. 91.8.X. (뉴욕시간) 우리의 유엔가입신청서가 안보리 심의를 통과함에 따라 금년 제46차 유엔총회 개막일인 9.17(화) 우리의 유엔가입이 실현될 전망임.

2. 금번 우리의 유엔가입 실현과 관련, 동문제에 대한 주재국의 현실적인 태도와 안보리 상임이사국으로서의 책임있는 자세 및 협조가 큰 역할을 한 것으로 평가되는 바, 귀직은 적절한 계기에 귀 주재국 요로에 우리정부의 평가를 전달바람.

3. 그간 우리의 유엔가입 추진에 있어 귀직 및 귀관원의 노고를 치하함.

0004

(소 련)

1. 우리의 유엔가입신청서가 91.8.X. (뉴욕시간) 안보리 심의를 통과함에 따라 금년 제46차 유엔총회 개막일인 9.17(화) 우리의 유엔가입이 실현될 전망임.

2. 금번 우리의 유엔가입 실현에 있어 귀 주재국의 적극적인 관심과 협조가 중요하였으며, 특히 한.소 정상회담시 고르바쵸프 대통령의 이문제에 대한 이해표시가 큰 역할을 하였다고 평가함. 이와관련 귀직은 적절한 계기에 주재국 요로에 우리정부의 사의를 전달바람.

3. 또한 우리의 유엔가입 실현을 위한 귀직 및 귀관원의 노고를 치하함.

(유 엔)

대호 유엔가입신청서가 안보리 심의를 통과, 실질적으로 우리의 유엔가입이 실현된 것과 관련, 그간 이를 위해 애써온 귀직 및 귀 공관원들의 헌신적인 노고를 충심으로 치하함.

0005

관리번호 91-1151

외 무 부

종 별 :

번 호 : QTW-0215 일 시 : 91 0914 1600

수 신 : 장관(중동일,연일,국기)

발 신 : 주 카타르 대사

제 목 : 주한 상주공관 개설문제

대:AM-198, EM-0029

연:QTW-0138

1. 본직은 9.24 외무성 AHMED ABDULLAH AL-MAHMOUD 차관을 방문 요담하였는바 본직은 아국의 유엔정식가입을 지지하여준 주재국에 사의를 표하고 IAEA 이사국 피선에 대하여 감사함을 아울러 표하고 금후도 각종기구에서의 아국입장을 계속 지지하여 줄것을 요망한바 동차관은 계속 협조하겠다고 답함.

2. 또한 본직은 최근 부임한 주재국의 신임 주일대사가 주한비상주대사를 겸임할것인지 문의하면서, 76 년에 아국이 주재국에 상주대사관을 개설한이래 대사를 파견하고 있는데 반하여 주재국은 주한상주대사를 파견하지 않고 있는 점을지적하고 주한상주공관 개설 가능성을 타진한바, 동차관은 현재 주재국 정부가왕세자의 지시에 따라 본격적으로 주한상주대사 후보자를 물색중에있으므로 가까운 장래에 주한상주공관 개설을 통보하게될것이라고 답변하였음. 끝

(대사-유내형-국장)

19 예고:91.12.31 까지 에 의거 일반문서로 재분류됨

중아국 차관 국기국 국기국

PAGE 1 91.09.26 20:56

외신 2과 통제관 CH

0006

원 본

외 무 부

종 별 :

번 호 : SDW-0810 일 시 : 91 0920 1720

수 신 : 장관(연일)

발 신 : 주 스웨덴 대사

제 목 : 주재국 국제기구국장 면담

대:EM-0028

1. 본직은 9.19 주재국 외무성 ELMER 국제기구국장을 오찬에 초대, 한국의 유엔가입실현에 협조해준데 대하여 감사의 뜻을표명하였음.

2. 동국장은 한국의 유엔가입 환영과 아울러 유엔가입 이후의 한국의 유엔내에서의 활동이 크게 강화될 것을 기대한다고 말하면서 특히 유엔평화군에 대한 한국의 기여 가능성에 관하여 관심을 표명하였음.

3. 유엔평화군에 관하여는 일본을 비롯한 여러나라에서 이곳에 시찰단을 파견하고 있는바, 한국도 관심이 있다면, 시찰주선, 자료제공등 협조를 제공할 용의가있다고하였음을 참고로 보고함.끝

(대사 최동진-장관대리)

국기국 1차보 외정실 분석관 청와대 안기부

PAGE 1

91.09.21 09:41 FB

외신 1과 통제관

0007

분류번호	보존기간

발 신 전 보

번 호 : EM-0028 910920 1726 FH 종별 :

수 신 : 주 EM 공관장 대사. ~~총영사~~ (주유엔대표부는 사본 배포)

발 신 : 장 관 (연일)

제 목 : 유엔가입 사의표명

연 : AM-0198

그간 우리의 유엔가입 실현을 위하여 귀주재국이 아측에 제공한 제반협조와 지지에 대한 사의 및 향후 유엔등 국제무대에서 양국간 협력이 더욱 증진되기를 바라는 우리정부~~는~~의 희망을 적절히 전달바람. 끝.

(장관대리 유종하)

보안통제	

앙고재	91년 9월 19일	UN과	기안자 성명		과 장	심의관	국 장	1차관보	차 관	장 관
							전결		전결	

외신과통제

0008

관리번호	91-1126

원 본

외 무 부

종 별 :

번 호 : USW-4723 일 시 : 91 0920 1752

수 신 : 장 관 (연일) 사본:주시애틀총영사경유 주미대사(직송필)

발 신 : 주 미 대사

제 목 : 차관명의 메세지

대: WUS-4319

당관 유명환 참사관은 금 9.20 국무부 한국과 KARTMAN 과장과 접촉, 대호 BOLTON 차관보앞 차관명의 감사 메시지를 전달한바, KARTMAN 과장은 한국의 UN 가입을 다시한번 축하한다고 하면서 동 메세지를 BOLTON 차관보에게 바로 전달 조치하겠다고 하였음. 끝.

(대사대리-국장)

19 의 예고 : 91.12.31. 일반

국기국 차관

PAGE 1

91.09.21 08:43

외신 2과 통제관 BW

0003

관리번호 91-1125

원 본

외 무 부

종 별 :

번 호 : GHW-0525 일 시 : 91 0923 1630

수 신 : 장 관(연일)

발 신 : 주 가나 대사

제 목 : 유엔가입 사의표명

대:EM-0028

본직은 금 9.23.(09:00-09:30) 주재국 외무부 WILMOT 정무경제차관보와 면담, 대호 우리정부의 희망을 전달하였는바, 동차관보의 반응을 하기 보고함.

-자국정부를 대표하여 한국의 유엔가입을 진심으로 축하하며 환영함.

-주재국은 보편성의 원칙에 의거, 남북한의 동시유엔 가입을 지지하는 입장을 취하여 왔으며, 만약 북한이 가입을 희망하지 않았을 경우, 한국만의 유엔가입을 지지하는 입장이었음.

-주재국으로도 유엔뿐만 아니라 기타 국제무대에서 한국과의 접촉 및 협력을 위한 문호를 적극 개방할 것인바, 쌍방의 관심사항 뿐만 아니라 모든문제에 대한 상호간의 협력증대를 위해 계속 노력하기를 희망함. 끝.

(~~대사 오 정일~~ 장관대리)

예고:91.12.31.까지

국기국 장관 차관 중아국 분석관 청와대 안기부

PAGE 1 91.09.24 08:21

외신 2과 통제관 BS

0010

관리번호 91-1134

예일 송

외 무 부

종 별 :

번 호 : PNW-0189 일 시 : 91 0924 1700

수 신 : 장관(아동,국연,경이)

발 신 : 주 파뉴 대사

제 목 : 주재국 수상 예방

1. 본직은 금 9.23 NAMALIU 수상을 부임 인사차 예방하였는바, 면담 요지 아래 보고함(한 서기관, BULEAU 수상보좌관 배석).

가. 수상은 본직의 부임을 축하, 환영하고 노태우 대통령 영도하의 한국의 민주발전 및 경제발전을 높이 치하하면서 한.PNG 양국간에 다방면에 걸친 긴밀한우호관계에 만족을 표하고 금번 남태평양 경기대회를 위해서 아국의 체육장비등 제반지원에 감사한다고 말함.

나. 이에 본직은 동 남태평양 경기대회의 성공적인 개최를 축하하고, 이어 지난 9.17 아국이 유엔의 정식 회원국이 되었음을 알리고 그간 PNG 정부의 지지에 사의를 표명한바, 수상은 아국의 유엔가입에 대해 진심으로 축하하면서, PNG 정부는 앞으로도 아국의 유엔 및 통일정책을 지지할 것이라고 말하였음.

다. 본직은 현지 대사로서 수상이 금년말 또는 내년초에 방한 기회가 있기를 희망한다고 한바, 수상은 노대통령의 STANDING INVITATION 을 갖고 있는바, 내년 5 월 주재국 선거 이전 양국간 편리한 시기에 방한하기를 희망한다고 답변하면서 PNG 정부는 내년초에 주한 상주대사를 임명하고 인원을 보강하여 주한 대사관 업무를 수행토록 하겠다고 언급했음.

라. 또한 수상은 아국 야채 재배 전문가의 도움으로 수도 인근 농민의 수입원을 개발한 사례등 그간 아국의 대 PNG 기술협력 사례를 상세히 언급하고, 한라그룹과 PNG 정부간의 합작 시멘트 공장 설립에 깊은 관심을 표명하면서 앞으로 양국간 실질 협력관계가 더욱 확대되기를 희망한다고 말했음.

2. 동 수상은 아주 친한적인 인상을 가지고 아국과의 기술협력 및 자원개발에 깊은 관심을 가지고 있음이 감촉되었는바, 앞으로 수상실과 다각도로 접촉, 양국 우호관계 발전에 정진하겠음. 끝.

아주국 장관 차관 1차보 2차보 국기국 경제국 분석관 청와대
안기부

PAGE 1 91.09.25 08:29
외신 2과 통제관 BS

0011

(대사 이석곤-장관)

예고:91.12.31 일반

PAGE 2

0012

원 본

외 무 부

종 별 :

번 호 : KUW-0560 일 시 : 91 0924 1800

수 신 : 장 관(연일)

발 신 : 주 쿠웨이트 대사

제 목 : 유엔가입 사의표명

대:EM-0028

대호 취지를 주재국 외무장관에게 공한을 보내어 사의를 표시하였음을 보고함.끝

(대사 소병용-장관대리)

국기국

PAGE 1

91.09.25 14:26 WG

외신 1과 통제관

0013

예일 원 본 1동

외 무 부

종 별 :

번 호 : BAW-0482 일 시 : 91 0925 1400

수 신 : 장 관(연일,아서)

발 신 : 주 방글라데시 대사

제 목 : 유엔가입 사의표명

대: EM-28

본직은 9.25(수) 오전 외무성 MAHMOOD ALI차관보(차관대행)을 면담, 아국의 유엔가입실현을 위하여 주재국이 제공한 제반협조에 대한 아국정부의 사의와 향후 양국간 의 협력 희망을 전달함.

(대사 신성오-국장)

국기국 1차보 아주국 외정실 청와대 안기부

PAGE 1

91.09.25 23:34 FN

외신 1과 통제관

0014

연일 기

외 무 부

종 별 :

번 호 : RMW-0536 일 시 : 91 0925 1730

수 신 : 장 관(연일,동구이)

발 신 : 주 루마니아 대사

제 목 : 유엔가입 협조사의

대:EM-0028

1. 본직(채참사관 대동) 9.24 주재국 외무부 TINCA 차관보를 방문, 아국 유엔가입 노력에 대한 그간 루마니아의 제반 협조에 대해 공식으로 사의를 표함.

2. 동 차관보는 수교직후부터 유엔문제에 관해 아국입장을 확고하게 지지해왔음을 상기시키고, 아국 유엔가입 축하공한(주한루마니아대사관 경유 기전달) 사본을 본직에게 수교함.

3. 본직 9.27 국제기구 담당 ENE 차관을 면담정식 공한으로서 루마니아 정부에 사의표명예정임.끝.

(대사 이현홍-차관)

국기국 구주국

PAGE 1 91.09.26 07:43 WH

외신 1과 통제관

0015

관리 번호 91-5140

원 본

외 무 부

1

종 별 :

번 호 : SLW-0752 일 시 : 91 0925 1800

수 신 : 장 관(연일,아프일)

발 신 : 주 세네갈 대사

제 목 : 유엔가입 사의표명

대:EM-28

연:SLW-0751

1. 본직은 9.24 세네갈 KA 외상에게 공한으로 세네갈의 아국유엔가입지지에사의를 표하고, 유엔을 중심으로 국제사회에서 양국간의 협력증진을 희망하였음.

2. 아울러 외무성에 구술서를 보내 유엔가입지지에 대한 사의와 유엔을 중심으로 국제사회에서 양국간의 협력강화를 희망하는 뜻을 DIOUF 대통령께 전달하여줄것을 요청하였음. 끝.

(대사 허승-국장)

예고:91.12.31일반

19 . . 일반문서로 재분류됨

국기국 차관 중아국

PAGE 1

91.09.26 07:41

외신 2과 통제관 BS

0016

관리번호 91-5156

7W

연일

외 무 부

종 별 :

번 호 : SSW-0422　　　　일 시 : 91 0926 1130

수 신 : 장관(경기,중동이,연일)

발 신 : 주 수 단대사

제 목 : UNIDO 이사국 입후보 지지 교섭

대:WHEM:0068

연:SSW-0418

1. 주재국 외무성 HASSAN ADAM OMER 국제기구 국장은 9.25. 동 국장을 위하여 본직이 주최한 만찬 석상에서, UNIDO IDB 및 PBC 에 대한 아국 입후보를 수단정부가 지지토록하는 건의서가 상부 재가중이며, 아무 문제없이 재가 될 것 이라고 하였음.

2. 이 자리에서 동 국장은 아국의 UN 가입에 축하의 뜻을 표하며, 이는 너무도 당연한 결과라고 말함.

본직은 그간 수단 정부의 아국 UN 가입 입장 지지 및 금번 가입안의 COSPONSOR 가 되어준데 대해 깊은 사의를 표하고, 향후 UN 등 국제무대에서 양국간 협력이 더욱 증진되기를 바라는 것이 우리정부의 희망이라고 한 바, 동 국장은 이에 동의를 표함.

끝.

(대사 이우상-국장)

18 예고 91. 12. 31 일반

경제국　차관　2차보　중아국　국기국

PAGE 1

91.09.26 20:42

외신 2과 통제관 CH

0017

관리 번호 91-5197

원 본

외 무 부

종 별 :

번 호 : SLW-0749 일 시 : 91 0926 1700

수 신 : 장 관(연일,아프일)

발 신 : 주 세네갈 대사

제 목 : 유엔가입 지지 사의

대:EM-28

1. 본직은 9.25 PAUL BADJI 대사(수상실 외교보좌관)을 오찬에 초대, 세네갈정부가 금번 아국의 유엔가입을 적극지지해준데 대해 사의를 표하고, 이를 THIAM 수상에게 전하여줄것을 요청하였음.

2. 동인은 본직의 언급내용을 수상에게 잘 전달하겠다고 말하면서, 남북한의 유엔가입이 한반도 긴장해소및 통일에 기여하길 희망하였음. 끝.

(대사 허승-국장)

예고:91.12.31 일반

국기국 중아국

PAGE 1

91.09.27 14:06

외신 2과 통제관 BS

0018

관리 번호	91 — 1165

원 본

외 무 부

종 별 :

번 호 : JAW-5574 일 시 : 91 0930 1720

수 신 : 장관(연일,아일)

발 신 : 주 일 대사(일정)

제 목 : 유엔가입 지원 사의 표명

대: EM-0028

1. 본직은 금 9.30(월) 오전 오와다 외무사무차관을 방문한 기회에 본국정부 훈령임을 전제, 대호 아국의 유엔 가입에 대한 일정부의 협조에 사의를 전달하였음.

2. 이에 대해 오와다 차관은 사의를 표하고, 금번 한국의 유엔 가입은 획기적인 일로서, 한국으로서 축복받은 일이라고 말하고, 금후 한일양국이 유엔의 수준에서도 계속 협력해 나가기를 기대한다고 언급하였음. 끝

(대사(오재희 -국장)

예고:91.12.31 일반

국기국	장관	차관	1차보	2차보	아주국	분석관	청와대	안기부

PAGE 1

91.09.30 19:35

외신 2과 통제관 CD

0019

원 본

외 무 부

UNI

종 별 :

번 호 : RMW-0555 일 시 : 91 1001 1940

수 신 : 장관(연일,동구이)

발 신 : 주루마니아 대사

제 목 : 유엔가입 지원 사의표명

대:AM-0028

연:RMW-0536

1. 본직은 금 10.1 외무부 ENE 장관대리를 방문,아국의 유엔가입 실현에 루마니아 정부가 협조해준데 대해 사의를 표하고 본직명의로 아국정부의 감사서한을 전달함.

2. 동 장관대리는 한국이 유엔을 무대로 활약할 새장이 열렸음을 축하하고,앞으로 한.루마니아양국이 유엔 및 기타 국제기구에서 서로 긴밀히 협조할 것을 다짐하였음. 끝.

(대사 이현홍-국장)

국기국 1차보 구주국 외정실 청와대 안기부

PAGE 1

91.10.02 08:52 BX

외신 1과 통제관

0020

관리 번호	91-1175

원 본

외 무 부

종 별 :

번 호 : NRW-0607 일 시 : 91 1002 1540

수 신 : 장관(연일,구이)

발 신 : 주 노르웨이 대사

제 목 : 외무차관 면담

대:EM-28

1. 본직은 10.2. VINDENES 주재국 외무차관을 방문, 아국 유엔가입을 위해 주재국이 그동안 보여준 지지에대한 사의와 유엔등 국제무대에서 향후 양국간 협력이 더욱 긴밀히 증진되기를 바라는 정부의 뜻을 전하였음. 본직은 이어 주재국군축문제와 국제환경보호문제에 어느나라보다 관심이 많은만큼 북한의 핵무기개발 중단은 물론 핵안전협정 서명을 위해 국제적 압력을 가하는데 앞장서줄것을요망하였음

2. 동차관은 본직의 사의전달에 감사를 표하면서 아국의 유엔가입을 진심으로 환영한다고 말하고 유엔등 국제무대에서의 상호협력을 다짐하였음. 동차관은 노르웨이와 국경을 접하고있는 소련지역에 배치된 핵무기로 인해 주재국이 받고있는 군사적 위협과 핵안전문제 때문에 문제가 심각함을 설명한후, 핵무기확산의저지는 반드시 필요하므로 북한의 핵안전협상 서명을 위한 국제적 노력에 적극동참하겠다고 말하였음. 끝

(대사 김병연-국장)

예고:91.12.31 까지

국기국 차관 1차보 구주국 외정실 분석관

PAGE 1

91.10.03 01:19

외신 2과 통제관 CH

0021

관리번호	91-5208

원 본

외 무 부

UN I

종 별 :

번 호 : SUW-0241 일 시 : 91 1002 1610

수 신 : 장관(연일, 국기)

발 신 : 주 수리남 대사

제 목 : 국제기구와의 협력

대: WSU-0144, WLTM-0050

연: SUW-0197

1. 10.2 본직은 외무성 LEEFLANG 국제기구국장을 방문, 유엔에서 남북한 회원국 가입지지 태도를 표명한 주재국의 협조에 사의를 표하고 대호 지시에 따라 ECOSOC 에 주재국의 입후보를 지지하는 당관 NOTE 를 전달하였음.

2. LEEFLANG 국장은 한국의 국가 규모와 국제기구에서의 활약내용으로 미루어 유엔가입이 늦었음을 상기 시키고 앞으로의 협력관계 증진에 기대를 표명하였음.

3. 본직은 LEEFLANG 국장의 언급에 따라 한국은 유엔회원국가입을 계기로 보다 적극적인 활동전개를위해 주재국의 지속적인 협조가 필요함을 강조하고, 대호 UNIDO 산하 IDB 이사국 입후보및 PBC 위원국 입후보 요청 NOTE 를 전달하고 기 보고한 UNESCO, FAO, IMO 에서의 한국입장 지지를 표명, 공식 NOTE 를 조속 당관에 전달하여 줄것을 거듭 요청하였음. 끝.

예고: 91.12.31 일반

(대사 김교식-국기국장)

국기국 차관 1차보 국기국 외정실 분석관 청와대 안기부

PAGE 1

91.10.03 10:44

외신 2과 통제관 CF

0022

관리번호	91-1186

원 본

외 무 부

종 별 :

번 호 : NDW-1618 일 시 : 91 1004 2030

수 신 : 장 관(연일, 아서)

발 신 : 주 인도 대사

제 목 : 주재국 외무부차관(서부담당)및 유엔및 국제기구담당 차관보 면담

1. 본직은 10.4. 오후 주재국 외무부 KHOSLA 차관을 예방하고(당관 이석조참사관 배석), 동차관의 담당업무인 동구관계, 걸프지역 상황등에 관하여 의견을 교환하면서 금후 관련분야에서 필요한 협력을 해나갈 것을 요망함.

2. 이어 본직은 주재국 외무부 DASGUPTA 유엔및 국제기구담당 차관보와 면담, 아국의 유엔가입시 인도측이 INITIATIVE 를 취하여 준데 대하여 사의를 표하고 유엔과 비동맹을 포함한 국제사회에서 한, 인 양국이 앞으로 상호 필요한 협력을 강화 해나가자고 당부해 둠.

이에 대하여 동차관보는 금번 한국의 유엔가입 관련 인도가 도움을 줄수 있는 기회가 있었던데 대해 기쁘게 생각하고 한국의 유엔가입을 축하하며 금후 국제사회에서 양국 협력강화해 나가자는 본직의 제의를 환영하였음.

(대사-국장)

예고:91.12.31. 일반

국기국 차관 1차보 아주국 외정실 분석관 청와대 안기부

PAGE 1

91.10.05 04:52

외신 2과 통제관 CF

0023

관리 번호 91-1198

1 ✓ 6

외 무 부

종 별 :

번 호 : BAW-0522 일 시 : 91 1007 1500

수 신 : 장관(아서,연일)

발 신 : 주 방글라데시 대사

제 목 : 외상예방

연: BAW-515

1. 본직은 10.7(월)오전 MUSTAFIZUR RAHMAN 외상을 부임인사차 예방, 이상옥 장관의 안부를 전달하고 아국의 유엔가입을 위한 제반협조에 사의를 표함. 동장관은 대통령각하의 유엔총회 연설은 감동적이었으며, 유엔가입은 한반도 통일을 앞당는 계기가 될것이라 언급함.

2. 본직은 3 차공동위에 관한 연호보고 내용을 설명한바, 동장관은 금번회의는 차관보를 수석으로 하여 추진할 것을 배석하고 있던 HAMID 아주국장에게 지시함.

3. 동장관은 10.6 유엔 총회 참석후 귀국하였으며, 10.10 이태리 출장예정임.

(대사 신성오-국장)

예고: 91.12.31 까지

아주국 장관 차관 1차보 2차보 국기국 분석관 청와대 안기부

PAGE 1 91.10.07 20:41

외신 2과 통제관 BW

0024

외 무 부

종 별 :

번 호 : MTW-0214 일 시 : 91 1007 1720

수 신 : 장관(연일,중동이)

발 신 : 주 모리타니 대사대리

제 목 : 유엔가입 사의 표명

대:EM-0028

당관 김원철 대사대리는 금 10.7 주재국 외무성 JIDDOU 차관을 면담, 주재국이 아국의 유엔가입시 적극 도와준데 대하여 사의를 표명하고, 앞으로 UN 동 국제무대에서 양국간 협력관계가 더욱 증진되기를 바라는 아국정부의 입장을 전달함. 동 차관은 현재와 같이 긴밀한 양국관계로 볼 때 당연한 일이 아니냐고 하면서 모리타니아도 한국과의 관계가 질적, 양적으로 더욱 확대, 심화되기를 희망한다고 말하고, DIDI 외상도 같은 맥락에서 10.3 유엔총회 기조연설 모두에서 남북한의 유엔가입을 환영한것으로 안다고 함. DIDI 외상 기조연설 파편 송부하겠음.

(대사대리 김원철-국장)

19 . 예고:91.12.31 일반

국기국 중아국

PAGE 1

91.10.08 17:46

외신 2과 통제관 BN

0025

2. 유공자 포상

0026

外交分野 有功者 特別褒賞 建議

外交安保(外交)
91.12.23

6共和國의 外交推進에 있어 獻身的인 努力으로 功績을 세운 有功者에 대해 아래와 같이 特別褒賞을 實施할 것을 建議드립니다.

1. 對象分野 및 對象者數

o 北方外交 및 유엔加入 外交의 有功者 總 49名에 대해 特別褒賞
 - 北 方 : 26名
 - 유 엔 : 23名

2. 對象者 選定 및 褒賞方法

o 對象者는 分野別, 部處別 割當(別添)에 따라 關係 部處別로 選定하고, 外務部가 總括

o 褒賞時期 : 92年 1月中

o 褒賞方法 : 有功者代表에 대한 閣下의 親授方式

添 附 : 1. 分野別 部處別 有功者 褒賞(案)
 2. 部處別 有功者數

0027

1. 分野別 部處別 有功者 褒賞(案)

(北 方)

	청조근정	황조근정	홍조근정	녹조근정	근정포장	대통령표창	計
外務部		3	2	2		2	9
經企院			1	1	1	1	4
安企部			1	1	1	1	4
財務部			1			1	2
商工部			1			1	2
靑瓦臺	2		1			2	5
計	2	3	7	4	2	8	26

(유 엔)

	청조근정	황조근정	홍조근정	녹조근정	근정포장	대통령표창	計
外務部	1	2	4		1	2	~~9~~ 10
安企部			1				1
靑瓦臺			5	1		5	11
文化部	1						1
計	2	2	10	1	1	7	23

0028

2. 部處別 有功者數

	청조근정	황조근정	홍조근정	녹조근정	근정포장	대통령표창	計
外務部	1	5	6	2	1	4	19
經企院			1	1	1	1	4
安企部			2	1	1	1	5
財務部			1			1	2
商工部			1			1	2
文化部	1						1
青瓦臺	2		6	1		7	16
計	4	5	17	5	3	15	49

0029

北方 敍勳 對象者(案)

(外務部)

성 명	추천훈격	비 고
공로명 주소대사	황조근정	홍조근정(81)
홍순영 주말레이지아대사	황조근정	홍조근정(82)
라원찬 주케냐대사	홍조근정	
권영민 구주국장	홍조근정	
이상철 주영국참사관	녹조근정	
이수혁 동구1과장	녹조근정	
손성환 주소 1등서기관	총리표창	대통령표창(83)
최일송 주소 1등서기관	대통령표창	
조백상 사무관	총리표창	
박건우 주카나다대사	황조근정	홍조근정(85)
배영한 주태국 1등서기관	대통령표창	

(靑瓦臺)

성 명	추천훈격	비 고
김종인 경제수석	청조근정	
김종휘 외교안보~~보좌관~~ 수석비서관	청 황조근정	
민병석 외교안보비서관	홍조근정	
조환익 과장	대통령표창	
이용준 서기관	대통령표창	

0030

유엔 敍勳對象者(案)

(外務部) 10명

성 명	추천훈격	비 고
현홍주 주미대사	청조근정	
노창희 유엔대사	황조근정	
서대원 유엔참사관	홍조근정	
윤병세 유엔참사관	근정포장	
문동석 국제기구국장	홍조근정	
이규형 유엔1과장	홍조근정	대통령표창(86)
이수택 유엔과 서기관	대통령표창	
장선섭 의전장	황조근정	수교숭례(85)
조영재 주미참사관	홍조근정	전 의전과장
김성진 유엔1과 사무관	대통령표창	(1/3)추가

(安企部, 靑瓦臺)

성 명	추천훈격	비 고
송종환 유엔공사	홍조근정	대통령표창(85)
정태익 외교안보비서관	홍조근정	
김영선 외교안보서기관	대통령표창	

0031

(青瓦臺 儀典)

성 명	추천훈격	비 고
이병기 의전수석	황 홍조근정	
장재룡 의전비서관	홍조근정	녹조근정(78)
김주석 과장	대통령표창	
백영선 과장	녹조근정	
유상곤 과장	대통령표창	
안건기 과장	대통령표창	

12/27 변경

(青瓦臺 公報)

성 명	추천훈격	비 고
신우재 공보비서관	홍조근정	
신현국 공보비서관	홍조근정	
박희정 과장	대통령표창	

(문화부)

성 명	추천훈격	비 고
이수정 장관	청조근정	전 공보수석

0032

서훈대상자 명단(유엔가입외교)

(외무부)

성 명	추천훈격	비 고
현홍주 주미대사	청조근정	
노창희 유엔대사	황조근정	
서대원 유엔참사관	홍조근정	
윤병세 유엔참사관	근정포장	
문동석 국제기구국장	홍조근정	
이규형 유엔1과장	홍조근정	대통령표창(86)
이수택 유엔1과 서기관	대통령표창	
장선섭 의전장	황조근정	수교숭례(85)
조영재 주미참사관	홍조근정	전 의전과장
김성진 유엔1과 사무관	대통령표창	

(안기부, 청와대)

성 명	추천훈격	비 고
송종환 유엔공사	홍조근정	대통령표창(85)
정태익 외교안보비서관	홍조근정	
김영선 외교안보서기관	대통령표창	

0033

(청와대 의전)

성 명	추천훈격	비 고
이병기 의전수석	황조근정	
장재룡 의전비서관	홍조근정	
김주석 과장	대통령표창	
백영선 과장	녹조근정	
유상곤 과장	대통령표창	
안건기 과장	대통령표창	

(청와대 공보)

성 명	추천훈격	비 고
신우재 공보비서관	홍조근정	
신현국 공보비서관	홍조근정	
박희정 과장	대통령표창	

(문화부)

성 명	추천훈격	비 고
이수정 장관	청조근정	전 공보수석

(총 23명)

0034

* 포상관계

현홍주 주미대사

73. 3.20 홍조근정훈장

79. 6. 9 보국훈장천수장

80.10.25 대통령표창

81. 6.10 보국훈장국선장

85. 2.25 황조근정훈장

윤병세

87.12.31 장관표창

서대원

75.12.31 장관표창

0035

소 속	성 명	수 상 경 력	비 고
외무부(14)	노 창 희	(대사(특보)	91.3-
	X신 기 복	대통령표창(71), 홍조근정훈장(76), 수교훈장 숭례장(86)	90.6-
	서 대 원 외무이사관	장관표창(75)	90.7-
	윤 병 세 외무서기관	장관표창(87)	90.12-
	현 홍 주 특보상당	홍조근정훈장(73), 보국훈장천수장(76), 대통령표창(80), 보국훈장 국선장(81), 황조근정훈장(85)	90.5-91.3
	X이 정 빈	대통령표창(87)	북방외교 서훈대상자
	X정 상 기	안기부장표창(87)	90.11-
	문 동 석		90.6-
	X금 정 호	안기부장 표창(88)	89.1-91.7. 유엔 참사관
	X권 종 락	장관표창(83), 대통령포상(83), 장관표창(87)	87.12-91.2 〃
	이 규 형	장관표창(80), 대통령표창(86)	89.8-
	이 수 택		90.6-
	X송 영 완	장관표창(86)	90.2-
	X김 성 진		90.9-
■■■	■■■		
	■■■		
	■■■		
공보처(1)	서 종 환		
청와대(5)	정 태 익	장관표창(82)	
	장 재 룡	녹조근정훈장(78)	
	김 주 석		
	백 영 선	장관표창(84)	
	김 영 선	장관표창(82)	

0036

성 명	생년월일 (주민등록번호)	학 력	약 력
이 수 정 (李 秀 正)	1940. 2. 1 ([redacted])	. 경북고등학교 ('55.3 ~ '58.2) . 서울대 문리대 정치학과 ('58.4 ~ '64.2)	. 한국일보사 정치부 ('63. 11 ~ '71. 6) . 주 영국대사관 공보관 ('72.2 ~ '74. 9) . 주 화란대사관 공보관 ('74. 9 ~ '76. 5) . 문공부 해외공보관 ('76. 5 ~ '79. 12) . 문공부 공보국장 ('79. 12 ~ '80. 9) . 대통령비서실 (정무 1) ('80.10.4 ~ '84.7.21) . 대통령비서실 공보수석비서관 ('88.2.25 ~ '91. 12. 19) 91. 12. 20 ([illegible]).

주소: 강남구 서초동 산158, 삼익서초빌라 13-103

본적: [redacted]

(상훈 X.).

[illegible] 736-3815.

0037

履　　歷　　書

職　　級 : 外務副理事官 (87. 7.18)

職　　位 : 駐國聯參事官

姓　　名 : 서 대 원 (徐 大 源)

生年月日 : 1949. 8. 8

學　　歷

1973. 서울大 外交學科 卒

主要經歷

1973. 7. 外務部 入部 (1973. 第7回 外務考試)

1977. 7. 駐美2等書記官

1981. 8. 行政管理擔當官

1982.11. 駐사우디參事官

1985. 8. 近東課長

1986. 7. 條約課長

1987. 1. 總務課長

1989. 7. 遣美留學

1990. 7. 駐國聯參事官

0038

履　　歷　　書

職　　級 : 特任公館長 (特一級相當, 90.4.17)

職　　位 : 駐美大使

姓　　名 : 현 홍 주 (玄 鴻 柱)

生年月日 : 1940. 8.19

學　　歷

1963. 2.　서울大 法學科 卒

1964. 2.　서울大 司法大學院 (法學碩士)

1969. 6.　美 콜롬비아 法科大學 (LL.M.)

主要經歷

1963.　第16回 高等考試 司法科

1964.12.　陸軍法務官

1968. 1.　서울地檢檢事

1969. 7.　法務部檢察局 및 서울地檢檢事

1974. 4.　法務部 및 서울高檢部長檢事 (國家安全企劃部 派遣)

1980.10.　國家安全企劃部次長

1985. 1.　第12代 國會議員

1988. 2.　法制處長

1990. 4.　外務部入部

駐國聯大使

1991. 2.　駐美大使

0039

履　　歷　　書

職　　級 : 大使(外交職特1級, 90.12.28)

職　　位 : 駐유엔大使

姓　　名 : 노 창 희(盧昌熹)

生年月日 : 1938. 2.25

學　　歷

1960. 서울大 經濟學科 卒

主要經歷

1960. 4. 外務部 入部(1959.11. 第11回 高等考試 行政科)

1968. 5. 法務官

1969. 3. 駐캐나다1等書記官

1972. 3. 外交研究院 研究官

1973. 2. 條約課長

1975. 2. 駐스웨덴參事官

1978. 8. 審議官

1980. 4. 條約局長

1981.12. 駐美公使

1984.12. 駐나이지리아大使

1987.11. 本部

1988. 1. 外交安保研究院 研究委員

1988. 2. 依願免職(大統領儀典首席秘書官)

1990.12. 本部

1991. 2. 駐유엔大使

0040

履 歷 書

o 職 級 : 外務書記官 (86. 8. 8)

o 職 位 : 駐 國聯 參事官

o 姓 名 : 윤 병 세 (尹炳世)

o 生年月日 : 1953. 8. 3

o 學 歷 : 1976. 서울大 法學科 卒

o 主要經歷 :

1977. 3 外務部 入部(1976. 제10회 外務考試)

1984. 7 駐 시드니 領事

1987. 9 外交安保硏究院 亞洲硏究部 硏究官

1989. 1 " 安保統一硏究部 硏究官

0041

관리 번호	91-1704

외 무 부

110-760 서울 종로구 세종로 77번지 / (02) 720-2334 / (02) 723-3505

문서번호 연일 2031-3144
시행일자 1991.12.24.
(경유)
수신 대통령비서실장
참조 총무수석비서관
(사본) 의전,외교 안보,공보,
경제수석비서관

취급		장 관
보존		
국 장	전 결	
심의관		
과 장		
기안	김성진	협조

제목 외교분야 유공자 특별포상

제6공화국 외교추진에 있어 헌신적인 노력으로 공적을 세운 유공자에 대하여 특별포상을 상부에 건의하여 92.1월중에 시행할 예정이오니, 하기인사의 공적요약서 및 공적조서 각 1부를 작성하여 당부로 지급 송부하여 주시기 바랍니다.

- 아 래 -

1. 북방외교관련 (5명)

o 김종인 경제수석비서관 (청조근정)

o 김종휘 외교안보수석비서관 (청조근정)

o 민병석 외교안보비서관 (홍조근정)

o 조환익 과장 (대통령표창)

o 이용준 서기관 (대통령표창)

/ 계속 /

0042

2. 유엔가입 외교관련 (11명)

가. 외교안보

- 정태익 외교안보비서관 (홍조근정)
- 김영선 외교안보서기관 (대통령표창)

나. 의 전

- 이병기 의전수석비서관 (홍조근정)
- 장재룡 의전비서관 (홍조근정)
- 김주석 과장 (대통령표창)
- 백영선 과장 (녹조근정)
- 유상곤 과장 (대통령표창)
- 안건기 과장 (대통령표창)

다. 공 보

- 신우재 공보비서관 (홍조근정)
- 신현국 공보비서관 (홍조근정)
- 박희정 과장 (대통령표창).

검열 통제관

0043

대 통 령 비 서 실

(770 - 0057)

대비총01151-9 　　　　　　　　　　　　　　　　　　　　1992. 1.10

수신 외무부장관

제목 외교분야 특별포상 대상자 추천

1. 귀부 연일2031-3144('91.12.24)와 관련입니다.

2. 당실의 외교분야 유공자 특별포상 대상자를 별첨과 같이 추천합니다.

별첨 1) 외교분야 특별포상 대상자 명단 1부.

2) 공적조서 및 공적요약서 각1부. 끝.

대 통 령 비 서 실

0044

외교분야 특별포상 대상자 명단

(대통령비서실) 1992. 1.

분 야 (인 원)	실 별	직 급	성 명	추천 훈격
북방외교유공 (5명)	경 제	수석비서관	김 종 인	청조근정훈장
	외교안보	"	김 종 휘	"
	"	1급 상당	민 병 석	홍조근정훈장
	경 제	서 기 관	조 환 익	대통령표창
	외교안보	외무서기관	이 용 준	"
유엔가입유공 (11명)	외교안보	외무이사관	정 태 익	홍조근정훈장
	"	외무서기관	김 영 선	대통령표창
	의 전	수석비서관	이 병 기	황조근정훈장
	"	외무이사관	장 재 룡	홍조근정훈장
	"	외무서기관	김 주 석	대통령표창
	"	"	백 영 선	녹조근정훈장
	"	4급 상당	유 상 곤	대통령표창
	"	"	안 건 기	"
	공 보	2급 상당	신 우 재	홍조근정훈장
	"	"	신 현 국	"
	"	4급 상당	박 희 정	대통령표창

0045

외 무 부

110-760 서울 종로구 세종로 77번지 / (02) 720-2334 / (02) 723-3505

문서번호 연일 2031-18
시행일자 1992.1.17.
(경유)
수신 총무과장
참조

취급		장 관
보존		
국 장	전 결	
심의관		
과 장		
기안	김성진	협조

제목 유엔가입외교 유공자 특별포상

1. 91.9월 유엔가입 실현을 위해 헌신적인 노력으로 공적을 세운 유공자 23명의 공적요약서 및 공적조서를 별첨 송부하오니 이들에 대한 특별포상에 필요한 조치를 취해 주시기 바랍니다.

2. 상기 포상은 제6공화국 외교분야 유공자 특별포상계획(북방외교 및 유엔 가입외교 유공자 총 49명)의 일환으로서 상부 재가를 득한 사항임을 참고 바랍니다. (별첨 재가문 사본 참조)

첨부 : 1. 특별포상계획 재가문서 사본 1부.
2. 서훈대상자 명단, 개인별 공적요약서 및 공적조서 각 1부. 끝.

0046

3. 국내외 경축행사 (유하부)

0047

UN加入契機 國內外 慶祝行事 推進計劃 報告

※ 6.8(土) 行政調整室長 主宰, 關係部處 室長會議 結果임.

□ 目　的

o 6共和國 最大의 外交業績인 UN加入을 慶祝하고 傳統文化 公演을 통하여 "文化韓國"의 이미지를 世界的으로 浮刻.

o 全國民의 參與下에 多樣한 文化行事를 開催, 國民的 祝祭雰圍氣를 造成, "國民의 和合과 團結"을 다지는 契機로 活用.

□ 推進方針

o 國內外 慶祝行事를 連繫推進함으로써 慶祝雰圍氣 造成을 極大化
o 國內公演行事는 劃一的 行事가 되지 않도록 各 地方 特性을 살린 多樣한 레파토리로 構成 推進
o UN本部에의 寄贈 藝術作品은 우리 固有의 文化內容物로서 象徵性이 있는 것을 選定.

□ 行事內容

1. 海外慶祝公演團 및 UN本部 藝術作品 寄贈

o UN加入 慶祝行事
- 時期.場所　: 9.23, 뉴욕 카네기홀(* 9.20 L.A僑民 慰安公演)
- 公演團 構成 : 總 150名 內外
- 行事內容 : 國立公演團 傳統藝術公演 및 慶祝 리셉션 開催

o 韓蘇修交 1周年 紀念行事
- 時期.場所 : UN行事後(9月末~10月初),모스크바 및 레닌그라드
- 內　　容 : 傳統藝術公演,韓國映畵上映,韓蘇 親善의 밤 行事등
※ 東歐地域등 巡廻公演 : 蘇聯公演以後

0048

o UN本部 藝術作品 寄贈

- 88올림픽 開.閉會式行事에 使用했던 큰 북(龍鼓)
- "큰 북"과 함께 우리 傳統文化의 特性을 나타낼 수 있는 現代藝術作品(例: 十長生圖) 寄贈問題 檢討.

※ 寄贈物品의 內容, 設置時期.場所등은 駐UN代表部를 통하여 UN本部側과 協議決定

2. 國內慶祝行事 推進計劃

〈基本方針〉

o 劃一的 行事 止揚, 旣存의 文化行事를 活用, 創意力있고 多樣한 行事로 開催

o UN加入을 契機로 우리가 國際社會의 一員임을 浮刻, 國際間의 理解增進 契機로 活用

o 6.25當時 UN의 役割을 浮刻 弘報, 國民敎育의 "산 機會"로 活用

⇒ 「國民敎育과 弘報를 兼한 內實있는 行事」로 推進

o 海外巡廻 慶祝公演團 리허설

- 海外公演團은 出發前(9.19경)에 서울에서 公演하고, 歸國後 (11月경)에는 서울.부산.광주등 主要都市 巡廻公演 推進.

o 市道單位 自體 慶祝文化行事 推進

- 全國的으로 一時的.劃一的 行事開催를 止揚하고 各 市.道別 實情에 맞게 自體的으로 行事計劃을 樹立 推進하되, 官主導의 行事를 止揚하고 市民의 自發的 參與를 誘導하여 內實있는 行事가 이루어질 수 있도록 積極 支援.協調

※ 市.道別로 9~10月中 開催計劃으로 있는 旣存의 各種 文化行事(例 : 서울시 88올림픽紀念 市民文化祝祭)에 UN加入慶祝意味를 賦與, 國民的 祝祭雰圍氣 造成

- 行事內容은 各 市.道別로 그 地方의 傳統固有 文化藝術을 最大限 活用하여 多樣하고도 特色있는 文化行事를 開催
- 所要豫算은 市.道 自體豫算(豫備費등)으로 充當.

o 釜山 UN軍墓地를 비롯한 各國의 UN參戰碑등에 대한 淨化事業을 大大的으로 展開하여 UN의 役割에 대한 國民認識 提高

0043

□ 推進計劃

o 海外慶祝行事關聯 細部計劃 樹立(文化部, 外務部, 公報處)

- 公演日字, 公演場 確保, 現地弘報등 公演實施와 關聯되는 諸般 實務準備事項에 대한 關聯當事國 및 關聯機關과의 協議進行등 細部計劃 마련

- 各種 慶祝리셉션, 藝術作品 寄贈問題등에 대한 具體的인 推進計劃 마련

o 國內慶祝行事關聯 細部計劃 樹立(內務部, 서울市)

- 地方單位 行事進行을 위한 基本指針 示達, 綜合計劃 樹立
- 市.道知事 主管으로 各 地方 放送局등 言論社와의 協調, 地方文化藝術團體 參與誘導등 具體的인 行事推進計劃 마련

o 國內外 綜合弘報計劃 樹立(公報處)

- 中央 및 地方言論社와의 協調아래 大大的인 弘報推進計劃 마련 → 事前 붐 造成

o 所要豫算 確保(經濟企劃院)

- 文化部에서 所要豫算을 算出, 經濟企劃院 協調아래 豫備費등으로 執行.(* 所要豫算 約 1,530百萬원)

□ 推進狀況 點檢

o 行政調整室에서 所管別 推進狀況을 定例的(月 2回)으로 點檢하여 綜合報告. 매월 1, 15일 기준

o 點檢結果 不振 또는 問題點 있는 事項에 대하여는 隨時로 關係官會議를 開催하여 調整.解決.

0050

관리번호 91-632

3/15

會議資料

UN가입 계기 경축예술단 파견 및 예술작품 기증 계획

1991.6.18

문동석 국장님,

장관께서 금일 회의자료 참고 바랍니다.

19 91.12.31.에 예고문에 의거 일반문서로 재분류됨

文 化 部

검토필(1991.6.30.)

0051

UN가입 계기 경축예술단 파견 및 예술작품 기증 계획

보 고 요 지

금년 9월 우리 외교의 최대 성과로서 UN가입이 확실시 됨에 따라 다음과 같이 예술단 파견 순회공연 및 예술작품 기증을 추진하고자 합니다.

1. 목 적

o 6공화국 최대의 외교 업적으로서 북방외교의 결실인 UN가입을 경축하고 전통 문화를 통해 우수한 '문화한국'의 이미지를 세계적으로 부각시킴

o 우리나라 북방외교의 분수령이된 88서울올림픽 이후 UN가입에 이르기까지 일관되게 추구하여온 '화합과 평화의 의지'를 문화적으로 표현하여 전세계에 인식시킴으로써 외교적 성과를 총매듭 짓도록함

o UN가입 경축에 이어 우리 북방외교의 주요 성과였던 한.소수교 1주년을 기념하여 현지에서 이를 경축하는 문화행사로 자연스럽게 연계시키도록 함

o 이러한 일련의 행사를 통해 '동서화합의 상징'으로서 한국의 이미지를 세계속에 심는 한편, 국내적으로는 흩어진 국민 감정을 정리하고 새출발하는 전환점이 될 수 있도록 함.

- 1 -

0052

2. 추진방침

o UN가입 경축 및 한소수교 1주년 기념을 위한 예술단은 동일한 인사들로 구성된 대규모 공연단으로 하되 최고 수준의 레퍼토리를 공연토록함

o 순회공연 출발 전후에 국내공연을 추진하여 국민적 축제분위기를 조성토록함

o UN가입 경축 예술단 파견은 문화부 주관으로 외무부 본부 및 UN대표부와 긴밀히 협조하여 추진하며 N.Y. 공연에 앞서 L.A.지역 교포들을 대상으로한 공연을 추진함

o 한소수교 1주년 기념 한국문화주간행사는 주소 한국대사관의 지원을 받아 양국 문화부의 후원으로 개최함
  - 한국측 국제문화협회 및 소련측 공연기획단체 공동 주관

o 소련행사후 여건을 보아 폴란드, 체코슬로바키아 및 유고슬라비아등 동유럽국가 순회공연을 추진토록함

o 기증 예술작품의 경우 한국 고유의 문화내용물로서 상징성이 있는 것을 선정토록함

3. 경축공연단 파견계획

가. 행사내용

(1) UN가입 경축행사
  o 시 기 : '91.9.25
  o 장 소 : N.Y. 카네기홀

o 내　　용

- 국립공연단 전통예술 공연
- 경축 Reception(Korean Night)
  . 소규모 공연 및 '벽을 넘어서' 시사회 병행

※ L.A. '91.9.21경 추진 (Shrine Auditorium)

※ 순회공연 출발전 및 귀국 국내 공연행사 개최

※ 각 시,도 경축 문화예술 행사 개최 요망

(2) 한소수교 1주년 기념 '한국문화주간행사'

o 시　　기 : '91.9.28-30(UN 행사의 후속)

o 장　　소 : 모스크바 크레믈린궁 대극장 (예정)

o 내　　용

- 국립공연단 전통예술공연 (2회)
- 한국문화 가두 퍼레이드
- 한국영화 상영
- 한소 친선의 밤 행사(Reception 및 소규모 공연)

(3) 기타 동구라파3개국 순회공연 : 소련공연 이후 바르샤바,베오그라드,
프라하 3개도시 교섭 추진중

나. 공연단 구성 : 총 150명 내외

o 국립국악원 연주단 및 무용단 : 80명

o 국립무용단 : 70명

다. 공연 레파토리 : 한국의 전통예술을 보여줄 수 있는 대규모 작품

0054

4. 예술작품 기증 계획

가. 기증내용

(1) 큰북 (龍鼓)

o 물품내역 : '88서울올림픽 개.폐회식행사에 사용했던 큰북
- 규 격 : 북지름 130Cm, 두께 155Cm
- 거북형상의 좌대

o 기증의미
- 이 큰북은 인종.언어.종교의 벽을 넘어서 동서화합을 이루어 냈던 서울올림픽 개.폐회식행사에 사용되었던 것으로서
- 인류의 심장이 뛰는 소리를 담은 이 북을 우리나라의 UN가입 기념물로 기증.진열함으로써 세계평화를 지키려는 염원을 북의 울림에 실어 널리 전파시키고자 하는 우리의 의지를 상징토록함.

※ 이렇게 큰 북은 우리나라에만 있으며, 북틀에 용을 그렸다하여 용고(龍鼓)라고함.
북은 심장이 뛰는 소리를 담았으며, 팽팽한 가죽을 펼개하는 북소리는 '88서울올림픽에서 "참가선수들의 심장이 뛰는 소리, 내일을 향해 나아가는 50억 인구의 발걸음 소리"(화합과 전진)를 상징했음.

(2) 예술작품

o 물품내역 : 우리나라 전통문화의 특성을 나타낼 수 있는 현대작품
- 벽면 장식용 그림 또는 자수 대형작품
- (예) '십장생도'
. 장수를 상징하는 전통사상이 구현되어 있는 전통회화로서 기법이 독특하고 다른 나라의 것과 쉽게 구분되는 장점이 있음.

나. 필요조치

- o 주UN 한국대표부로 하여금 기증의사를 밝히고 설치장소 등을 협의 결정토록함
- o 기증품은 외교행낭을 통해 송부 전달

5. 소요예산 개요 : 총 1,530백만원

가. 공연단 파견 예산 : 1,100백만원

- o 공연제작비 : 100백만원
- o 국내공연비 : 100백만원
- o 국외여비 : 600백만원 (항공료, 숙박비, 식비, 일비)
- o 인쇄비 및 임대료등 : 180백만원
- o 활동비 등 : 120백만원 (공공요금 포함)

나. 예술작품 기증 예산 : 430백만원

- o 큰북 운송비 : 약 30백만원
- o 예술작품 제작 발송비 : 약 400백만원

다. 조달방법 : '91년도 기확보예산 전용 및 부족예산 예비비 확보

- o 문화부 기확보예산 : 약 300백만원 (전용조치등 필요)
  - 본부 및 소속기관 해외공연비 등
- o 부족예산 : 1,230백만원 (예비비 확보 필요)
  - 공연단 파견비용 부족분 : 900백만원
  - 예술작품 기증 관련 예산 : 430백만원

외 무 부

암호수신

종 별 :

번 호 : SRW-0210 일 시 : 91 0716 1430

수 신 : 장관(아프일,국연,문홍)

발 신 : 주 시에라레온 대사대리

제 목 : UN 가입 경축행사

당관은 매년 10 월초 개최하여온 국경일 리셉션을 금년에는 이를 앞당겨 9.17.(화) 또는 그 익일에 유엔가입 경축과 겸하여 개최코자하니 이에 대한 본부의견 회시바람.

1. 남북한 동시 유엔가입에 기여한 아측의 선도적 역할에대해 재삼 홍보하는 기회가 되는 동시에 주재국 각계인사들로 부터 특별한 축하를 받을수 있음.

2. 특히 주재국에서는 각국 공관 국경일리셉션시 당해 공관장과 주재국 정부대표가 각각 간단한 연설과 함께 TOAST 를 제의(양국 국가연주) 하는 것이 관례이므로 이를 또한 홍보의 기회로 활용할수 있음.

3. 오는 9.30.(월)-10.3.(목)기간중 당지사정은 중국, 나이지리아, 기니(10.2.) 및 독일 각 대사관의 국경일리셉션이 차례로 개최되고, 현지인들 습속상 금요일(10.4.) 및 주말은 피해야만 하므로,10.7.(월) 개최하기도 본래의 날짜와 거리가 멀므로 차라리 8.15. 와 10.3. 의 중간에 위치한 날짜가 보다나음(당관과독일대사관의 추첨결정에서 금년도 독일측부터 시작하여 매년 번갈아 10.3. 을찾이하도록 조정됨).

(대사대리 전용덕-국장)

중아국 국기국 문협국

PAGE 1

91.07.17 01:16

외신 2과 통제관 CE

0057

	분류번호	보존기간

발 신 전 보

번 호 : WMA-0689 910722 1848 FN 종별 :

수 신 : 장관 (경유: 주 말련대사)

발 신 : 장 관 (분일)

제 목 : 국련 가입 경축 예술단 순회 공연

유엔가입 경축 예술단의 순회공연 일정이 아래와 같이 확정되었음을 보고드림.

1. 일정

가. 9. 21 라성 Shrine Auditorium (6300석)

나. 9. 25 뉴욕 카네기홀

다. 9. 30 모스크바 크레믈린 대극장(6000석)

라. 10. 3 폴란드 바르샤바 (국립극장 또는 문화과학궁전) 2000석

마. 10. 6 유고 국립극장(6000석)

바. 10.12 체코 프라하 국립극장(1000석)

* 9. 16 서울 공연(예술의 전당)후 출국

2. 예술단(135명) 구성

가. 국립국악원 연주단, ~~무용단,~~ 국립무용단 및 시립국악 관현악단등 국공립 단체

나. 서울 예술단, 김 덕수 사물놀이패등 민간단체

다. 국악인, 판소리 인간문화재, 민요 음악인 등 민간 예술인

3. 공연 레파토리

가. 제1부: ~~한국~~ 고전음악 소개 (아악, 대금독주, 가야금 연주)

나. 제2부: (북의 대합주, 판소리, 민요, 사물놀이등) 대중적이고 역동적 프로그램

국제기구조약국장 직대 (차관 유종하)

보 안 통 제	

앙 고 재	91년 7월 22일	국제연합1과	기안자 성명		과 장	심의관	국 장	차관보	차 관	장 관
			2 등일		[signature]	[signature]	[signature]	[signature]	전결	[signature]

외신과통제

0058

서울신문
1991. 7. 24. 수, 11면

유엔「文化사절단」순회公演

문화부、9월 美·蘇등 5개국에 파견

「소리여 천년의 소리여」무대올려
모스크바선 韓·蘇수교 한돌공연

문화부는 오는 9월 유엔정기총회에서 이루어질 우리나라의 유엔가입을 경축하는 대규모의 문화사절단을 유엔본부가 있는 미국의 뉴욕과 소련 폴란드 유고 체코등 5개국에 파견키로 22일 결정했다.

문화사절단의 규모는 공연 출연인원 1백35명등 모두 1백50여명으로 정부차원의 공연단으로는 가장 큰 규모다.

공연에는 국립국악원연주단과 국립무용단·시립국악관현악단 등 국·공립단체와 KBS국악관현악단·서울예술단·金德洙사물놀이패등 민간단체, 黃秉冀 趙相賢 安淑善씨 등 민간예술인들이 대거 참여한다.

사절단은 9월25일 뉴욕의 카네기홀에서 공연을 갖고 30일에는 모스크바의 크렘린대극장에서 한소수교1주년을 기념하는 공연을 한뒤 폴란드(10월3일·바르샤바)와 유고(10월6일·베오그라드), 체코(10월12일·프라하)에서 순회공연을 하게 된다.

사절단의 공연은 「소리여 천년의 소리여」라는 주제아래 1백20분동안 1·2부로 나뉘어 진행된다.

국립국악원연주단의 아악 「전폐희문」으로 시작되는 1부는 대금독주를 위한 살풀이와 시나위연주, 가야금독주에 이어 黃秉冀씨가 지휘하는 41명의 가야금연주자가 「침향무」를 연주하는 것으로 막을 내린다.

2부는 북의 대합주 「오늘이 오늘이소서」와 판소리춘향가, 아리랑을 주제로 한 민요「아리아리」, 사물놀이 등으로 진행된다.

東亜日報
1991. 7. 22. 월, 8면

유엔가입을 경축하는 문화사절단이 카네기홀에서 선보일 「북의 대합주」연습장면。

유엔가입 경축 대규모海外公演 펼친다

百50명 규모 문화사절단 구성
9월부터 美蘇등 5개국 순회

역사적인 유엔가입을 경축하는 대규모의 문화사절단이 오는9월25일 미국 뉴욕 카네기홀에서 유엔회원국대표등을 대상으로 화려한 공연을 펼치게 된다.

문화부는 유엔가입과 동시에 「문화한국」의 이미지를 높이기위해 1백50여명으로 편성된 최대규모의 문화사절단을 파견, 뉴욕뿐아니라 로스앤젤레스와 소련 폴란드 유고슬라비아 체코슬로바키아등 5개국을 순방할 예정이다.

사절단은 국악인 황병기 조상현 안숙선씨등과 국립국악원연주단 국립부용단 시립국악관현악단등 국공립단체, 서울예술단 김덕수사물놀이패등 민간단체들로 구성됐다.

축하공연의 주제는 「소리여, 천년의 소리여」로 정했으며 제1부에서는 아악 대금독주 가야금연주등 순수한 한국의 고전음악을 소개하며 2부에서는 북의 대합주 판소리 민요 사물놀이등 대중적이고 역동적인 프로그램을 선보인다.

이번 공연단은 카네기홀 공연에 앞서 9월21일 로스앤젤레스에서 공연을 갖게되며 미국공연을 마친뒤 9월30일 소련 모스크바의 크렘린궁대극장에서 공연을 한다. 소련공연은 韓蘇수교 1주년을 기념한는 행사이자 한국문화주간행사의 하나로 소개되는것.

한국문화주간행사에는소련거주 한국동포들이 참여, 시가퍼레이드 사물놀이등을 펼치게된다.

문화사절단은 모스크바 공연이후 폴란드 유고 체코등 동구3개국을 순회하면서 수교2주년을 기념할 예정이다.

0053

한겨레신문
1991. 7. 24. 수, 9면

대한민국의 유엔가입을 기념하는 대규모의 정부파견 문화사절단이 편성돼 9월25일 뉴욕의 카네기홀에서 유엔회원국 대표들과 미국인들을 대상으로 '한국의 미'를 선보인다. 문화부는 오는 9월 유엔 정기총회에서 우리 나라의 유엔가입이 확실시됨에 따라 이를 경축하고 우리 문화를 세계에 널리 알린다는 목적으로 최대규모의 정부파견 문화사절단을 편성해 미국의 뉴욕·로스앤젤레스와

유엔가입 기념 문화사절단
미국 및 동유럽 4개국 순방

공연인원만 1백35명…9월19일 출국

소련·폴란드·유고슬라비아·체코슬로바키아 등 5개국 순방공연을 가질 예정이다. 문화사절단의 규모는 공연출연인원 1백35명을 포함해 1백50여명에 이를 것으로 알려졌다. 이번 공연에는 국립국악원 연주단, 국립무용단, 시립국악관현악단 등 국공립단체말고도 KBS국악관현악단, 서울예술단, 김덕수사물놀이패 등 민간단체와 국악인 황병기씨, 판소리 인간문화재 조상현·안국선씨 등 민간예술인들이 대거 참여한다.

공연의 전체 주제는 "소리여, 천년의 소리여"로 결정됐으며 아악, 대금독주, 시나위연주, 가야금 독주 및 대합주로 이뤄진 제1부와 판소리, 민요, 사물놀이 등으로 이뤄진 제2부로 나뉜다.

한편 이 공연단은 9월25일의 카네기홀 공연에 앞서 9월21일 로스앤젤레스의 쉬라인 오라토리움에서 공연을 가지며 미국공연이 끝난 뒤에는 소련(9월30일), 폴란드(10월3일), 유고(10월6일), 체코(10월12일) 등 동구권을 순회하며 우리 전통예술을 선보인다.

한국문화주간행사의 일환으로 개최되는 소련공연은 9·30한소수교 1돌을 기념하는 의미도 겸하게 되는데, 이 공연에 때맞춰 거리퍼레이드, 사물놀이 등 한국문화를 소개하는 다양한 행사가 모스크바에서 거행된다.

우리 문화사절단의 공연무대가 될 모스크바의 크레믈린 대극장, 바르샤바 국립오페라 극장, 베오그라드 국립극장, 프라하국립극장 등은 각각 현지에서 가장 권위있는 국립극장들이다.

문화사절단은 9월19일 출국해 10월15일 귀국하며 출국에 앞서 9월16일 예술의 전당에서 시범공연을 갖는다.

朝鮮日報
1991. 7. 23. 화, 15면

유엔가입 경축 文化사절단 파견

美-蘇등 5국… 9월21일 LA서 첫 공연

정부는 한국의 유엔가입이 확실시됨에 따라 역사적인 유엔가입을 축하하고 한-소수교 1주년등을 기념하기 위해 문화사절단을 편성, 오는 9월21일부터 10월12일까지 미국-소련등 5개국을 순회공연한다.

문화사절단은 국립국악원연주단-국립무용단-서울예술단 등 단체와 판소리 인간문화재 조상현 안숙선씨등 1백50여명으로구성되며, 순회국은 미국-소련-폴란드-유고-체코등이다.

사절단은 9월21일 LA의 슈라인 오디토리엄에서 첫 공연을 가진후 25일 뉴욕 카네기홀에서 유엔회원국대표들과 미국인들을 상대로 한국의 유엔가입경축 공연을 벌인다.

사절단은 또 30일 소련 모스크바의 크렘린궁 대극장에서의 한-소수교 1주년 기념공연에 이어, 폴란드-유고-체코공연을 끝으로 10월15일 귀국한다.

폴란드등 동구권3개국의 공연은 이들 나라와의 수교2주년을 기념하는 자리다.

사절단은 9월16일 예술의 전당에서 시범공연을 갖는다.

0060

中央日報

1991. 9. 20. 토, 2면

韓國공연단 9월부터

南北韓 유엔가입 경축 美·蘇등 5國순회공연

南北韓 유엔가입및 韓蘇수교등 北方외교결실을 축하하는 대규모 공연이 9월21일부터 10월11일까지 美國·蘇聯·폴란드등 5개국에서 개최된다.

「남북한 유엔가입 경축공연」은 당초 남북한이 공동으로 개최하려 했었으나 북한측의 반응이 없어 한국단독으로 9월25일 저녁 뉴욕 카네기홀에서 갖기로 했다.

국립국악원의 정악연주단·민속연주단·국립무용단·서울예술단원및 개인 연주자등 1백50명으로 구성된 공연단은 9월21일 미국 LA를 시발로 美國공연을 한후 10월11일까지 5개국주요도시에서 공연을 갖는다.

공연단은 9월21일 LA 시라인 오디토리움, 25일 뉴욕 카네기홀에서 공연하고 29일 소련 모스크바 크렘린궁 대극장, 10월3일 폴란드국립극장, 6일 유고 국립오페라극장, 11일 체코 프라하국립극장에서 공연하는 것으로 일정이 최종 확정됐다.

京鄕新聞

1991. 7. 23. 화, 2면

유엔가입 文化사절단 美·蘇·東歐3國 파견

정부는 오는9월 역사적인 유엔가입에 때맞추어 대규모 문화사절단을 미국및 동구권에 파견한다. 문화부는 22일 유엔가입 경축 문화사절단파견 계획을 확정짓고 미국 뉴욕 카네기홀공연을 비롯, 소련·폴란드·유고슬라비아·체코슬로바키아등 5개국을 순방키로했다고 발표했다.

1백50여명으로 구성된 문화사절단은 오는 9월25일 전통깊은 미국 뉴욕 카네기홀에서 유엔가입 경축공연을 갖고 30일에는 소련 모스크바에서韓·蘇수교 1주년기념공연을가질계획이다. <관련기사 23면>

韓國日報

1991. 7. 23. 화, 2면

유엔가입 경축 文化사절단 美·蘇등5國 파견키로

1百50명으로 구성

정부는 22일 올가을 유엔총회에서 우리나라 가입이 확실시됨에따라 이를 계기로 세계에 문화한국의 이미지를 심기위해 1백50명으로 구성된 문화사절단을 미국 뉴욕·LA와 소련 폴란드 유고 체코등 5개국에 파견키로 결정했다.

국립국악원연주단 국립무용단 시립국악관현악단 등 국공립단체, KBS국악관현악단 金德洙사물놀이패 등 민간단체, 국악인 黃秉冀씨, 판소리 인간문화재 趙相賢씨등으로 구성된 이 공연단은 뉴욕 카네기홀(25일) 모스크바 크렘린궁대극장(30일)등에서 북의 대합주판소리민요등이어우러진「소리여 천년의소리여」를공연한다.

0061

京鄕新聞 1991. 7. 23. 화, 23면

9월25일의 뉴욕「유엔가입 경축무대」

南韓만의 「반쪽행사」로

오는 9월25일 미국뉴욕 카네기홀에서 열리게 되는 남북한 유엔 동시가입을 축하하는 대규모 한국 전통음악 공연(공연단장 李御寧문화부장관)의 세부 내용이 22일 알려졌다(본보7월18일자 14면 보도).

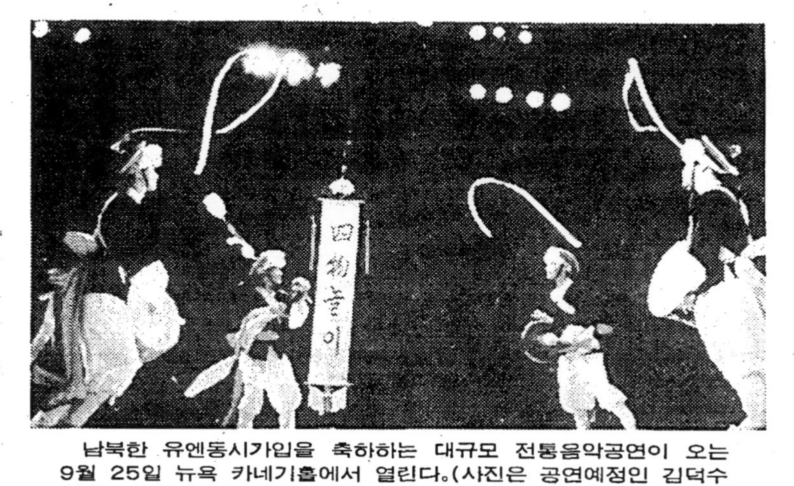

남북한 유엔동시가입을 축하하는 대규모 전통음악공연이 오는 9월 25일 뉴욕 카네기홀에서 열린다。(사진은 공연예정인 김덕수 사물놀이패)

침향무·북의 합주등 올려

카네기홀 공연뒤 東歐순회계획

문화부관계자에 따르면 정부는 이 경축무대를 대규모 남북한 합동무대로 꾸민다는 전제아래 지난달부터 문화부문화정책국을 중심으로 전담반을 구성、은밀히 추진해 왔는데 최근 북한측이 끝내 거부、남한단독으로 갖기로 하고 21일 그 구체적인 행사내용을 확정했다는 것。

이 관계자는 또 이번 공연의 행사명을 가칭 「소리여 소리여 천년의 소리여」로 정했으며 카네기홀대관은 지난 7월초 계약을 완료했다고 밝혔다。

공연단은 가야금연주자인 黃秉冀이대교수、안무가인 鄭守鎬교수(중앙대)와 이매방 조상현 안숙선(판소리)씨 및 김덕수사물놀이패를 비롯、국립국악원의 정악연주단및 민속연주단과 국립무용단、그리고 경기민요가수등을 합쳐 모두 2백여명으로 구성되는데 당초 계획되었던 KBS교향악단의 참가는 내부 사정으로 지난주 최종 관계기관회의에서 제외되었다。

문화부는 또 이번 공연단은 카네기홀 연주직후 LA에서 공연을 가진뒤 곧바로 모스크바와 폴란드、유고슬라비아、체코슬로바키아등 동구권 순회연주에 들어가게 되는데 동구권순회연주는 修交를 기념하는 정부문화사절형식이라고 밝혔다。

이번 공연의 레퍼터리는 황병기작곡의 「침향무」를 비롯、중요무형문화재1호인 종묘제례악중 세종대왕이 작곡한 「전폐희문」과 민속악 「시나위」그리고 전통무용에 현대적 요소를 곁들인 창작무용 등이다。

또 남녀 무용가 1백여명으로 구성된 국립무용단은 국수호안무로 대북과 소고등 전통타악기의 춤사위를 한데 모은 「북의 합주」도 선보인다。

특히 「침향무」와 「북의 합주」는 지난해 12월 서울에서 남북음악인들이 합동공연한 「90송년통일전통음악회」에서 남한측이 선보인 작품들로 의미가 깊다。

이밖에 국악원 수석주자 서용석씨의 대금독주와 축가「오늘이여 오늘이소서」、조상현 안숙선씨가 연출하는 춘향가중 상봉한 대목、아리랑을 주제로 한 민요메들리、그리고「바람부는 날에도 꽃은 피고」(김정옥 중앙대교수 작곡)가 피날레를 장식하게 된다。

문화부관계자는 『미국공연에 이은 모스크바공연은 한·소수교1주년이 되는 9월30일 모스크바 크렘린대극장에서 갖게 된다』며 『이번 공연의 목적은 한국문화가 가지는 독특한 면을 세계무대에 부각시키는데 있다』고 밝혔다。

한편 공연단은 8월부터 서울의 국립국악원、국립극장등에서 각 분야별로 본격적인 연습에 들어갈 예정인데 정부는 이번 공연을 위해 총14억원의 특별예산을 배정했다。 <金東律기자>

0062

The Korea Herald
1991. 7. 23. 화, page 9

'Cultural mission' to tour U.S., ex-socialist nations

150 traditional performers to introduce beauty of Korea in honor of U.N. entry

The government will send a large official "cultural mission" to the United States and four former socialist countries in September and October to celebrate the nation's entry to the United Nations which now seems certain.

The Ministry of Culture said yesterday that the mission, consisting of some 150 traditional arts performers, will first of all introduce the beauty of Korea to representatives of all U.N. member states through a show at the Carnegie Hall in New York Sept. 25.

The mission will then tour the Soviet Union, Poland, Yugoslavia and Czechoslovakia.

The ministry said the delegation is the largest of its kind ever sent abroad.

"Now that the nation's membership to the U.N. looks certain, the government decided to send a cultural envoy abroad to mark the historic occasion, and further, to earn an international recognition of the nation's cultural heritage," the ministry said.

The performers will present a wide array of traditional stage arts under the theme "The Korean Sounds Spanning over a Millenium." They come from diverse public and private troupes such as the National Traditional Music Orchestra, National Dance Troupe, Kim Dok-su's Samulnori Group and Seoul Art Company.

The program consists of two parts. The first part features traditional court music, solo performances with such traditional instruments as taegum and kayagum, and salpuri dance, while the second presents other musical traditions including samulnori, pansori, folk songs and drum performances.

In organizing the program, the ministry placed an accent on demonstrating the nation's old musical traditions as part of its campaign to correct the nation's image implanted in the minds of foreigners as an "economic upstart" with no distingushable cultural heritage.

The program is also centered around large-scale, dynamic performances with such internationally well-known traditional instruments as hourglass drums and other percussion instruments.

The highlight of the tour, which will take a month from Sept. 19, is the performance at Carnegie Hall before foreign diplomatic missions at the U.N. This performance is designed to send the message of reconciliation and harmony throughout the wofld.

Prior to the New York presentation, the mission will perform at the Shrine Auditorium in Los Angeles Sept. 21.

It will stay in the Soviet Union for four days from Sept. 27 and present a performance in Moscow Sept. 30. The performance is part of the events to be held during the Korea Week declared to mark the first anniversary of the establishment of diplomatic ties between Seoul and Moscow.

The mission's subsequent schedule will take it to Poland for a performance in Warsaw Oct. 3, to Yugoslavia for a show in Belgrade Oct. 6 and finally to Czechoslovakia to a stage in Prague Oct. 12. The performances in these former socialist countries have the additional purpose of celebrating the second anniversary of the diplomatic ties between them and Korea.

The mission will make a performance before its departure at the Seoul Arts Center Sept. 16.

MOC

Shown is a scene from "A Grand Chorus of Drums" which is included in the program of the cultural mission that will tour five nations to celebrate the nation's entry to the U.N.

0063

경축

달을 멈추게 한 한국의 음악

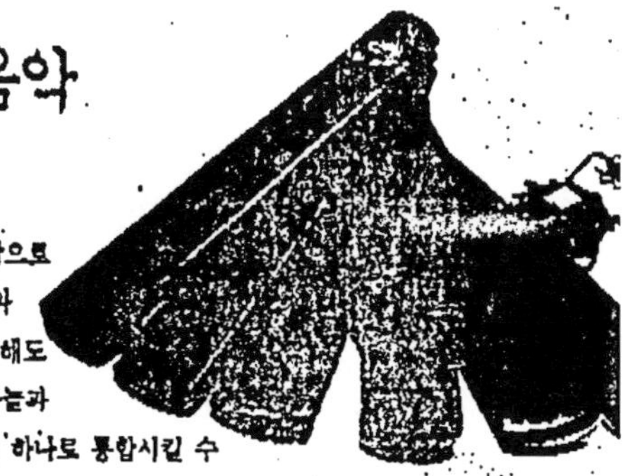

이 세상 사람들은 여러가지 방식으로 만납니다. 그러나 음악으로 만나는 것보다 더 행복한 만남은 없을 것입니다. 음악은 나와 너의 단절을 이어주는 빛나는 고리로서 아무리 낯선 것이라 해도 하나로 이어주는 힘을 지니고 있습니다. 특히 한국인들은 하늘과 땅처럼 양극으로 멀리 떨어져 있는 것도 음악의 힘을 빌리면 하나로 통합시킬 수 있다고 믿어왔습니다.

한국의 고유 악기인 가야금은 지금으로부터 1600년 전에 우륵이라는 사람이 만들었다고 전해지고 있는데, 그가 이 악기를 타면 언제나 학들이 날아와 그 장단에 맞추어 즐겁게 춤을 추었다고 합니다. 신라의 시인이었던 월명도 밤길을 거닐면서 피리를 불면 하늘을 달리던 달도 멈추어 서서 그 소리를 들었다고 합니다.

지금 우리가 여러분들과 악수를 나누고 있는 이 손들은 모두가 우주적인 손입니다. 인간의 뜰과 자연의 숲을 허물어 버렸던 그 우륵의 가야금, 달과 온갖 별들의 시간을 멈추게 했던 월명의 피리, 그 신비한 천년의 소리를 담은 한국의 음악은 우리들의 만남을 가장 순수한 친구가 되게 할 것입니다.

그러나 우리가 오늘 이같은 음악을 통해서 서로 만나기 까지에는 참으로 많은 기다림과 시련의 벽이 있었다는 것을 잊어서는 안될 것입니다. 온세계가 동과 서로 나뉘어 대립과 갈등으로 지내온 세기의 겨울철에 한국으로부터 들려온 소리는 가야금이나 피리가 아니라, 전쟁의 포성소리였고 굶주림과 고통의 신음소리였습니다. 거의 한세기동안 한국민들은 식민지의 폭력, 이데올로기의 투쟁, 전쟁과 빈곤, 그리고 온갖 정치적 불안정 속에서 살아 오면서도 우주의 모든 생명체가 하나의 울타리와 지붕 밑에서 살아가는 평화와 화합의 꿈을 포기한 적이 없었습니다. 그리고 그것을 가능케한 힘은 수천년동안 한국인의 마음속에 흐르고 있었던 바로 그 음악의 혼이었다고 할 수가 있습니다.

여러분들은 유엔군이 참전했던 한국전에서 세계의 모든 젊은이들이 피를 흘렸던 것을 기억할 것입니다. 그러나 그 41년뒤 한국은 서울 올림픽을 통해서 동서의 젊은이들이 냉전의 벽을 넘어서 서로 하나의 친구가 되어 그 묵은 묘지들을 아름다운 화원으로 바꾸어 놓았던 것을 보았을 것입니다. 그리고 최근에는 42년동안 끝없이 좌절되었던 유엔가입안이 만장일치로 가결되었던 것을 보았을 것입니다. 그것은 한국이 단순히 161번째의 유엔가입국이 되었다는 사실을 의미하는 것은 아닐 것입니다. 세계가 이제 갈등과 분열의 냉전으로부터 벗어나 공존과 화합의 새로운 문명의 새벽을 맞이하고 있다는 상징적인 사건이라고 할 것입니다.

이름 그대로 한국은 고요한 아침의 나라가 되었으며, 하늘과 땅이 함께 감동의 춤을 추고 인간과 새가 같은 뜰에서 사랑의 노래를 부르는 천년의 소리가 들려오고 있습니다. 아마도 여러분들은 1부의 음악에서는 모든 것이 억제되고 잘 균형을 이룬 조선조 선비들이 즐겨 사용한 백자를 연상할 것이고, 2부에서는 거꾸로 소박하면서도 활력에 넘치는 민중들의 검은 질그릇을 보게 될 것입니다. 그러나 그것들은 두개이면서도 동시에 하나인 동양의 신비한 은행잎이라고 할 것입니다.

음악을 한번 부르는 것은 기도를 열번 드리는 것과 맞먹는다는 격언이 있습니다.

우리의 만남을 위해서, 그리고 세계의 화평한 아침을 위해서 여러분들께 음악으로 기도를 드립니다.

감사합니다.

문화부장관 이어령

0064

수신: 권기창 사무관
발신: 문체부 문화교류과

소리여, 천년의 소리여

소리패
국립국악원 연주단
국립무용단
국립창극단
서울예술단
김덕수사물놀이패
황병기,
조상현,
박운조 등 135명

제 1 부(명상)
가야금 산조
아악 : 전계회문
대금독주를 위한 살풀이
가곡 : 이수대엽
가야금 대합주 : 침향무

제 2 부 (환희)
민속악기를 위한 승무
북의 대합주 : 오늘이 오늘이소서
판소리 춘향가중에서 사랑가
남도창 뱃노래
사물놀이
바람부는 날에도 꽃은 피고

0065

프로그램 요약

제1부(합심)

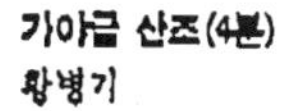

가야금 산조(4분)
황병기

산조란 주로 남도지방에서 쓰여진 무속음악에서 출발하는 시나위와 판소리의 영향을 받아 만들어진 기악독주곡이다. 민속음악의 특징을 가장 많이 지닌 가야금 산조가 짧게 연주됨으로써 제 1 부의 막을 열어준다.

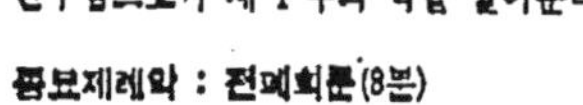

종묘제례악 : 전폐희문(8분)
국립국악원

조선왕조 역대제왕의 신위를 봉안하고 제사를 지내는 사당을 종묘라고 하며 이 제사에 쓰이는 기악, 성악, 무용을 통틀어서 종묘제례악이라고 한다. 1300년 이상의 역사를 가진 연주단체가 세계에서 가장 느리고 600년된 장엄한 이 곡을 연주한다. 악기배열등이 동양의 음양학과 관련을 가지고 있으며 또한 한국인의 군자적 정서가 잘 나타나 있다.

대금독주를 위한 살푸리(6분)
대 금:서용석　살푸리:홍금산

대금은 현존하는 관류우트중에는 가장 큰, 대나무로 된 관악기이다. 음을 넓게 사용하여 온몸을 흔들며 장쾌하게 떼로는 흐느끼듯 연주하는 대금의 선율을 타고 추는 살푸리춤의 정중동의 미가 대금산조의 청각적 감각을 형상적 아름다움으로 부각시킨다.

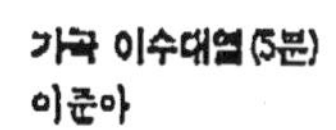

가곡 이수대엽(5분)
이준아

12세기 전후부터 불리워왔으며 가장 예술적인 형식미를 갖춘 노래로서 관현악반주에 맞추어 앉아서 부르는 것이 특징이다. 오늘 연주되는 곡은 여창으로 불리워지는 이수대엽이라는 곡인데 봄날의 시름을 읊고 있다.

가야금 대합주 : 침향무(10분)
임재심 외 39명　장고 : 안혜란

감각적이고 관능적인 미가 법열의 세계로 승화된 신라불교예술에서 영감을 얻어서 작곡된 침향무는 인도산 향기 "침향이 서린 속에서 추는 춤"이라는 악제에서도 나타나듯이 서역적인 것과 향토적인 음악요소를 조화시킨 것이다. 40명의 가야금주자가 서양음악 기법으로 범아시아적인 정서를 음양오행적 대위개념의 2성부 화음으로 잘 나타낸 곡이다.

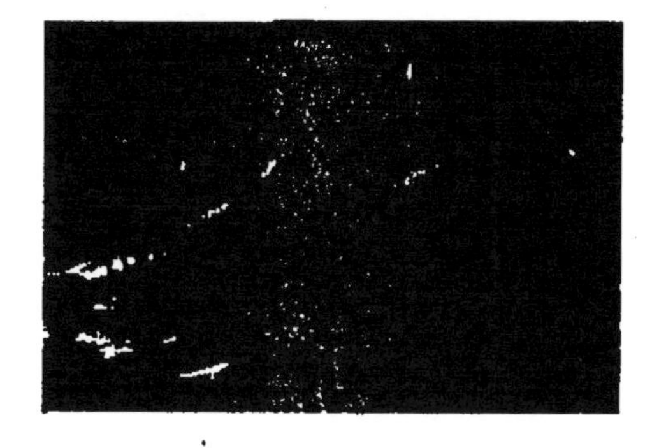

0066

제2부(환희)

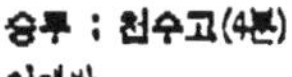

승무 : 천수고(4분)
이매방

불교적 스타일의 무복을 입고 북을 때린다. 원래는 춤뒤에 천가지 타법으로 북을 치는데 이번에는 북의 대합주 전에 북소리를 준비하는 다스름으로 짧게 치면서 2부의 막을 연다.

북의 대합주 : 오늘이 오늘이소서(12분)
국수호 외 39명

한국의 타악기는 신명과 신바람을 일으킨다. 타악기중에서도 한국 고유의 크고 작고, 두껍고 얇은 북들을 한자리에 모아 북이 갖는 제의식과 함께 하나의 장엄한 교향곡을 이루어낸다.

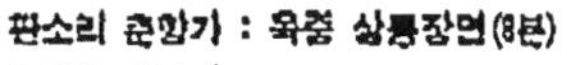

판소리 춘향가 : 옥중 상봉장면(8분)
조상현, 안숙선

18세기 초 조선후기에 민중문화의 집약적 표현의 하나로서 나타난 판소리는 음악과 문학이 공연을 통해서 하나로 결합되어 있으며 악보나 문자의 도움없이 전승, 창작되고 있다. 원래 열두마당이 있었으나 오늘날까지 노래와 함께 전해오는 것은 춘향가, 심청가, 흥보가, 수궁가, 적벽가 다섯마당이며 춘향가는 한국의 대표적인 고전소설을 판소리화한 것으로 다양한 인물, 뚜렷한 성격, 방대한 규모, 해학성 그리고 당시의 사회적 인습과 민중의 저항정신, 애정관 등이 골고루 포함된 서사시적인 형식으로 구성되어 있다.

판소리 심청가중 뱃노래 (남도창)(8분)
조상현, 안숙선, 김영자, 정순임, 정미정, 강정주, 이정임, 김학용

심봉사가 무남독녀 심청을 인당수의 제물로 빼앗기고 고약한 뺑덕어미의 꾀임에 빠져 가산마저 잃었으나 황성의 맹인잔치에 가서 심청도 만나고 시력도 되찾는다는 효를 주제로한 심청가중의 한 대목으로 남경선인들에게 팔려 인당수에 제물로 바쳐진 심청이가 가라앉지 않고 떠내려가는 경치를 읊은 것이다. 한가한 정경뒤에 숨겨진 짙은 우수가 음악적으로 잘 승화되어 있는 명곡이다.

사물놀이(10분)
김덕수 사물놀이패

꽹과리는 시간을 소리로 다져내고, 북은 이를 몇개의 그룹으로 갈라내며, 장고는 그 사이를 채워나간다. 징은 몇개의 소리 무더기를 크게 휘감아 하나의 소리공간을 이루게 해준다. 밀려오고 밀려가는 무수한 리듬, 크고 작은 음들의 행렬, 쌓아올려진 배음위에서 몰려오는 또 다른 소리의 합성, 조이고 맺고 풀어내리는 장단 등 사물놀이를 구성하는 질서는 긴장, 이완의 원리와 음양조화의 원리다.

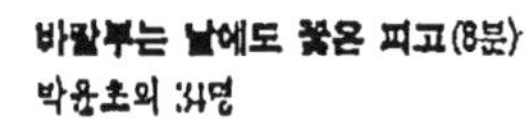

바람부는 날에도 꽃은 피고(8분)
박윤초외 34명

수난 속에서도 끈질기게 일어서고, 다시 꿈으로 태어나는 광대들의 정신, 그 정신은 한민족의 정신이기도 하다. 서구연극과 한국의 전통연극을 접목시켜, 전통과 현대를 이상적으로 모자이크한 이미지로 한국인의 심성구조를 표현하고 있다.

0067

유엔과 　 예고 (의전)

서 울 특 별 시

문화 35100-317　　　　750-8453　　　　'91. 7. 25

수신 외무부장관

참조 의전과장

제목 자료 파악 협조

1. 귀부의 무궁한 발전을 기원합니다.

2. 우리시에서는 '91. 시민문화축제를 계획하고 있습니다. 이와 병행하여 우리나라 유엔가입을 범시민적으로 경축하는 행사를 동시에 개최할 예정입니다.

3. 이에따라 '91.7.현재 유엔회원국가명(159개국)과 회원국중 미수교 국가명을 파악하고자 하니 빠른 시일내에 통보하여 주시기 바랍니다.,

가. 행사개요

0. 행 사 명 : 유엔가입경축기념 및 '91.시민문화축제

0. 일 시 : '91.9.28 14:00-12:00

0. 장 소 : 시청앞-동대문운동장, 한강시민공원

0. 내 용 : 유엔가입기념 경축행렬, 역사문화행렬, 전통문화행렬, 축하공연 등. 끝.

서 울 특 별 시 장

문화관광국장전결

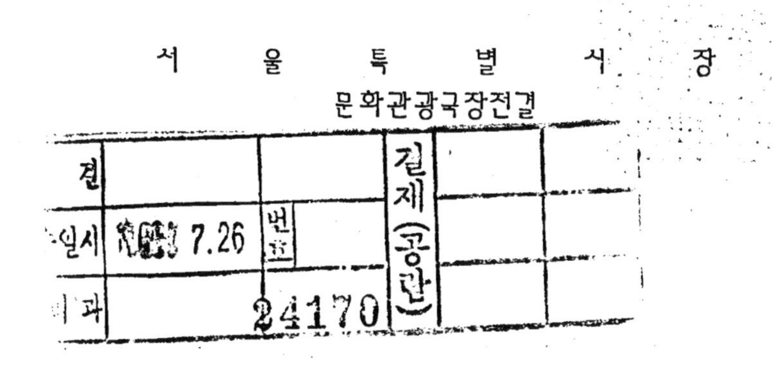

접수			결재(공람)	
일시	7.26	번호		
처리과	24170			

0068

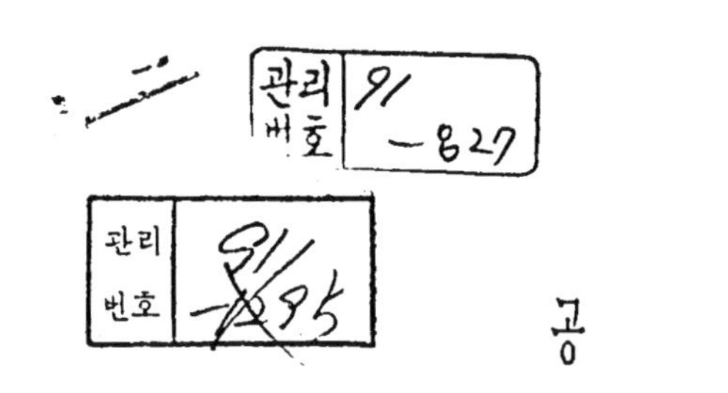

38/43

공 보 처

기획 35260-86-1883 1991. 7. 26.

수신 외무부 장관

참조 문화협력국장

제목 유엔가입계기 해외홍보계획 송부

91.9.17 유엔가입과 관련한 해외홍보계획을 별첨 송부하오니 현지 실정에 맞는 자체홍보계획을 수립.시행하여 주시고 동계획과 추진상황을 수시로 보고하여 주시기 바랍니다.

첨부 유엔가입계기 해외홍보계획 1부. 끝.

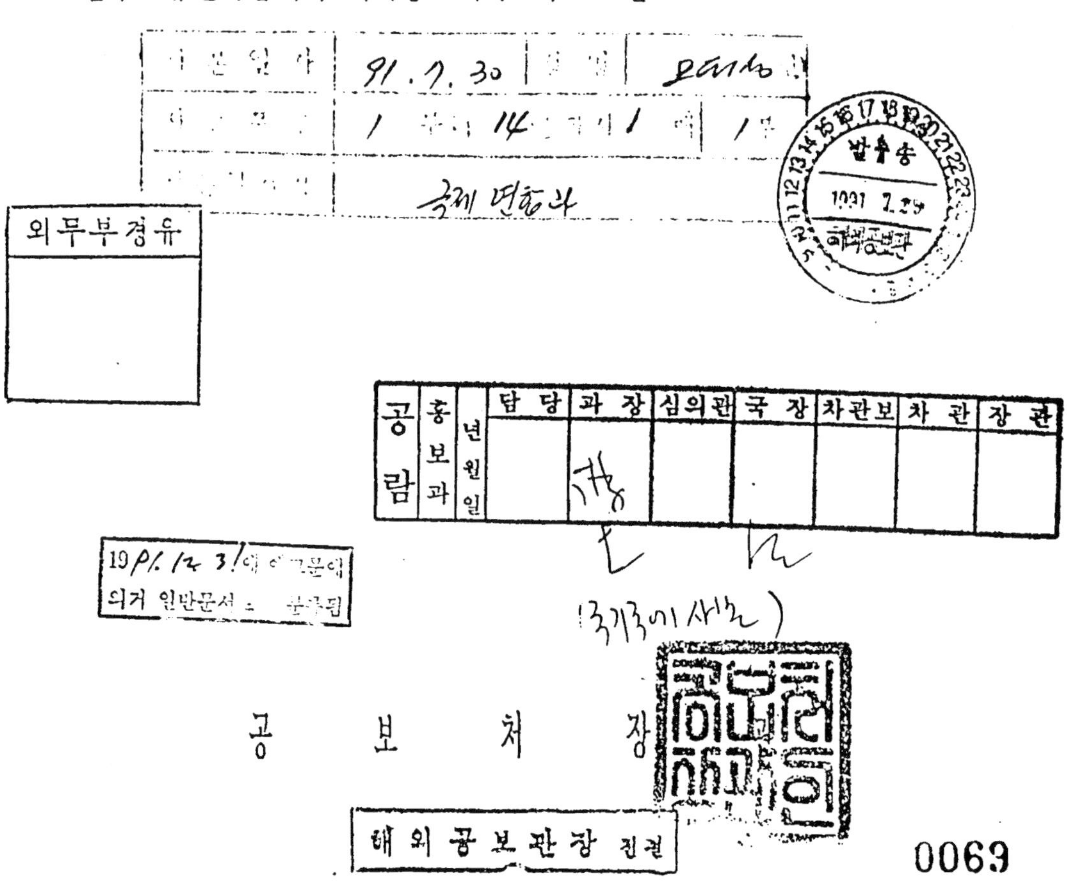

91. 7. 30

국제연합과

외무부경유

공람	홍보과	년월일	담당	과장	심의관	국장	차관보	차관	장관

1991. 12. 31.에 예고문에 의거 일반문서로 재분류됨

공 보 처 장

해외공보관장 전결

0069

報　　告　　書

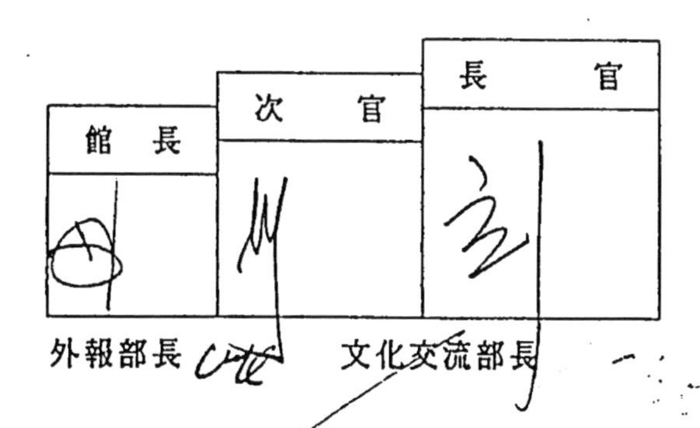

企劃 35264-

報告日　: 1991. 7.

報告者　:　企劃部長

外報部長　　文化交流部長

題目 : 유엔加入契機 海外弘報計劃(案)

《報 告 要 旨》

91.9.17日 유엔加入과 關聯한 海外弘報를 別添과 같이 施行코자합니다.

海　外　公　報　館

0070

유엔加入契機 海外弘報計劃(案)

1991. 7. 25 (企劃部)

I. 目標

- UN을 中心으로 北韓의 開放을 誘導하는 國際的인 雰圍氣를 造成함

- 6共和國 最大의 外交成果로서, 유엔加入을 實現한 노태우大統領의 指導者像을 國內外에 浮刻함

- 우리의 主導的인 南北韓關係 改善 및 國際協力 實現勞力을 올바로 周知시킴

努力

II. 推進戰略

- 유엔과 韓國과의 歷史的 關係를 背景으로 우리의 높아진 位相을 再照明함

- 成功的인 서울올림픽 開催, 東歐圈 修交, 韓.蘇 頂上會談.南北韓 유엔 同時加入등 北方政策의 勝利를 中心으로 유엔加入의 意義를 浮刻함

- 南北韓의 지나친 弘報競爭을 止揚하고, 眞正한 南北韓 關係가 定立되도록 國內外의 報道方向을 調節해 나감

0071

o 北韓의 豫想되는 政治宣傳에 대해서는 大統領의 統一 3大課題등을 中心으로 우리의 立場을 持續 弘報함.

< 北韓의 豫想되는 政治宣傳 >

. 南北不可侵宣言 問題
. 休戰協定의 平和協定으로의 對替問題
. 유엔사 解體問題
. 韓半島의 非核地帶化 問題
. 駐韓美軍 撤收問題

III. 細部事業

< 主要 事業 >

① 大統領 메디아行事(CNN,PBS,NYT,WSJ등 會見)
② WSJ지 會長團과의 朝餐會 開催(檢討)
③ 유엔演說場面 錄畵放映(C-SPAN, CNN)
④ 報道資料.弘報刊行物 持續供給(유엔.뉴욕외신)
⑤ 유엔.서울.東京常駐特派員對象 事前브리핑
⑥ ABC放送 Nightline 對談特輯 放映
⑦ NYT, WP지등 有力言論에 社說揭載
⑧ Newsweek 國際版 카바스토리 揭載
⑨ 國旗揭揚式등 關聯行事 報道擴散
⑩ 유엔加入 慶祝 『Korea Week』 行事 開催
⑪ 展示, 公演, 映寫會등 紀念文化行事 開催
⑫ A.S등 政策.學術團體 活用 세미나 開催

0072

1. 事前弘報

가. 大統領 메디아行事(檢討)

ㅇ 大統領 TV 會見
- 時　　期 : 8월말 - 9월초
- 프로그램 : CNN방송 Bernard Shaw 또는
PBS방송 MacNeil Lehrer프로그램
- 方　　法 :
. 유엔訪問前 錄畵인터뷰
. 유엔演說 前後 放映

ㅇ NYT 또는 WSJ지 會見
- 時期 : 9월초
- 會見 : NYT지 東京支局長 S.Weisman 또는
WSJ지 서울支局長 D.Darlin

나. 報道.解說資料 製作.配布(4回)

ㅇ 實現되는 南北韓 同時유엔加入
- 유엔加入까지의 經緯
- 北方政策의 成果등 强調

ㅇ 韓半島와 유엔
- 政府樹立以後 韓國과 유엔과의 關係
- 걸프전 支援등 유엔活動에의 積極的인 參與紹介

0073

ㅇ 南北韓 유엔加入과 韓半島 統一
- 유엔사 問題
- 休戰協定에서 平和協定에로의 轉換등 우리의 立場 整理

ㅇ 南北韓 統一方案 比較
- 韓民族 共同體 統一方案의 現實性, 妥當性 浮刻

다. 外信 및 與論形成層對象 背景說明

ㅇ 서울常駐外信 懇談說明會(8-9월)
- 說明 : 公報處長官, 김종휘特補등
- 對象 :
. 4대通信등 歐美界 外信
. 아사히新聞등 日本 外信등 區分 實施

ㅇ 서울常駐外信 브리핑(8.5일)
- 主管 : 外務部 第 1次官補
- 時期 : 유엔加入案 申請時

ㅇ 서울常駐外信 워크샵 開催(9月初)
- 主題 : 유엔加入以後의 南北韓 關係
- 參席 :
. AP通信 K.Tunney등 歐美界 外信 7-8명
. 김학준補佐官, 이동복特補, 정종욱敎授, 정일영世宗硏究所 所長등

0074

o 유엔常駐外信對象 브리핑(9.10前後)

- 時期 : 韓民族共同體 統一方案 發表 2周年 契機
- 實施 : 駐유엔大使

o 蘇聯, 中國特派員 特別接觸活動(8-9월)

- 實施 : 駐유엔, 홍콩, 蘇聯公報官등
- 方法 : 報道.解說資料의 直接提供에 의한 接觸活動

o 東京, 홍콩등 主要地域 常駐特派員 個別說明活動 (8-9월)

- 東京常駐 : NYT지 S.Weisman, WP지 T.Reid, CSM지 C.Jones등 20명
- 홍콩常駐 : 불란서 Liberation지 P. Sabatier등 10명

o 유엔 Rotary Int'l Club 演說會 開催(9.5)

- 演說 : 駐유엔大使
- 場所 : Roosevelt 호텔
- 參席 : 同 클럽會員 및 유엔 各國代表團 500명 招請

라. 主要 新聞.放送에 特輯 報道

o CNN 特輯 放映

- 프로그램 : World Report(Int'l Hours)등 適宜 選定
- 主　　題 : 韓國의 유엔加入과 國際社會에서의 役割
- 方　　法 : MBC製作 프로그램 提供

0075

o Newsweek 國際版 카바스토리 掲載
- 構成 : 大統領寫眞 및 유엔加入關聯 우리立場 收錄
- 推進 : 뉴욕 및 東京公報官 同時 推進
. 뉴욕 : 本社 編輯局長 R.Smith와 協議
. 東京 : 東京支局長 B.Martin과 協議
- 方法 : 個別接觸 및 寫眞등 關聯資料 提供

o NYT, WP지등 有力新聞 社說 및 寄稿文 掲載
- 方法
. 論說主幹 또는 論說委員, 韓國擔當 데스크 接觸
. 駐美大使, R. Scalapino教授등의 寄稿
- 對象
. NYT : Leon Sigal(安保), Paul Lewis(유엔支局長)
. WP : Don Oberdorfer(國務部 出入記者),
S.Rosenfeld(論說副主幹)
. WSJ : Karen House, Lee Lescaze(外信部長) 등

o 유엔 外交專門紙 特輯 掲載
- 媒體 : 隔週間紙 Diplomatic World Bulletin
- 內容 :『유엔과 韓國』등 主題의 6面 特輯

마. 國內 循環弘報活動 强化
o 對象
- 駐뉴욕(11), 워싱턴(23), 타성(9) 特派員 40여명
- KBS, MBC등 國內言論의 訪美取材陣

0076

ㅇ 方法

- 駐美大使, 뉴욕.라성總領事의 事前 背景說明會
- Cuellar 유엔事務總長, V.Safronchuk 安保理擔當 事務次長, 미.영.독등 安保理 理事國大使 인터뷰
- 蘇聯 TASS, Pravda, Izvestia, 中國 Xinhua通信 유엔支局長과의 인터뷰등

바. 公報處次官 뉴욕.멕시코 訪問弘報 檢討(9月初)

ㅇ 期間 : 約 1주일 (뉴욕 4일, 멕시코 3일)

ㅇ 活動

- Asia Society 午餐演說會
- 有力 言論人 面談
  . NYT 論說委員 David Unger, Leon Sigal
  . WSJ 外信部長 Lee Lescaze
  . 멕시코 Excelsior , El Sol de Mexico지 幹部등
- 뉴욕駐在 韓國特派員團 說明會(5個社 8名)
- 僑胞言論 社長.編輯局長團 說明會

2. 期間中 弘報

가. 行事關聯 메디아 活用

ㅇ 國旗揭揚式 報道擴散(9.17)

- 場所 : 유엔本部
- 對象 : ABC, NBC, CBS, CNN, VISNEWS, WTN등 廣域 映像媒體 活用

0077

o 外務部長官 日程 報道擴散(9.15-18)

- Cuellar 事務總長 面談
- 受諾演說 衛星中繼(9.17)
- 演說後 유엔常駐特派員對象 記者會見(9.17)
- Council on Foreign Relations 朝餐演說(9.18)
- 主要 유엔常駐特派員 懇談會
- 國內言論 特派員과의 懇談會등

o ABC.CNN 放送 對談特輯 放映(9.17)

- 프로그램 : ABC放送 Nightline 또는
  Good Morning America등
- 出　　演 : 駐美大使, 駐유엔大使
- 主　　題 : 韓國의 유엔加入 意義와 展望

o 大統領 유엔演說 錄畵放映(9.24)

- 對象 : C-SPAN(美全域), CNN(全世界 對象)
- 方法 : 演說 取材支援 및 충분한 資料提供 實施

o 大統領, 美國言論과의 行事開催(檢討)

- 對象 : Wall Street Journal지
- 形式 : Peter Kann, Karen House 등 會長團과의
  朝餐會

o 寄贈品 傳達式 報道擴散

- 日時 : 未定(寄贈品은 8월초 確定豫定)
- 方法 : 報道資料 事前配布, 映像媒體 取材周旋등

0078

나. 유엔加入 慶祝 『Korea Week』 行事 (9.22-28)

ㅇ 主管 : 駐뉴욕總領事館, 뉴욕韓人會

ㅇ 推進 : 汎橋民次元의 行事로 推進

ㅇ 行事 : 5個 行事로 構成

-『慶祝 Parade』 (9.22, 秋夕節)

. 코스 : 유엔本部앞 함마숄드廣場 通過

. 支援 : 每年 10월 開催되는 定例Parade를 今年에는 早期 開催토록 支援

-『韓國의 날』 宣布式 (9.24, 유엔演說日)

. 主管 : Dinkins 뉴욕市長

. 場所 : Battery Park 韓國參戰紀念碑 廣場

. 活用 : 大統領 유엔演說의 弘報效果 提高

-『慶祝公演 리셉션』 (9.25)

. 場所 : 뉴욕 Carnegie Hall

. 內容 : 國立公演團의 慶祝公演後 美國政府, 유엔 各國 代表團등 關係人士 招請

-『慶祝 懸垂幕』 揭揚 (9.22-28)

. 場所 : 함마숄드廣場, Battery Park 韓國參戰紀念碑 廣場, Carnegie Hall 거리등

. 內容 : 韓國的인 慶祝雰圍氣를 造成

-『橋民 慶祝行事』 (9.26-28)

. 行事 : 橋民合同 野遊會(9.28), 慶祝 테니스 또는 골프大會(9.26 또는 9.27)

. 活用 : 橋民들의 自發的인 參與를 促進

0073

다. 紀念 文化.藝術行事 開催

ㅇ 『韓國의 禪』 行事 開催(9.21-22)
- 主管 : Asia Society
- 行事
. 禪舞踊 公演(4回)
. 韓國의 佛畵, 佛敎音樂 및 舞踊關聯 講演(2回)
. 僧舞, 달마상 그리기 示範
. 禪畵展示, 傳統茶 試飮會등
- 活用 : NYT지 Arts and Leisure 란등에 記事化

ㅇ 韓國紹介 映寫會 開催(9-10月中)
- 場所 : 유엔圖書館 講堂(Dag Hammarskjold Auditorium)
- 招請 : 유엔 各國 代表團, 常駐特派員, 事務處 職員등
- 契機 : 유엔加入(9.17), 大統領 유엔演說(9.24), 유엔 Day(10.24)등 活用

ㅇ 國立公演團 뉴욕.라성 公演(文化部 主管)
- 時期 :
. 9.25 : 뉴욕 카네기홀
. 9.21 : 라성 Shrine Auditorium
- 公演團 : 135명
. 國立國樂院
. 國立舞踊團

0080

라. 著名 政策·學術硏究團體 活用 弘報

ㅇ A.S. 韓半島 프로젝트關聯 國際會議 活用
(9.11-13, 워싱턴)
- 韓半島 硏究調査團의 最終報告書에 유엔加入 關聯內容 包含
- 國際會議時 細部主題로 選定케하여 討論을 誘導

ㅇ 『韓半島 統一을 위한 課題』 學術行事 開催(9월)
- 主管 : Asia Society 또는 Columbia대 韓國學센터
- 參與 : 美國內 主要 韓國學 專門家, 學者
. Columbia대 G. Ledyard
. Harvard대 C. Eckert 등

마. 弘報刊行物 製作·配布

ㅇ 刊行物
- Facts about korea
- Press Information kit
- 大統領 小形畵報, 大統領 略歷
- 『유엔과 韓國』등 素材의 Backgrounder

ㅇ 對象 : 유엔, 뉴욕常駐 特派員(850명)
- 유엔常駐特派員 : 350명
- 뉴욕常駐特派員 : 500명

ㅇ 言語 : 英語이외에 佛語, 西語등 유엔公用語 刊行物 配布 擴大

0081

3. 事後弘報

가. 政策.學術紙에 유엔加入의 意義 特輯揭載

- 對象 : Foreign Policy, Foreign Affairs등
- 主題
  - 南北韓 유엔加入과 韓半島 統一展望
  - 南北韓 유엔加入과 極東아시아에서의 美國의 役割
- 寄稿
  - Council on Foreign Relation 先任研究員 Alan Romberg
  - 前駐韓美大使 W.Gleysteen(Japan Society會長)등

나. 政策, 學術研究團體 活用 세미나 開催

- Georgetown대 韓國關係 세미나(10월 및 12월)
  - 유엔加入과 韓半島 統一(10월)
  - 北東아시아에서의 새로운 變化(12월)

- Columbia대 韓國포럼 開催(10-11월)
  - Columbia대 學生會 主管
  - 유엔加入의 意味와 向後 南北韓關係

- 蘇聯科學院 主管 國際學術포럼(10-11월)
  - 유엔加入以後의 南北韓 關係
  - 韓半島 平和統一을 위한 蘇聯의 役割등

0082

Ⅳ. 弘報支援要員 派遣

가. 弘報重點地域에 于先 派遣(2個處 2名)

o 對象

- 유엔 : 유동훈 駐뉴욕文化官
- 동경 : 이성언 放送 1課長(駐日公報官 豫定)

o 時期 : 8월中旬(行事 1個月前)

나. 地球村行事 弘報支援要員 派遣 (別途 報告豫定)

o 地域 : 멕시코.유엔.호놀루루.시애틀등 4個處
o 人員 : 美州地域 公報官 및 本部 派遣要員
o 規模 : 追後 決定

0083

문 화 부

국 교 35104-10105 (720-4038) 91.07.29

수 신 외무부장관

참 조 국제기구조약국장

제 목 UN가입 계기 경축 국립예술단 파견관련 협조요청

1. 우리부는 귀부의 협조하에 금년 9월 UN가입 계기 경축 국립예술단을 '91.9.19-10.15간 미국, 소련, 폴란드, 유고, 체코의 5개국에 파견코자 사업추진중에 있습니다.

2. 금번 국립예술단 순회공연은 우리 전통문화를 상기 5개국에 심도깊게 소개하는 문화사절단의 성격을 가지고 있다고 판단되는바, 동 공연단 소속 인사에 대한 관용여권 발급(단, 관용여권 기 소지자, 민간예술인, 기자단은 제외), 순방국 비자취득을 위한 비자노트발급 및 출국신고 등에 적극 협조하여 주시기 바랍니다.

3. 관용여권 신규발급 대상자 명단 등 상세내용은 확정시 통보할 예정입니다.

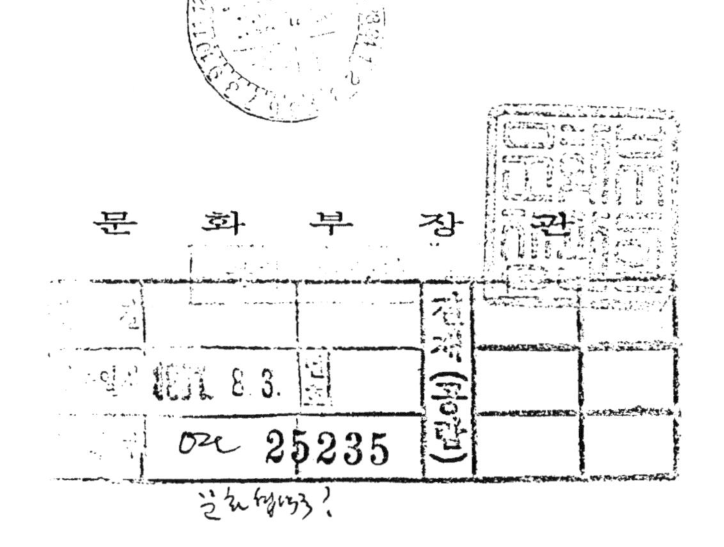

문 화 부 장 관

0084

기안용지

분류기호 문서번호	국연 2031- 35624	(전화:)	시 행 상 특별취급	
보존기간	영구·준영구. 10. 5. 3. 1	장	관	
수 신 처 보존기간				
시행일자	1991. 7. 31.			

보조기관	국 장	전결	협조기관		문서통제
	심의관				검 열 1991. 7. 31 통 제 관
	과 장				
기안책임자		여승배			발 송 인

경 유 수 신 참 조	서울특별시장	발신명의		발송 1991. 7. 31 외무부
제 목	유엔가입 경축기념행사 관련자료			

대 : 문화 35100-317 (91.7.25)

대호, 표제자료를 별첨 송부하니 업무에 참고바랍니다.

첨부 : 상기자료 1부, 끝.
(및 유엔 개황(책자))

0085

8/1 행정, 외교안보 지친 협의

文化部, UN가입 경축공연 행사비 조달 고심

o 文化部는 우리의 역사적인 UN 가입을 대외적으로 부각시켜 홍보하기 위해

- 최근 전통예술인을 중심으로 160여명의 경축공연 사절단을 구성하여, 9.19 - 10.12간 美國·蘇聯·폴란드·유고·체코 등 5 개국을 순회하며 공연을 가질 계획을 마련하고, 소요예산 15億원의 확보문제를 검토중이나
- 國庫(예비비신청)에서 충당할수 있는 예산 8億 7,000萬원 이외의 부족분에 대해서는, 「文振院」등 산하단체 및 관심 있는 기업에서 지원받는 문제를 다각도로 검토하는등 대책 마련에 고심하고 있음.

o 그런데 文化部는 이번 행사시 우리 문화의 우수성을 홍보하기 위하여

- 경축사절단 요원을 아악·대금독주·시나위 연주·가야금독주·북의대합주·판소리·사물놀이분야 전통예술인 135명으로 구성하고
- LA(9.21)·뉴욕(9.25)·蘇聯(9.30)·폴란드(10.3)·유고(10.6)·체코(10.12) 순으로 순회공연 일정을 확정한데 이어
- KAL 전용기 이용문제를 검토중이나, 항공사측이 항공기사용료로 최소한 500萬弗(35億원)을 요구하고 있어 행사차질이 우려된다며 대책마련에 고심하고 있음.

=

長 官 報 告 事 項

報 告 畢

1991. 9. 4.
文化協力局
文化協力1課(12)

題 目 : 유엔加入 契機 文化弘報行事

1. 文化使節團 "소리패" 公演順序

- ㅇ 20:00 제1부 관과현
  - Prologue: 가야금 산조
  - 아 악: 전폐회문
  - 대금산조
  - 가 곡: 이수대엽
  - 가야금 앙상블: 심향무
- ㅇ 20:40 휴식
- ㅇ 21:05 제2부 타악기와 소리
  - Prologue: 천수고
  - 북의대합주: 오늘이 오늘이소서
  - 판 소 리: 춘향가
  - 판 소 리: 심청가
  - 사 물 놀 이
  - Epilouge: 창("바람부는 날에도 꽃은피고"중에서)
- ㅇ 21:55 앙코르 접수(농악)

2. 文化使節團, 寄贈品 및 弘報 關聯資料 종합철 作成中. 끝.

0087

공　　　란

공 란

관리 번호	91 -1042

원 본

외 무 부

종 별 : 지 급

번 호 : JAW-5084 일 시 : 91 0905 1647

수 신 : 장관(국연,영재,아일)

발 신 : 주 일 대사(일정)

제 목 : 민단주최 국련가입 축하행사

연:1)JAW-5049,2)F 992

1. 금 9.5(목)당지 민단 중앙본부측은 9.17 남북한 유엔가입에 제하여 아래와 같이 축하행사 개최를 검토하고 있음을 알려오면서, 이에 대한 정부측 의견을구하여 왔음

개최일시:91.9.19(목) 정오경

형식:리셉션

장소:시내호텔

초청대사: 민단원 및 일정계등 각계인사

참고:- 축하명목을 남북한 유엔 가입으로 할지 또는 한국의 유엔가입 만으로 할지등은 검토중

- 본행사 개최관련, 조총련측에도 일단 공동주최를 제의했으나 상금 조총령측으로부터 반응이 없다하며, 민단으로서는 단독 주최할 의향으로 있음.

2. 한편, 당지의 남북한 유엔가입 관련 행사로서는 연호 1)박경윤등이 주동한 9.18(수)"남북 국련가입 기념 축하연 실행위원회"주최 행사가 예정되어 있으며, 행사 목적은 다르나 일.북 수교교섭 관련, 연호 2) "3 당 공동선언 1 주년 기념"행사가 오자와 이찌로 전자민간사장, 야마하나 사회당 서기장, 이시이 하지메 일조의련 회장, 시마자끼 일조의련 사무국장 공동명의 초청으로 9.19(목) 18:00 시내 호텔에서 있을 예정임.

3. 한편 민단측은 상기행사를 개최할 경우,9.18-21 간 방일예정인 김영삼 민자당 대표최고위원을 초청하겠다함

4. 상기 민단측 문의에 대해 당관은 일단 민단측이 전술 2 항 행사등에 대항하는 차원에서 여사한 행사를 개최할 필요까지는 없다는 의견을 피력해 두었는바, 금번 유엔가입에 제하여 정부가 구상중인 대내외 축하행사 계획과 관련, 상기 민단측

국기국 장관 차관 1차보 2차보 아주국 영교국 외정실 분석관
청와대 안기부

PAGE 1

91.09.05 18:03

외신 2과 통제관 BW

91.12.31. 에 예고문에 의거 일반문서로 재분류

0090

구상에 대한 본부의견을 조속 회시바람.

5. 참고로 금번 유엔가입에 제하여 국내에서 거행될 정부 또는 민간 주최 축하 행사가 있는지, 동내용을 회시바람. 끝

(대사 오재희-국장)

예고:91.12.31 일반

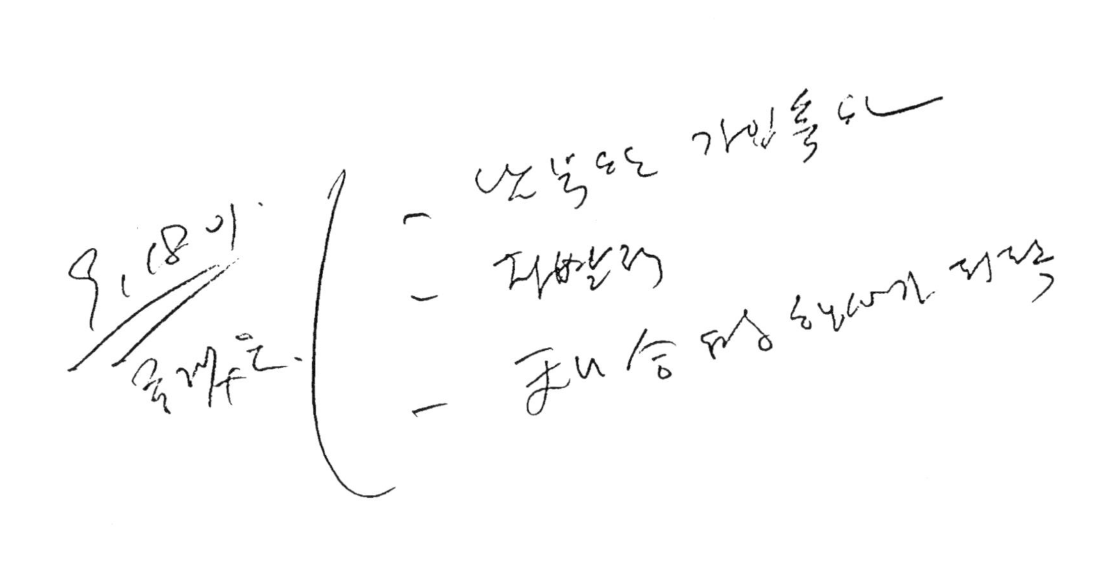

PAGE 2

0091

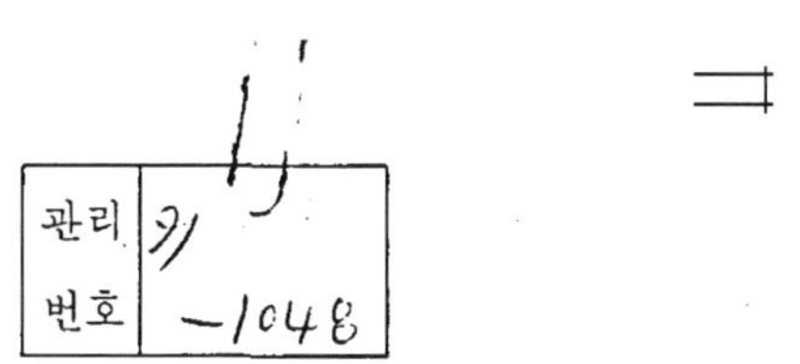

관리 번호 91-1048

분류번호	보존기간

발 신 전 보

번 호 : WJA-4010 910906 2000 FH 종별 :

수 신 : 주 일 대사. 총영사 (국연)

발 신 : 장 관

제 목 : 국련가입 축하행사

대 : JAW - 5084

1. 대호 축하행사 관련, 동 행사가 민단의 자발적인 축하행사라는 전제하에서 동행사가 개최되어도 무방하다고 보며, 가능한 남북한간 대결적 차원의 행사가 아닌 화합적 행사가 되도록 함이 좋을것으로 봄.

2. 따라서 축하명목도 남북한 유엔가입으로 하고 조총련에 대한 공동주최 문제를 계속 추진토록 하는 것이 좋을 것으로 사료됨.

3. 한편, 현재 계획에서는 특별한 공식적인 축하행사는 없으며, 다만 각지방별로 축하문화행사들이 계획되어 있음을 참고바람. 끝.

1991. 12. 31에 예고문에 의거 일반문서로 재분류됨

(국제기구국장 문동석)

영사교민국장 :

아 주 국 장 :

보 안 통 제	

앙 고 재	91년 9월 6일	유엔과	기안자 성 명		과 장	심의관	국 장		차 관	장 관

외신과통제

0092

관리 번호 91-4757

외 무 부

종 별 : 지 급

번 호 : NYW-1337 일 시 : 91 0909 1700

수 신 : 장 관(재이,의전,국연)

발 신 : 주 뉴욕 총영사

제 목 : 유엔 가입경축 행사

대:WNY-1496

연:NYW-1327

1. 대호 추석맞이 행사는 연예인의 대교포위문행사에 중점을 두고있으며, 장소에도 다소의 혼잡이 예상되므로 외무장관에 대한 초청은 본직의 참석으로 가름함이 좋을것으로 사료됨.

2. 황인석 뉴욕한인 청과상 조회장은 9.16 외무장관 초청 교민간담회에 참석 예정임을 참고바람.

(총영사-국장)

예고:91.12.31. 일반

91.12.31.

영교국 장관 의전장 국기국

PAGE 1

91.09.10 08:37

외신 2과 통제관 BS

0093

관리번호	91-1334

원 본

외 무 부

종 별 :

번 호 : JAW-5177　　　　일 시 : 91 0910 1811

수 신 : 장관(국연,영재,아일)

발 신 : 주 일 대사(일정,일영)

제 목 : 국련가입 축하행사

대:WJA-4010

연:JAW-5084

1. 당지 민단측은 대호에 따라 9.7(토) 조총련측에 표제행사의 공동주치를 제의하였으나, 조총련측(정치부국장)은 이를 거부하였다함.

2. 이에, 민단측은 작 9.9(월) 민단중앙 집행위를 열고 연호와 같이 9.19(목) 정오 제국호텔에서 "남, 북한 유엔가입 축하"리셉션을 민단단독으로 개최키로 결정하였음.

끝

(대사 오재희-국장)

예고:91.12.31 일반

19 91.12.31.에 예고문에 의거 일반문서로 재분류됨

국기국 장관 차관 1차보 2차보 아주국 영교국 외정실 분석관 청와대 안기부

PAGE 1

91.09.10 18:59

외신 2과 통제관 CD

0094

공 란

유엔가입자축 다과회시 차관님 말씀요지

91. 9. 18.
국제연합1과

o 우리나라가 오늘 새벽 유엔의 정회원국이 된것을 여러분들과 함께 기쁘게 생각함.

- 유엔가입은 지난 40여년간 우리 외무부가 해결해야 할 숙제였음.
- 유엔 비회원국이라는 불리한 위치에 처하여 그동안 고생도 많이 했음.
- 우리 선배, 동료들이 그동안 유엔가입을 위해 들인 정성과 노력을 다시한번 생각하게 되며, 이제 그렇게 애쓴 보람의 결과가 나타나게 되어 깊은 감회에 젖게 됨.

o 우리의 유엔가입은 제6공화국이 적극적으로 추진해 온 북방외교의 가장 대표적인 가시적 성과임.

- 우리가 노력하지 않았는데에도 그저 굴러 떨어진 과실이 아님.
- 올바른 정책을 흔들림없이 추진한 땀흘린 댓가임.

0096

o 우리의 유엔가입은 여타 국가들의 유엔가입과는 성격과 그 의의가 다름.

- 우리가 유일한 범세계적 기구인 유엔에서 제자리를 찾았다는 의미 이외에도,

- 그간 북한이 끈질기게 반대해 온 남북한 동시가입을 성사시킴으로써 남북한 관계의 새로운 전기를 마련하는 동시에, 북한내부의 긍정적인 변화를 기대해 볼 수 있을 것임.

o 우리의 유엔가입은 새로운 출발을 의미함.

- 우리가 오늘을 축하하는 것은 우리외교의 새로운 장을 열면서, 보다 성숙되고 한차원 높은 외교활동을 할수있게 되었다는 기쁨과 또한 그렇게 하겠다는 결연한 다짐을 하는데서 그 진정한 의미를 찾아야 할것임.

- 앞으로 외교망 재정비, 유엔에서 다루어지는 각종 의제에 대한 우리의 입장정리등 유엔가입에 따라 우리가 실무적으로 취해야 할 제반조치들을 차근차근 준비해 나가야 할것임.

o 다시한번 우리의 숙원과제를 해결하였음을 기뻐하며, 그동안 투철한 사명감을 가지고 헌신적으로 일해 온 여러분들의 노고를 진심으로 치하함. 끝.

0097

원 본

외 무 부

연일

종 별 :

번 호 : JAW-5392 일 시 : 91 0919 1726

수 신 : 장 관(연일,아일,재일)

발 신 : 주 일 대사(일영)

제 목 : 민단주최 남북한 UN 가입 자축회

1. 금 9.19(목) 12:00당지 제국호텔에서 재일거류민단 주최의 남북한 UN 가입 자축회가한.일 양측으로부터 약 500여명이 참석한 가운데 성황리에 개최되었음.

2. 특히 일본측으로부터는 국회개원에도 불구하고, 사꾸라우찌 중원의장을 비롯하여 가또무츠끼 자민당 정조회장, 이시다 공명당위원장, 보우찌 민사당 위원장등 중.참의원다수가 참석하여 축하의 뜻을 표명하였는바, 그중 오우찌 민사당 위원장은 금번남 북한유엔 동시가입은 노태우 대통령의 북방외교가 뒷받침이된 한국외교의 승리라고 언급하여 장내의 커다란 호응을 얻었음.

3. 본직은 축사를 통하여 ,금번 남북한 유엔가입을 계기로 북한이 국제사회의 책임있는 일원으로 행동하고 한반도의 긴장완와 및 통일여건이 성숙되기를 기대함과동시에, 유엔체제하에서도, 한.일양국간의 협력관계를 더욱 강화해 나갈 것임을 강조하였음을 참고 보고함.끝.

(대사 오재희-국장)

국기국 아주국 영교국

PAGE 1

91.09.20 01:10 FO

외신 1과 통제관

0098

4. 유엔가입 기념우표 발행

0093

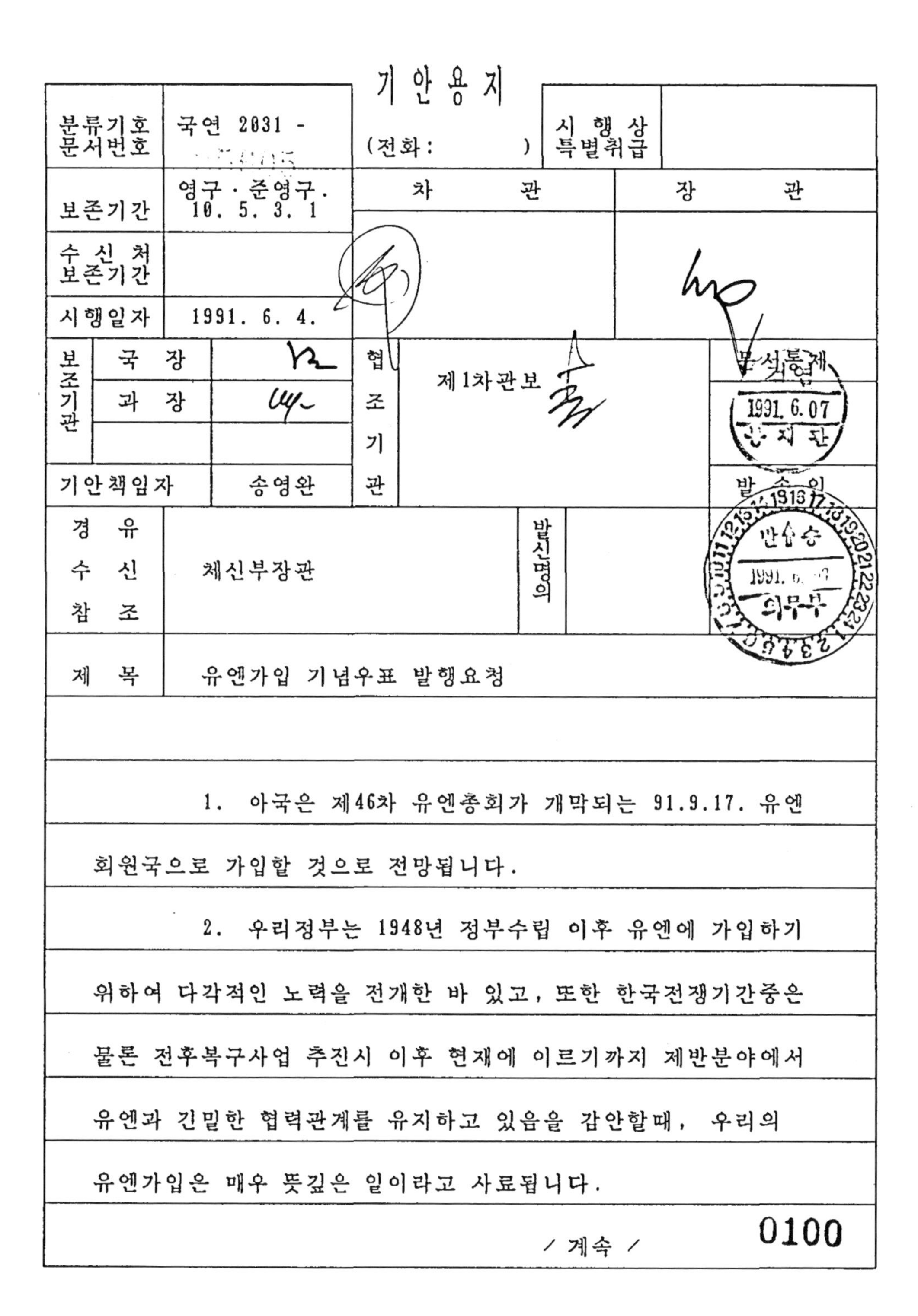

기 안 용 지

분류기호 문서번호	국연 2031 -	(전화 :)	시 행 상 특별취급	
보존기간	영구 · 준영구. 10. 5. 3. 1	차 관		장 관
수 신 처 보존기간				
시행일자	1991. 6. 4.			

보조기관		협조기관		문서통제
국 장		제1차관보		1991. 6. 07
과 장				
기안책임자	송영완			발 송 인

경 유 / 수 신 / 참 조	체신부장관	발신명의		1991. 6. 의무부
제 목	유엔가입 기념우표 발행요청			

1. 아국은 제46차 유엔총회가 개막되는 91.9.17. 유엔 회원국으로 가입할 것으로 전망됩니다.

2. 우리정부는 1948년 정부수립 이후 유엔에 가입하기 위하여 다각적인 노력을 전개한 바 있고, 또한 한국전쟁기간중은 물론 전후복구사업 추진시 이후 현재에 이르기까지 제반분야에서 유엔과 긴밀한 협력관계를 유지하고 있음을 감안할때, 우리의 유엔가입은 매우 뜻깊은 일이라고 사료됩니다.

/ 계속 /

0100

(2)

3. 따라서 9.17.자 우리의 유엔가입을 계기로 한 기념 사업의 일환으로 별첨과 같이 기념우표를 발행할 것을 요청하오니 적극 협조하여 주시기 바랍니다.

첨 부 : 유엔가입 기념우표 발행의뢰서 1부. 끝.

0101

유엔가입 기념우표 발행의뢰서

1. 발행희망일 : 91. 9. 17.(화) (단, 배포일은 9.18(수))

   * 우리의 유엔가입은 뉴욕시간으로 9.17(화) 오후에 결정될 것인 바, 이는 한국시간으로 9.18(수) 오전에 해당됨.

2. 기념우표 명칭 : 유엔가입 기념우표

3. 요청사유

   o 유엔은 국제평화와 안전의 유지 및 국제협력의 촉진을 주요임무로 하는 보편적 국제기구로서 현재 159개국이 회원국으로 활동하고 있음.

   o 우리나라는 정부수립 과정과 한국전쟁시를 계기로 유엔과 관계를 맺은이래 전후 복구사업 추진시 이후 현재까지 유엔과 긴밀한 협조 관계를 계속 유지하고 있음.

   o 우리는 유엔가입을 통하여 우리의 국제적 위상을 제고할 수 있을 것이며, 북한도 유엔가입을 신청키로 결정함에 따라 남북한이 유엔에 함께 가입하게 될 전망인 바, 이는 한반도에서의 긴장완화에 기여하고 평화통일을 촉진하게 될 것임.

4. 기념우표 도안시 참고 요망사항

   o 태극기와 더불어 유엔의 상징인 유엔마크(별첨 참조)가 나란히 도안되고 그 하단에 유엔본부건물(별첨 참조) 삽입

   o 가급적 평화를 상징하는 비둘기가 배경으로 활용됨이 바람직

0102

1. 유엔마크

2. 유엔본부 건물

ㅇ 큰 건물은 사무국 건물

ㅇ 중앙의 돔 형태 지붕이 있는 낮은 건물은 유엔회의장 건물

0103

주 국 련 대 표 부

주국련 440 1991. 6. 6.

수신 장 관

참조 국제기구조약국장

제목 유엔 기념우표

당지 리히텐스타인 주유엔대사가 본직에게 보내 온 동국의 유엔가입 기념우표집을 별첨 송부합니다.

첨 부 : 상기 우표집. 끝.

주 국 련 대

선 결			결재(공람)		
접수일시	1991. 6. 10	번호			
처리과		32343			

0104

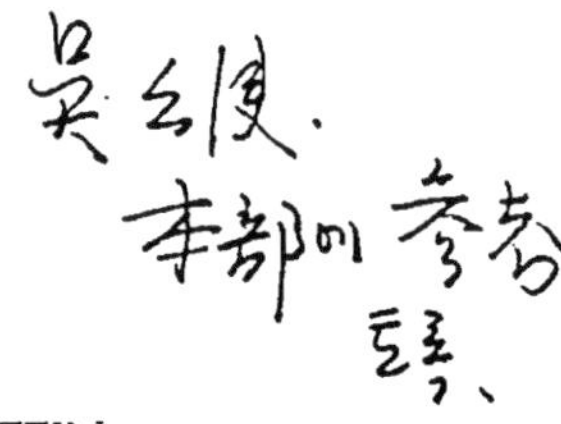

PERMANENT MISSION OF THE PRINCIPALITY OF LIECHTENSTEIN
TO THE UNITED NATIONS

New York, 28 May 1991

Excellency,

On behalf of the Liechtenstein Government, I have the honour to present you with copies of the commemorative stamps issued on 4 March 1991 to mark the admission of the Principality of Liechtenstein to the United Nations on 18 September 1990.

Please accept, Excellency, the assurances of my highest consideration.

Claudia Fritsche
Ambassador
Permanent Representative

His Excellency
Ambassador Chang Hee Roe
Permanent Observer
of the Republic of Korea
to the United Nations
866 UN Plaza, Suite 300
New York, N.Y. 10017

0105

405 LEXINGTON AVENUE, NEW YORK, N.Y. 10174
PHONE (212) 599 0220, FAX (212) 599 0064

PERMANENT MISSION OF THE PRINCIPALITY OF LIECHTENSTEIN
TO THE UNITED NATIONS

New York, 28 May 1991

Excellency,

On behalf of the Liechtenstein Government, I have the honour to present you with copies of the commemorative stamps issued on 4 March 1991 to mark the admission of the Principality of Liechtenstein to the United Nations on 18 September 1990.

Please accept, Excellency, the assurances of my highest consideration.

Claudia Fritsche
Ambassador
Permanent Representative

His Excellency
Ambassador Chang Hee Roe
Permanent Observer
of the Republic of Korea
to the United Nations
866 UN Plaza, Suite 300
New York, N.Y. 10017

405 LEXINGTON AVENUE, NEW YORK, N.Y. 10174
PHONE (212) 599 0220, FAX (212) 599 0064

0106

PRINCIPALITY OF LIECHTENSTEIN
FÜRSTENTUM LIECHTENSTEIN

MEMBER OF THE UNITED NATIONS
MITGLIED DER VEREINTEN NATIONEN

0107

PRINCIPALITY OF LIECHTENSTEIN -
MEMBER OF THE UNITED NATIONS
1990

FÜRSTENTUM LIECHTENSTEIN -
MITGLIED DER VEREINTEN NATIONEN
1990

0108

PREFATORY NOTE
HANS BRUNHART, HEAD OF GOVERNMENT

The admission of the Principality of Liechtenstein to the United Nations on 18 September 1990 was, without doubt, an historical event and a milestone in our country's foreign policy. Admission to this largest and most important world political organization means global recognition of the Principality of Liechtenstein's efforts to contribute both to the establishment and preservation of peace and to the creation of a better world for all.

In this context, Liechtenstein's activities within the framework of the United Nations comprise two elements, constituting on the one hand a logical extension of Liechtenstein's foreign policy in recent decades, aimed above all at safeguarding its sovereignty, and on the other hand an expression of Liechtenstein's commitment to participation in the international solidarity which is called for if the world's major problems are to be solved.

To a large extent, the United Nations is an organization that accords with the existential needs of a small country like Liechtenstein, which in international life cannot invoke might, but only right. Respect for and application of international law, the safeguarding of human rights in all parts of the world, the efforts at international co-operation in the field of development policy and the environment – these are examples of the work of the United Nations and its objectives which impressively demonstrate how essential such commitment is, too, for a small country like Liechtenstein.

Within the framework of its membership in the United Nations as elsewhere, Liechtenstein will not overestimate its modest capabilities. Nevertheless, it will endeavour to do its part in building a better future.

Vaduz, April 1991

Hans Brunhart
Head of Government

ZUM GELEIT
HANS BRUNHART, REGIERUNGSCHEF

Die Aufnahme des Fürstentums Liechtenstein in die Vereinten Nationen am 18. September 1990 war zweifellos ein historisches Ereignis und ein Meilenstein in der Aussenpolitik unseres Landes. Der Beitritt zu dieser grössten und wichtigsten politischen Weltorganisation bedeutet für das Fürstentum Liechtenstein die globale Anerkennung seiner Bemühungen, ebenfalls zur Herstellung und Bewahrung des Friedens sowie zur Schaffung einer besseren Welt für alle beizutragen.

Damit enthalten die liechtensteinischen Aktivitäten im Rahmen der Vereinten Nationen zwei Elemente: Es geht einerseits um eine logische Weiterentwicklung der liechtensteinischen Aussenpolitik der vergangenen Jahrzehnte, welche vor allem die Sicherung der Eigenstaatlichkeit zum Ziele hat, andererseits aber auch um den Ausdruck der Teilnahme Liechtensteins an der internationalen Solidarität, welche nötig sein wird, wenn die grossen Probleme der Welt gelöst werden sollen.

Die Vereinten Nationen sind in hohem Masse eine Organisation, welche den existentiellen Notwendigkeiten eines kleinen Staates wie Liechtenstein entspricht, der sich im zwischenstaatlichen Leben nicht auf Macht, sondern nur auf das Recht berufen kann. Die Respektierung und die Anwendung des Völkerrechts, die Gewährleistung der Menschenrechte in allen Teilen der Welt, die Bemühungen um internationale Zusammenarbeit in Bereichen der Entwicklungspolitik und der Umweltpolitik, dies sind Beispiele aus der Arbeit der Vereinten Nationen und ihren Zielsetzungen, die eindrücklich zeigen, wie notwendig ein solches Engagement auch für ein kleines Land wie Liechtenstein ist.

Liechtenstein wird auch im Rahmen der Mitgliedschaft bei den Vereinten Nationen seine bescheidenen Möglichkeiten nicht überschätzen. Es wird sich aber bemühen, seinen Teil zu einer besseren Zukunft beizutragen.

Vaduz, im April 1991

Hans Brunhart
Fürstlicher Regierungschef

0103

THE POLITICAL DIMENSION LIECHTENSTEIN'S ACCESSIOI— THE UNITED NATIONS

DER UNO-BEITRITT LIECHTENSTEINS IN SEINER POLITISCHEN DIMENSION

NIKOLAUS PRINCE OF LIECHTENSTEIN

PRINZ NIKOLAUS VON LIECHTENSTEIN

The recognition of its sovereignty by other subjects of international law has been and will continue to be of vital importance to Liechtenstein.

Smalness and the resulting increased dependence upon external Powers tend to raise more acutely the question: What does independence amount to, and is it sufficient to warrant recognition as a sovereign State? This essential question of sovereignty has already been answered affirmatively, where Liechtenstein is concerned, by the League of Nations. Liechtenstein's ability to participate in international life through membership in an intergovernmental organisation was thus made even more apparent. In the long term, this entailed the hidden danger of encouraging the erosion of its status as a subject of international law.

The application to join the International Court of Justice raised the question of sovereignty in more substantive terms. Just as it was in the context of the subsequent foreign policy moves on the multilaterial level, the close relationship with Switzerland was put forward as an argument for an alleged lack of indepence. Thus the admission to the International Court of Justice is, especially in the light of its Statute's clear requirements with respect to sovereignty, perhaps the most important testimony in the twentieth century to Liechtenstein's sovereign status.

Despite this global recognition and the ensuing membership in United Nations specialized agencies, as well as Liechtenstein's participation on an equal footing in various European bodies (CSCE, the Council of Europe, etc.), full membership in the United Nations was deemed to be a goal worth pursuing. The various other reasons which make this desire understandable aside, it was also justified from the standpoint of our sovereignty policy. Nearly all countries of the world, from the smallest to the largest, are members of the United Nations. The few that are not have their own specific reasons for not being so, and it is conceivable that even these will

Die Anerkennung der Souveränität durch andere Völkerrechtssubjekte war und ist für Liechtenstein von grösster Wichtigkeit.

Durch die Kleinheit und damit auch durch die verstärkte Abhängigkeit von äusseren Mächten stellt sich die Frage viel akuter, was nun die Eigenständigkeit ausmache, und ob diese für eine Anerkennung als souveräner Staat genüge. Diese eigentliche Frage der Souveränität ist bereits vom Völkerbund für Liechtenstein in positivem Sinne beantwortet worden. Umso deutlicher wurde die Fähigkeit Liechtensteins, am internationalen Leben im Rahmen einer Völkerbunds-Mitgliedschaft teilzunehmen. Dies barg langfristig die Gefahr in sich, eine Erosion der Völkerrechtssubjektivität zu begünstigen.

Beim Beitrittsantrag zum Statut des Internationalen Gerichtshofes ging es dann auch viel substantieller um die Frage der Souveränität. Die engen Beziehungen zur Schweiz wurden, wie bei späteren aussenpolitischen Schritten auf multilateraler Ebene, als Argument für die angeblich mangelnde Unabhängigkeit ins Feld geführt. So ist die Zulassung zum Internationalen Gerichtshof, insbesondere auf Grund der klaren souveränitätsrechtlichen Bedingungen im Statut, vielleicht das wichtigste Zeugnis liechtensteinischer Souveränität im zwanzigsten Jahrhundert.

Trotz dieser globalen Anerkennung und der weiterhin erfolgten Mitgliedschaften in Spezialorganisationen der UNO sowie der gleichberechtigten Mitarbeit Liechtensteins in verschiedenen europäischen Gremien (KSZE, Europarat usw.), wurde weithin eine volle UNO-Mitgliedschaft als erstrebenswertes Ziel angesehen. Abgesehen von verschiedenen anderen Gründen, die diesen Wunsch verständlich machen, wurde er auch souveränitätspolitisch begründet: Von den kleinsten bis zu den grössten Staaten der Erde sind beinahe alle UNO-Mitglieder. Die ganz wenigen, die es nicht sind, sind es aus spezifischen Gründen nicht, und auch bei diesen ist eine UNO-Mitgliedschaft in den nächsten Jahren denkbar. Bei dieser

0110

9490 VADUZ
AUSGABETAG 4. MÄRZ 1991

2.50
FUERSTENTUM
LIECHTENSTEIN

2.50
FUERSTENTUM
LIECHTENSTEIN

0111

become members of the Organization over the next few years. Given the universality of the United Nations, a very small State that stands aside may well invite the question whether, in fact, it is even a State at all. Additionally, many countries that came into being as a consequence of decolonization regard admission to the United Nations more or less as a constituent element in their sovereignty. With membership, moreover, the question of capacity to act under international law, which always arises in connection with sovereignty, may be considered to have been answered once and for all. The reactions to our membership prove that it is greatly valued as a safeguard of our sovereignty. It can therefore be regarded as the culmination of our sovereignty policy at the global level.

Nevertheless, to regard Liechtenstein's membership in the United Nations solely from the standpoint of the sovereignty policy would be to do it an injustice. The United Nations is, quite simply, the global political organization of States, and, except in the Security Council, it gives all Member States an opportunity to contribute equally to the shaping of its policy. Thus, through its interventions and its vote Liechtenstein as well is able to influence developments which are frequently of political significance. It therefore goes without saying that the possibilities for action in the foreign policy sphere have greatly increased as a result of our admission to the United Nations. This opportunity to participate in decision-making is also of interest from the standpoint of European politics.

Apart from exercice of the actual membership rights, the United Nations in New York affords opportunities for establishing contacts and obtaining information which are probably unmatched anywhere else in the world. Virtually every country is permanently represented by important delegations, and the annual General Assembly attracts an almost endless stream of Heads of State, Prime Ministers and Foreign Ministers from all continents. Thus, for a relatively modest outlay, Liechtenstein

Globalität der UNO ist somit ein Abseitsstehen bei einem sehr kleinen Staat leicht mit der Frage verbunden, ob es sich überhaupt noch um einen Staat handle. Ausserdem sehen, im Gefolge der Dekolonisation, viele solcherart neu entstandenen Staaten die Aufnahme in die UNO quasi als konstitutives Element ihrer Souveränität. Auch die Frage der völkerrechtlichen Verkehrsfähigkeit, die im Zusammenhang mit der Souveränität immer wieder gestellt wird, kann, bei einer UNO-Mitgliedschaft, als ein-für allemal beantwortet angesehen werden. Die Reaktionen auf die UNO-Mitgliedschaft beweisen, dass dies zur Absicherung unserer Eigenstaatlichkeit als von grossem Wert angesehen wird. Man könnte sie deshalb als eine Krönung unserer Souveränitätspolitik auf globaler Ebene betrachten.

Man würde aber der UNO-Mitgliedschaft Liechtensteins nicht gerecht werden, wenn man sie nur unter ihrem souveränitätspolitischen Aspekt sehen würde. Die UNO ist die globale politische Organisation der Staaten schlechthin und erlaubt allen ihren Mitgliedstaaten eine, sieht man vom Sicherheitsrat ab, gleichberechtigte Mitgestaltung ihrer Politik. Somit ist es auch Liechtenstein gegeben, politisch oft bedeutsame Entwicklungen durch seine Interventionen und seine Stimme zu beeinflussen. Es versteht sich daher von selbst, dass die aussenpolitischen Wirkungsmöglichkeiten durch den Beitritt zur UNO erheblich zugenommen haben. Diese Mitbestimmungsrechte sind auch aus europapolitischem Aspekt von Interesse.

Neben der Wahrnehmung der eigentlichen Mitgliedschaftsrechte bietet die UNO in New York Kontakt- und Informationsmöglichkeiten, wie wohl kein zweiter Platz auf dieser Welt. Praktisch alle Staaten sind durch bedeutende Delegationen ständig in New York vertreten, und die jährliche Generalversammlung bringt einen kaum enden wollenden Reigen von Staatsoberhäuptern, Premierministern und Aussenministern aus allen Kontinenten mit sich. Mit relativ bescheidenem Aufwand kann Liechtenstein so politische oder andere Kontakte mit

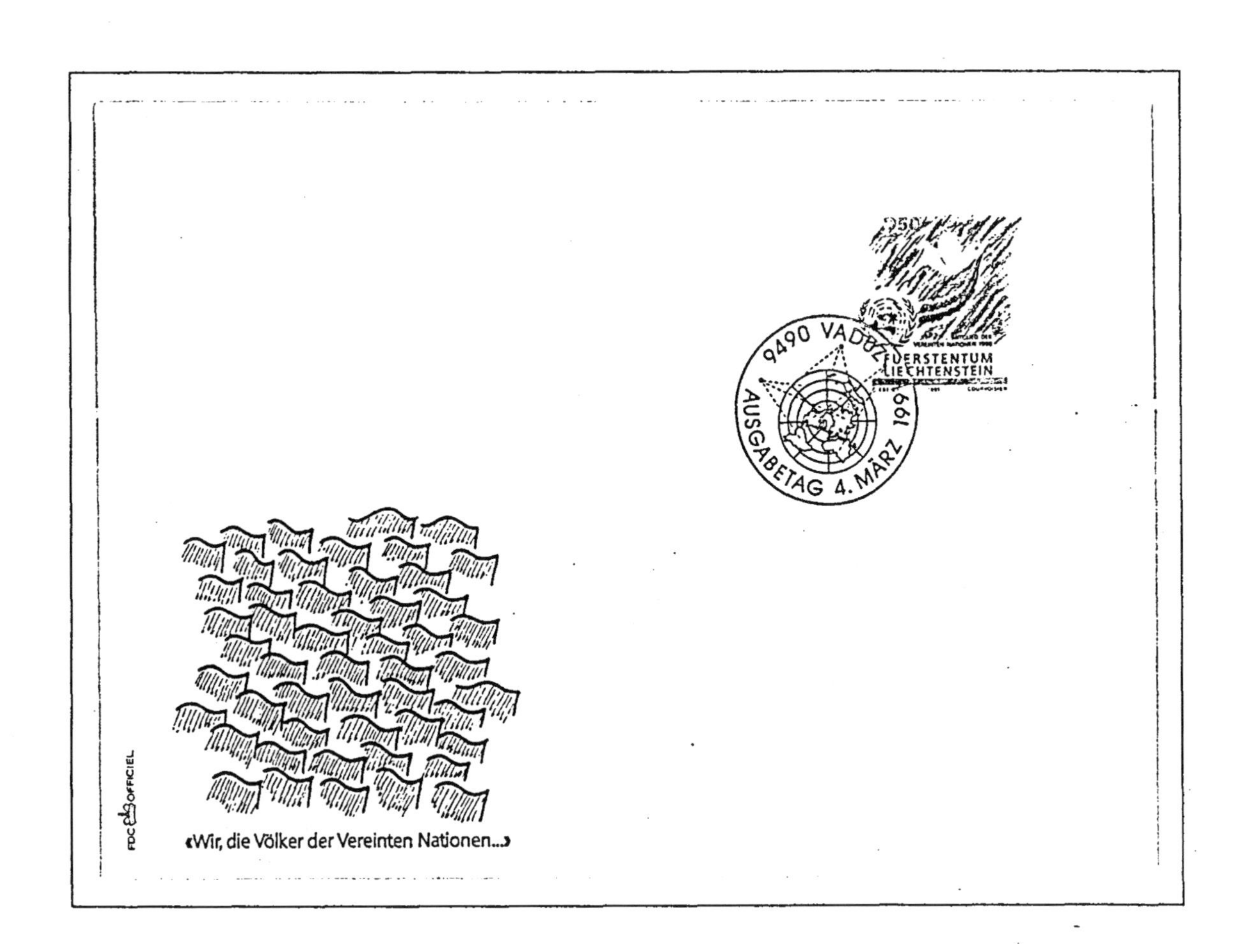
9490 VADUZ
AUSGABETAG 4. MÄRZ 199
FUERSTENTUM
LIECHTENSTEIN
«Wir, die Völker der Vereinten Nationen...»
FDC OFFICIEL

0113

is able to establish political and other contacts with some 160 countries. Useful information can be obtained, and pending bilateral problems can sometimes be addressed.

Our admission has consequences not only for inter-State co-operation, be it multilateral or bilateral. By and large Liechtenstein's standing in the world has risen, as was apparent from the response in the press following our admission. Especially outside Europe, United Nations membership has resulted in increased public knowledge and interest. The maintenance of a Permanent Mission, particularly in a place as politically, economically and culturally important as New York, affords an opportunity for dealing with other issues in addition to participation in the United Nations, and in any case gives our country an important publicity outlet in the New World.

The raising of Liechtenstein's flag on the East River brings with it, however, not only the advantages I have already mentioned by way of example. Our country must also regard its admission to the United Nations as a commitment. In the first place, the Charter imposes obligations which are incumbent upon all Member States. Among these are the payment of the membership contributions and the application of sanctions when these are brought to bear, as they currently are against Iraq. Such obligations may sometimes entail certain sacrifices, but compliance with them is, so to speak, automatic. In addition to these formally established obligations, mention must also be made of the obligation, not spelt out in detail, to co-operate actively in the attainment of the Organization's objectives. Precisely because Liechtenstein's vote is not determined by any major concern of power politics, our country must exercise its voting rights in a highly responsible manner.

On the one hand, this means that we must always be conscious of the size factor, and show corresponding moderation in expressing our own interests.

One the other hand, it may be precisely the task of the small nation, whose limited range of self-interest gives

ca. 160 Staaten knüpfen: Nützliche Informationen können eingeholt und manchmal anstehende bilaterale Probleme besprochen werden.

Nicht nur für die zwischenstaatliche, sei es multilaterale oder bilaterale Zusammenarbeit, hat der Beitritt Konsequenzen. Ganz allgemein ist das Ansehen Liechtensteins in der Welt gestiegen, wie dies aus dem Presse-Echo nach der Aufnahme hervorgeht. Gerade im aussereuropäischen Bereich steigt der Bekanntheitsgrad und das Interesse durch eine UNO-Mitgliedschaft. Der Unterhalt einer ständigen Vertretung gerade an einem politisch, wirtschaftlich und kulturell so wichtigen Ort wie New York kann, abgesehen von der Mitarbeit in der UNO, weitere Aufgaben wahrnehmen und ist jedenfalls ein wichtiger Werbeträger unseres Landes in der Neuen Welt.

Mit dem Hissen der Liechtensteinischen Flagge am East River sind aber nicht nur die weiter oben indikativ angeführten Vorteile verbunden. Unser Land muss diesen Beitritt auch als Verpflichtung sehen. Zum einen gibt es die in der UNO-Charta für alle Mitglieder gleich umschriebenen Pflichten. Zu denen gehört die Bezahlung der abgestuften Mitgliederbeiträge und die Einhaltung von Sanktionen, wenn solche verhängt werden, wie zurzeit gegenüber dem Irak. Solche Verpflichtungen mögen manchmal mit einigen Opfern verbunden sein, ihre Einhaltung ergibt sich aber sozusagen automatisch. Neben diesen formal festgelegten Verpflichtungen wird man die nicht näher umschriebene Pflicht zur aktiven Mitarbeit an den Zielsetzungen der UNO erwähnen müssen. Gerade weil hinter der liechtensteinischen Stimme kein grosses machtpolitisches Gewicht steht, muss unser Land sein Stimmrecht mit grosser Verantwortung ausüben.

Einerseits bedingt dies, dass wir uns immer der Grössenordnung bewusst sind und unsere eigenen Interessen entsprechend rücksichtsvoll zum Ausdruck bringen.

0114

9490 VADUZ
AUSGABETAG 4. MÄRZ 1991
2.50
FUERSTENTUM
LIECHTENSTEIN
Furstentum Liechtenstein 1990 Mitglied der Vereinten Nationen

0115

it a greater degree of freedom, to defend both the principles of international law and general moral principles. In this way, over the long term the small nation's policy takes on a consistency, within an organization of such broad scope, which gives it - in commercial terms - a brand image. With some exaggeration, one might perhaps also say that the powerful of this world, whether on the global or the European level, need a court jester who is not afraid of telling the truth. As in the past, this may still be an honourable task today, one which can be discharged with a sense of humour.

Wherever the emphasis is placed in terms of participation, Liechtenstein must have an interest in taking an active part in shaping it and ensuring its continuity. It may therefore be noted with satisfaction that a start was made on such constructive participation in the very first months of our membership. The close co-operation with our neighbours, Austria and Switzerland, will be advantageous in this context, and will be conducive to joint actions. The manifold relations with our other European partners will also facilitate the pursuit of a coherent policy within United Nations organs and bodies.

Thus we may look foward with confidence to Liechtenstein's participation in the United Nations. It will certainly be important to know that our membership is also appreciated here at home; otherwise this important step in our foreign policy will not continue to receive the priority that is required in order to ensure meaningful participation.

Nikolaus Prince of Liechtenstein
Ambassador
April 1991

Andererseits dürfte es gerade die Aufgabe des Kleinstaates sein, den seine recht beschränkten Eigeninteressen freier machen, völkerrechtliche und moralische Prinzipien zu vertreten. Damit bekommt dann längerfristig seine Politik in einer so umfassenden Organisation eine Konstanz und wird, um in der Kaufmannssprache zu sprechen, zu einem Markenartikel. Überspitzt formuliert könnte man vielleicht auch sagen, dass die Mächtigen dieser Welt, sei es auf globaler, sei es auf europäischer Ebene, einen Hofnarren brauchen, der sich nicht scheut, die Wahrheit zu sagen. Wie einst, kann dies auch heute eine ehrenvolle Aufgabe sein, derer man sich mit Humor entledigen kann.

Wie immer man die Akzente der Mitarbeit setzen wird, muss Liechtenstein Interesse daran haben, diese aktiv zu gestalten und Kontinuität zu gewährleisten. Deshalb kann mit Befriedigung festgestellt werden, dass bereits in den ersten Monaten unserer Mitgliedschaft Ansätze für eine solche konstruktive Mitarbeit gesetzt wurden. Die enge Zusammenarbeit mit unseren Nachbarländern, Österreich und der Schweiz, wird hierbei von Vorteil sein und gemeinsame Aktionen begünstigen. Auch die vielfältigen Beziehungen mit unseren andern europäischen Partnern werden es erleichtern, eine kohärente Politik in den UNO-Gremien zu führen.

So kann man mit Zuversicht der liechtensteinischen Mitarbeit in der UNO entgegensehen. Wichtig wird es allerdings sein, dass auch zu Hause Verständnis für die Mitgliedschaft besteht, ansonsten dieser bedeutende aussenpolitische Schritt nicht die Priorität behalten wird, die für eine sinnvolle Mitarbeit notwendig ist.

Prinz Nikolaus von Liechtenstein
Botschafter
April 1991

© VERWALTUNGS- UND PRIVAT-BANK AG, VADUZ 1991

0116

FUERSTENTUM LIECHTENSTEIN
0117

노: 우표와 관계없음.

유엔가입 기념우표

- 유엔은 1945년에 창설된 이래, 국제평화와 안전의 유지 및 제분야에서의 국가간 협력을 증진시키는데 중심적인 역할을 수행하여 왔으며, 최근 동서간의 화해와 화합의 새로운 국제질서 형성과정에서 더욱 중요한 역할을 수행하고 있습니다.

- 우리나라 정부는 1948년 유엔총회의 결의에 의해 실시된 총선거를 통해 수립되었으며, 또한 정부수립 직후 유엔총회는 대한민국 정부를 한반도의 유일한 합법정부로 인정하였습니다. 뿐만 아니라, 1950년 북한의 남침으로 발발한 3년간의 한국전쟁시 유엔은 유엔군을 파병하여 북한의 침략을 격퇴하는데 커다란 역할을 수행하였으며, 전쟁후 폐허가 된 우리나라를 현재와 같이 자유롭고 번영된 사회로 발전시키는데에도 많은 도움을 주었습니다.

- 이와같이 유엔과 특별한 관계를 맺고있는 우리나라는 이제 오늘 정식으로 유엔의 회원국이 됨으로써 우리의 국제적 지위를 더욱 향상시키고, 국제평화와 국제사회의 번영과 발전을 위하여 응분의 역할을 다할 수 있게 되었습니다. 우리는 또한 북한과 함께 유엔에 가입함으로써 한반도의 긴장완화와 평화유지에 유리한 국제적 환경을 조성하게 될 것이며, 특히 남북한은 유엔 테두리내에서 상호교류와 협력을 촉진시킴으로써 상호신뢰를 증대하고, 궁극적으로 평화적 통일달성을 앞당기게 될 것으로 기대되고 있습니다.

0118

유엔가입 기념우표

o 유엔은 1945년에 창설된 이래, 국제평화와 안전의 유지 및 제분야에서의 국가간 협력을 증진시키는데 중심적인 역할을 수행하여 왔으며, 최근 동서간의 화해와 화합의 새로운 국제질서 형성과정에서 더욱 중요한 역할을 ~~하게 될 전망입니다.~~ 수행하고 있습니다

o 우리나라 정부는 1948년 유엔총회의 결의에 의해 실시된 총선거를 통해 수립되었으며, 또한 정부수립 직후 유엔총회는 대한민국 정부를 한반도의 유일한 합법정부로 인정하였습니다. 뿐만 아니라, 1950년 북한의 남침으로 발발한 3년간의 한국전쟁시 유엔은 유엔군을 파병하여 북한의 침략을 격퇴하는데 커다란 역할을 수행하였으며, 전쟁후 폐허가 된 우리나라를 현재와 같이 자유롭고 번영된 사회로 발전시키는데에도 많은 도움을 주었습니다.

o 이와같이 유엔과 특별한 관계를 맺고있는 우리나라는 이제 오늘 정식으로 유엔의 회원국이 됨으로써 우리의 국제적 지위를 더욱 향상시키고, 국제평화와 국제사회의 번영과 발전을 위하여 응분의 역할을 다할 수 있게 되었습니다. 우리는 또한 북한과 함께 유엔에 가입함으로써 한반도의

앙고재	91년 6월 21일	담 당	과 장	국 장
		[signature]	[signature]	[signature]

0113

긴장완화와 평화유지에 유리한 국제적 환경을 조성하게 될 것이며, 특히

남북한은 유엔 테두리내에서 상호교류와 협력을 촉진시킴으로써 상호신뢰를

증대하고, 궁극적으로 평화적 통일달성을 앞당기게 될 것입니다.

으로 기대되고 있읍

0120

관리번호	91-183

원 본

외 무 부

종 별 :

번 호 : UNW-1912 일 시 : 91 0724 1700

수 신 : 장 관(국연,해기,기정)

발 신 : 주 유엔 대사

제 목 : 유엔기념우표

연: 주국련 203113-440

아국 유엔가입 기념우표 발행관련 도안.인쇄등 우리문화의 전반 수준을 표상하는 관계로 연호 송부한 리히텐슈타인 기념우표집을 참고하여 최고급 품질의 우표집이 되어야 할것으로 생각되는바, 관계부처와 협조바라며, 우표집발행시 유엔사무국, 각국대표단, 언론등 당지관계인사 배포용으로 당대표부에 1,000 조 (일천조)지원을 건의함. 끝.

(대사 노창희-국장)

예고:91.9.30 까지

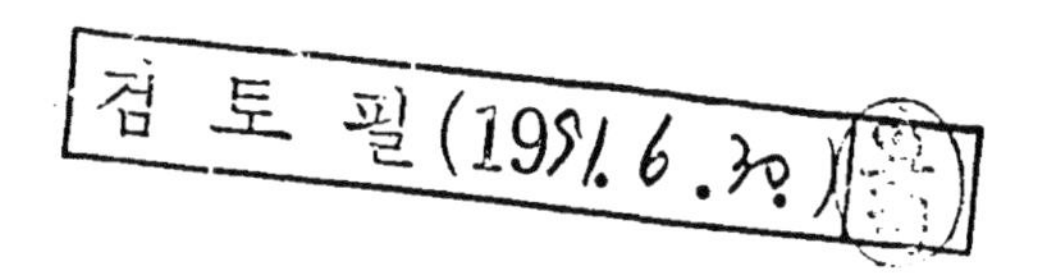

국기국 안기부 공보처

PAGE 1

91.07.25 07:05

외신 2과 통제관 BS

0121

관리번호 91-996

기 안 용 지

분류기호 문서번호	국연 2031 - 1865	(전화:)	시 행 상 특별취급	
보존기간	영구·준영구. 10. 5. 3. 1	장 관		
수 신 처 보존기간				
시행일자	1991. 7. 25.			

보조기관		협조기관		문서통제
국 장	전결			1991. 7. 26
과 장				
기안책임자	송영완			발 송 인

경 유 / 수 신 / 참 조	체신부장관	발신명의		발송 1991. 7. 외무부
제 목	유엔가입 기념우표집 발행요청			

1. 국연 2031-25605 (91.6.4) 관련입니다.

2. 아국의 유엔가입을 기념하고 국내의 경축분위기를 확산하기 위하여 연호로 요청한 유엔가입 기념우표 발행과는 별도로 1948년 정부수립이래 아국이 지속적으로 추구해온 유엔 가입정책에 적극 협조해온 우방국 주요인사, 유엔사무국 간부

0122 / 계속 /

(2)

및 해외 주요언론계 인사들에게 그간의 협조에 사의를 표하고

해외에 아국의 유엔가입 의의를 확산시킴은 물론, 유엔가입이후

개최될 각종 주요행사시 활용할 목적으로 유엔가입 기념우표집

발행을 요청하오니 적극 협조하여 주시기 바랍니다.

3. 상기 유엔가입 기념우표집은 1991년이 아국 유엔

가입의 해임을 기념하기 위한 것임을 감안, 가급적 금년중 발간이

바람직할 것으로 판단되며, 그 배포대상인사 및 기관들이 각국의

주요정책 결정자들이 될 것임을 감안, 도안.인쇄등 우리 문화 및

기술수준의 전반을 표상할 수 있는 최고급 품질의 우표집 발간이

요망됩니다.

4. 90.9.18. 유엔에 가입한 리히텐슈타인(인구 : 27,000

명)의 기념우표집을 별첨 송부하오니 동 기념우표집 발간시 참고

하시기 바랍니다.

첨 부 : 1. 주유엔대사 건의 전문 (UNW-1912)

2. 리히텐슈타인의 기념우표집 1부. 끝.

0123

UN가입 기념우표 발행계획

[illegible] 계획개요

o 발행규모 : 300 만매 (단일종)

o 제판 및 인쇄 : '91. 9 월초 한국조폐공사에 의뢰

※ 인쇄에 35일 소요 : 제판, 시쇄 (1, 2 차), 견양채택, 인쇄, 천공, 포장

o 우표발행일 : '91. 9. 1[illegible] (예정)

※ 전국 [illegible] 배부기간 : '91. 9. 9 - 9. 16

[illegible]

[illegible]으로부터 한반도에 내려져 [illegible] UN가입에 따른 평화와 [illegible]을 [illegible]

[illegible]와 한국을 [illegible]으로 상징 [illegible] 오색 띠문으로 묶어 공존을 [illegible]

[illegible]으로 [illegible] 그늘을 [illegible]내고, 비둘기 입의 태극마크로 축복의 소식 상징

0124

1991 [illegible] 17:58

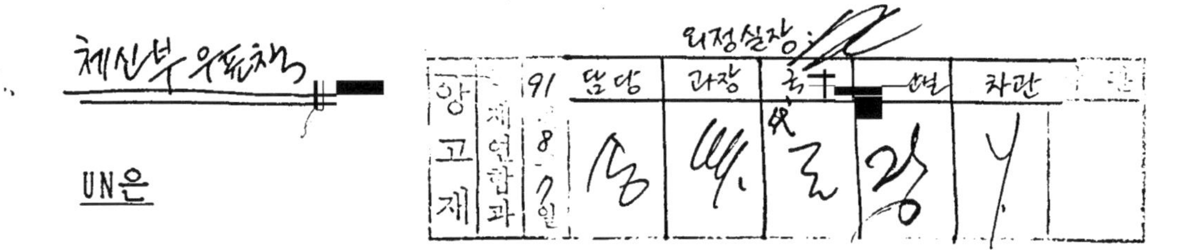

UN은

1945년에 창설된 이래, 국제평화와 안전의 유지 및 국가간 협력을 증진하는데 중심적인 역할을 수행해 왔습니다.

1948년 UN총회에서는 대한민국 정부를 유일한 합법 정부로 승인하였을 뿐만 아니라 1950년에 발발한 한국전쟁시는 자유와 평화를 지키기 위해 UN군을 파병하였고, 전쟁후 폐허가 된 우리나라를 재건하는데 큰 역할을 하였습니다.

이와같이 UN과 특별한 관계를 맺고 있는 우리나라는 이제 정식으로 UN의 회원국이 됨으로써 우리의 국제적 지위를 향상시키고 국제사회의 번영과 발전에 기여할 수 있게 되었습니다.

남북한이 UN에 함께 가입하게 되면

UN에서 다루어지는 주요 국제문제에 대한 의사결정과 UN 및 UN산하기구의 활동에 직접 참여함으로써 국제사회에서의 지위가 크게 향상될 것입니다.

또한 남북한은 UN회원국으로서 분쟁의 평화적 해결과 무력 불사용의 의무를 지게되며, UN테두리내에서 상호교류와 협력을 통하여 신뢰를 증대시켜 궁극적으로 한반도에서의 긴장 완화와 평화유지에 유리한 국제적 환경조성에 기여할 수 있게 될 것입니다.

※ 밑줄(굵은선)부분이 수정한 내용임.

0125

남북한의 UN가입을 계기로

한반도 정세가 보다 안정이 되면 남북한이 각기 국력과 국제적 위상에 합당한 역할을 극대화할 수 있게되어 동북아 지역에서도 화합과 협력의 새로운 질서형성을 촉진시킬 수 있을 것입니다.

또한 남북한은 과거 40여년간 지속되어온 소모적 대결 외교를 청산할 수 있게 되어 대외관계에 있어서 보다 정상적인 활동을 수행할 수 있을 것이며 나아가 7천만 한민족의 이익을 도모할 수 있는 소중한 발판을 마련할 수 있을 것입니다.

세계 제2차 대전의 종전과 함께

우리민족은 해방을 맞이하였으나, 불행하게도 남북이 분단되어 이로인한 숱한 시련과 고난을 당해 왔으며, 민족의 정상적인 발전을 기할 수 없었습니다. 이러한 남북분단의 장벽을 허물어 번영된 통일조국을 이룩하는 것이야말로 오늘을 사는 우리 모두에게 맡겨진 역사적 소명입니다.

남북한의 UN가입은 한반도 및 동북아지역에서의 긴장 완화를 촉진하고 남북한간의 대립관계를 서로 돕고 서로 도움을 받는 공존공영의 관계로 전환시켜 조국의 평화적 통일을 앞당기는데 기여할 것입니다.

0126

UN은

국제평화와 안전의 유지를 위하여 많은 노력을 기울이는 한편 각종 소속기구를 통하여 경제, 사회, 문화등 여러분야에서 국제협력증진에 이바지하여 왔습니다.

우리나라는 UN의 정식회원국은 아니었지만 그동안 UN 헌장과 제원칙등을 지지하고 UN과 긴밀한 관계를 유지하여 왔습니다. 1991년 8월말 현재 UN산하 17개 기구에 가입활동중이고, 163명의 한국인이 20개 기구에 진출해 있으며, 1991년에는 31개 기구에 약 700만불의 기여금을 납부하는 등 UN의 각종활동에 적극 참여하고 있습니다.

제24회 서울올림픽 대회가

전세계인의 관심이 집중된 가운데 1988년 9월 17일에 개막되어 미래에 대한 희망과 아쉬움속에서 10월 2일 그 막을 내렸습니다.

5천년의 유구한 민족문화 터전위에 세계 젊은이들이 힘과 기량을 마음껏 겨룬 동 올림픽대회는 160개국이 참가한 사상 최대규모의 대회로서 종래 정치이념문제로 반분되어 가던 올림픽대회를 참다운 올림픽정신에 입각한 화합과 전진의 장으로 되돌려 놓음으로써 국제적인 화해의 시대를 촉진시키는 계기로 만들었습니다.

0127

UN은

1945년에 창설된 이래, 국제평화유지와 국가간 협력을 증진하는데 중심적인 역할을 수행해 왔습니다.

1948년 UN총회에서는 대한민국 정부를 유일한 합법정부로 승인하였을 뿐만 아니라 1950년에 발발한 한국전쟁시는 평화유지를 위해 UN군을 파병하였고, 전쟁후 폐허가 된 우리나라를 재건하는데 커다란 역할을 하였습니다.

이와같이 UN과 특별한 관계를 맺고 있는 우리나라는 이제 정식으로 UN의 회원국이 되므로서 우리의 국제적 지위를 향상시키고 국제사회의 번영과 발전에 기여할 수 있게 되었습니다.

0128

'91 08 07 08:53 693 P03

남북한이 UN에 함께 가입하게 되면

UN에서 다루어지는 주요 국제문제에 대한 의사결정과 UN의 주요기구 및 산하기구에 직접 참여함으로써 국제사회에서의 지위가 크게 향상될 것입니다.

또한 남북한은 UN회원국으로서 분쟁의 평화적 해결과 무력 불사용의 의무를 지게 되어 UN테두리내에서 상호교류와 협력을 통하여신뢰를 증대시키고 한반도에서의 긴장완화와 평화유지에 유리한 국제적 환경조성에 기여하게 될 것입니다.

0129

남북한의 UN가입을 계기로

한반도 정세가 보다 안정이 되면 남북한이 각기 국력과 국제적 위상에 합당한 역할을 극대화할수 있게되어 동북아 지역에서도 화해와 협력의 새로운 질서와 형성을 촉진 시킬 수 있을 것입니다.

또한 남북한은 과거 40여년간 지속되어온 소모적 대결외교를 청산할 수 있게 되어 대외관계에 있어서도 보다 정상적인 활동을 수행할 수 있을 것이며 나아가 7천만 한민족의 이익을 도모할 수 있는 소중한 발판을 마련할 수 있을 것입니다.

0130

세계 제 2차 대전의 종전과함께

우리민족은 해방을 맞이 하였으나 불행하게도 남북이분단되어 인한 숱한 시련과 고난을 당해 왔으며 민족의 정상적인 발전을 기할수 없었습니다. 이러한 남북 분단의 장벽을 허물어 번영된 통일조국을 이룩하는 것이야 말로 오늘을 사는 우리 모두에게 맡겨진 역사적 소명입니다.

남북한의 UN가입은 한반도 및 동북아지역에서의 긴장완화를 촉진하고 남북한간의 대립관계를 서로 돕고 서로 도움을 받는 공존공영의 관계로 전환시켜 조국의 평화적 통일을 앞당기는데 기여할 것입니다.

0131

UN은

국제평화와 안전의 유지를 위하여 많은 노력을 기울이는 한편 각종 소속기구를 통하여 경제, 사회, 문화등 여러분야에서 국제협력증진에 이바지하여 왔습니다.

우리나라는 UN의 정식회원국은 아니었지만 그 동안 UN헌장과 제 원칙 등을 지지하고 UN과 긴밀한 관계를 유지하여 왔습니다. 1991년 8월말 현재 UN산하 17개 기구에 가입 활동중이고, 163명의 한국인이 20개 기구에 진출해 있으며, 1991년에는 31개 기구에 약 700만불의 물적 지원을 하는 등 UN의 각종 ~~행사~~ 활동에 적극 참여하고 있습니다.

0132

제 24회 서울올림픽대회가

전세계인의 관심이 집중된 가운데 1988년 9월 17일에 개막되어 미래에 대한 희망과 아쉬움속에서 10월 2일 그 막을 내렸습니다.

5천년의 유구한 민족문화 터전위에 세계 젊은이들이 힘과 기량을 마음껏 겨룬 동 올림픽 대회는 160개국이 참가한 사상 최대규모의 대회로서 종래 정치이념문제로 반분되어 가던 올림픽대회를 참다운 올림픽정신에 입각한 화합과 전진의 장으로 되돌려 놓음으로써 국제적인 화해의 시대를 촉진시키는 계기로 만들었습니다.

0133

The United Nations

has played a central role in maintaining international peace and security and promoting cooperation among nations since its inception in 1945.

The Korean Peninsula in one of the areas of the world where the United Nations has had a profound bearing. In 1948, the United Nations General Assembly acknowledged the Republic of Korea as the sole legitimate Government in the Korean Peninsula. In 1950, when the Korean War broke out, the United Nations not only dispatched multinational peace-keeping forces promptly to protect freedom and democracy in the Republic of Korea, but also played an important role in helping the Korean people rebuild their country from the ruins of war.

Against this background, the Republic of Korea can now contribute further, as a Member of the United Nations, to the common prosperity and progress of the world community in a manner commensurate with its standing in the international community.

심의관:

양 고 재	91년 8월 12일	담 당	과 장	국 장

0134

The Admission of South and North Korea to the United Nations

will enhance both Koreas'roles in the world community as they participate, as full-fledged Members, in the decision-making processes and the activities of the principal organs of the United Nations and other UN-affiliated organizations.

Futhermore, as long as both countries agree to abide by the principles of the United Nations, including the non-use of force and the peaceful resolution of international disputes, the entry of South and North Korea into the United Nations will also enhance mutual trust through inter-Korean exchanges and cooperation in the UN system and will help to establish an atmosphere more conducive to the reduction of tension and promotion of peace and security in the Korean Peninsula.

0135

In Addition,

with the reduced tension in the Korean Peninsula resulting from the admission of South and North Korea to the United Nations, the two Koreas, with their national resources and enhanced standing in the world community, can contribute to the establishment of a new order in Northeast Asia.

Also both Koreas will be able to finally free themselves from the confrontation that has spanned the past forty years and start a new era of positive foreign relations. Furthermore, they will be able to lay important foundations for promoting the well-being of the seventy million people of Korea.

0136

Although The Victory of the Allied Forces in World War II

brought the Korean people independence, it left a divided country with tens of millions of people suffering hardship and separation. It is up to the Korean people, to bring down the wall of mistrust that separates South and North Korea and reunify the Korean Peninsula as one nation.

The admission of South and North Korea to the United Nations will certainly work to ease tensions in the Korean Peninsula as well as in the Northeast Asian region. It will also help to accelerate the process toward the Korean reunification significantly by turning the confrontational relationship of the past into one of peaceful coexistence and mutual prosperity.

0137

While the United Nations

has striven to promote world peace and security on the one hand, it has endeavoured to enhance economic, social, and cultural cooperation among nations through its affiliated organizations on the other.

Although the Republic of Korea has not been a Member of the United Nations until quite recently, it has been one of the most staunch supporters of the United Nations Charter and its principles, and has maintained very close ties with the United Nations. For instance, at present, Korea is actively participating in 17 organizations in the United Nations system : Koreans working in 20 different United Nations agencies number 163 and, for 1991, Korea's contributions to 31 UN-affiliated organizations amount to seven million US dollars.

0138

The 24th Seoul Olympiad,

which was the focus of the world's attention between September 17 and October 2, 1988, left a lasting impression and raised hopes for a better world in every corner of the globe.

The Seoul Olympics, in which 160 countries participated actively, was the biggest Olympic Games in history, and it marked a turning-point back to the original Olympic spirit advocating harmony and progress rather than the political ideology and propaganda which have threatened to taint the Olympic Games in recent years.

0139

More Recently, the 17th World Jamboree Mondial

was hosted by the Republic of Korea in Kosung city, Kangwon province under the theme "Many Lands, One World", from August 8 to 16, 1991. It provided the opportunity for twenty thousand youths from 129 countries, transcending the differences in their nationality, race, color, religion, and language, to reaffirm their commitment to continued peace and cooperation.

Finally, we are looking forward to hosting World Expo '93 in Taejon between August 7 and November 7, 1993. About 60 nations and 20 international organizations will participate in this event under the theme of "The Challenge of a New Road to Development". It is a pleasure and honor for the Korean people to have this opportunity to take part, once again, in promoting international cooperation, this time, through economic and technological exchanges.

0140

- 청결로 자연보호 질서로 사람보호 -

체 신 부

우표 34160-5671 750-2241 1991. 8. 7.

수신 외무부장관

제목 우표발행

1. 국연 2031-25605 (91.6.7) 관련

2. 다음과 같이 우표를 발행하기로 결정하였사오니 참고하시기 바랍니다.

가. 명 칭 : UN가입 기념

나. 종 수 : 1종

다. 발행일 : 추후통보. 끝

체 신 부 장 관

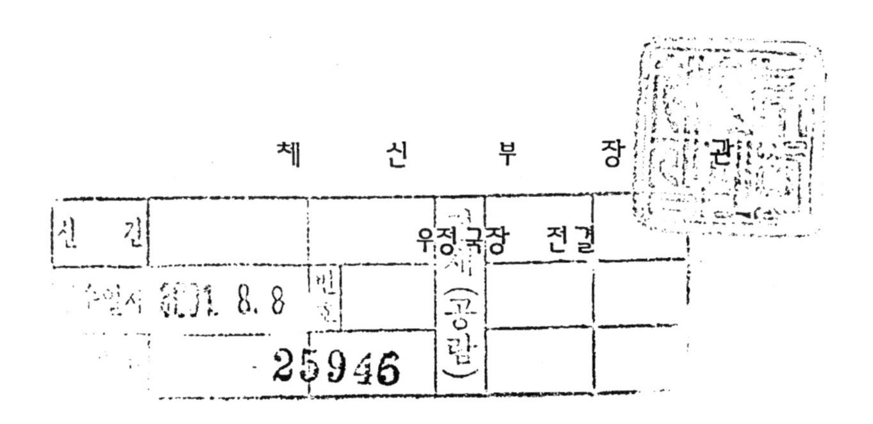

0141

관리 번호	91-844

원 본

외 무 부

종 별 :

번 호 : UNW-2081

일 시 : 91 0807 2000

수 신 : 장 관(국연)

발 신 : 주 유엔 대사

제 목 : 유엔문장 사용

연:UNW-2037

1. 연호관련 당관 최종무 참사관이 금 8.7 사무국 담당관에게 재확인한바, 유엔사무국은 연호 결의안의 취지에 따라 오랜 관행(LONG-STANDING PLOICY)으로상업적 목적에의 유엔문장 사용을 허가하지 않아 왔다함.

2. 아국의 유엔가입이후 상업적 목적이 아닌 유엔문장의 사용 (예:기념우표발행등)가능성이 다수 예상됨에 비추어 사무국에 문서로 이를 질의하여 두고자하는바 검토하여 주시기 바람.

3. 동 담당관은 일반적인 것보다는 구체적인것인 내용으로 질의하여 주는것이 도움이 될것이라고 하였는바, 상기 우표외에 유엔문장 사용 가능성이 예상되는 사업등이 있으면 회보하여 주시기 바람. 끝.

(대사 노창희-국장)

예고:91.12.31. 일반

19 91.12.31. 에 예고문에 의거 일반문서로 재분류됨

국기국

PAGE 1

91.08.08 10:10

외신 2과 통제관 BS

0142

관리 번호	91 -963

	분류번호	보존기간

발 신 전 보

번 호 : WUN-2174 910814 1047 FN 종별 :

수 신 : 주 유엔 대사. 총영사

발 신 : 장 관 (국연)

제 목 : 유엔문장 사용

대 : UNW-2081

대호, 비상업적 목적의 유엔문장 사용은 기념우표 발행만 고려하고 있는 바, 우선 리히텐슈타인의 기념우표 발행시 유엔문장 사용에 관한 허가획득 여부, 파악, 보고바람. 끝.

(국제기구조약국장 문동석)

19 91. 12. 31. 에 예고문에 의거 일반문서로 재분류됨

보안통제	

앙고재	91년 8월 14일	과	기안자 성명		과장	심의관	국장		차관	장관
							전결			

외신과통제

0143

유엔가입 기념사업 현황

91. 8. 15.
외 무 부

1. 유엔가입 기념우표 발행
   - o 당부 요청에 따라 체신부는 유엔가입 기념우표(300만장) 및 기념우표책 (수량미상) 9.17. 발행예정
     - 체신부가 작성한 기념우표책 문안(국.영문) 검토 및 수정후 체신부로 송부(8.12)

2. 유엔가입 경축 기념메달 제작
   - o (주) 일진은 유엔가입 경축 기념메달(금 2종, 은 2종) 총 19,991 Set를 제작코자 당부로 승인 요청
     - 기념메달 제작은 정부승인 사항이 아니나 유엔가입 경축 분위기를 자연스럽게 확산시키고자 측면지원중
     - 관련부처 (재무부, 내무부, 문화부, 상공부) 의견문의 결과 이견없음.
     - 유엔사무국에 확인결과 상업목적의 유엔문장사용 불가 내용의 통보 접수, (주)일진측에 메달내 도안에 유엔 문장을 그대로 사용치 말도록 통보(8.10)
   - o (주) 일진측에는 8.17(토) 기념메달 사업 진행토록 당부 공식입장 전달예정
     - 단, 동 메달 선전시 외무부 또는 유엔 후원등의 문구는 일체 사용치 말도록 당부예정

0144

o 기념주화 제작문제 (재무부 의견)

- 기념주화는 법화이므로 일반기업이 제작할 수 없음.
- 단, 액면가가 기재되지 않고 주화의 도안(세종대왕, 다보탑등)을 사용하지 않으면 비록 크기, 모양등이 주화와 비슷하다고 해도 모두 메달로 취급되며 이는 정부 승인사항이 아님.

0145

- 청결로 자연보호 질서로 사람보호 -

체 신 부

우표 34160-5989　　750-2241　　1991. 8. 19.

수신　외무부장관

제목　우표발행일 통보

1. 관련

가. 국연 2031-25605 (91.6.7)

나. 우표 34160-5671 (91.8.7)

2. 우표의 발행일을 다음과 같이 결정 통보합니다.

가. 우표명 : UN 가입 기념

나. 발행일 : 1991.9.18. 끝.

체 신 부 장 관

우정국장 전결

신 결			처		
접수일시	1991 8.19				
처리과	연 27089				

0146

원 본

외 무 부

암호수신

종 별 :

번 호 : UNW-2276 일 시 : 91 0823 2000

수 신 : 장 관(국연)

발 신 : 주 유엔 대사

제 목 : 유엔기념우표

대:WUN-2174

1. 대호 유엔사무국측에 확인한바, 리히텐슈타인은 기념우표의 유엔문장 사용허가를 신청한바 없다고 함.(유사한 사례는 오스트리아가 1970 년 비엔나 유엔사무소 출범기념 우표발행시 사무국에 허가를 요청하여 허가하여 준바 있다함.)

2. 당지 리히텐슈타인 대표부에 확인한바, 동대표부에서 허가신청을 한바 없으나 본국정부에서 직접 조치를 취하였는지 여부를 조회한후 결과를 알려주겠다 하였음. 끝

(대사 노창희-국장)

국기국

PAGE 1

91.08.24 08:56

외신 2과 통제관 BS

0147

원 본

외 무 부

종 별 :

번 호 : UNW-2321 일 시 : 91 0827 2300

수 신 : 장 관(국연)

발 신 : 주 유엔 대사

제 목 : 유엔기념우표

연: UNW-2276

당지 리히텐슈타인 대표부측과 재접촉한바, 동국은 유엔사무국에 표제관련 허가를 요청한 기록을 본국정부에서도 확인할수 없다고함.상기에 비추어 동국은 허가절차를 취하지 않았던 것으로 추정됨을 참고로 첨언함.끝

(대사 노창희-국장)

국기국

PAGE 1

91.08.28 13:20 WG

외신 1과 통제관

0148

"피땀흘려 이룬 경제, 사치, 낭비로 무너진다"

체　　　신　　　부

우표 34160-6648　　　750-2243　　　91. 9. 11.

수신 외무부장관

참조 국제기구국장

제목 UN가입 기념우표책 발행통보

1. 국연 2031-1855(91. 7. 25)관련 입니다.

2. 우리나라의 UN가입을 기념하고 겨레의 소망인 남북한의 평화적 통일을 기원하고자 다음과 같이 UN가입기념우표책을 발행.판매 하오니 귀부의 업무에 참고하시기 바랍니다.

가. 명칭: UN가입기념(우표책)

나. 발행일: 91. 9. 18.

다. 발행량: 15000부

라. 판매가: 11,000원

마. 판매처: 전국우체국

체　　신　　부　　장　　관

우정국장 전결

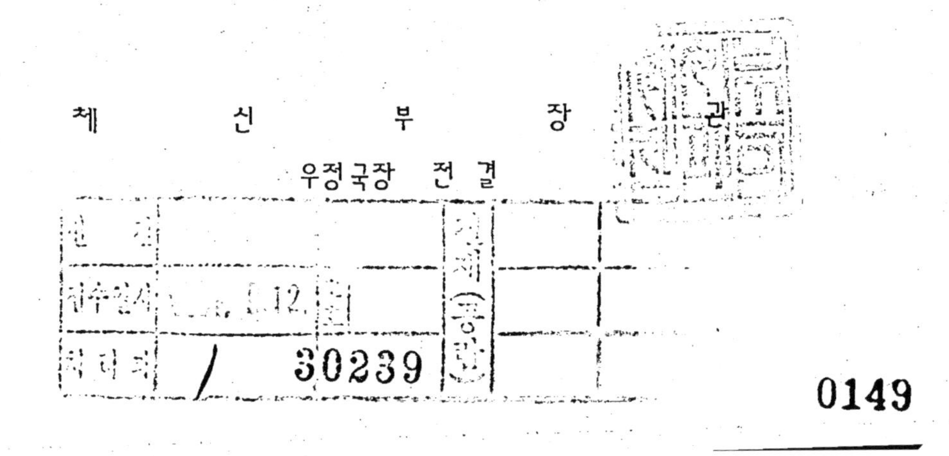

분 류			
접수일시	. 9. 12.		
처리과	/	30239	

0149

45352

기 안 용 지

분류기호 문서번호	연일 2031 -	(전화:)	시 행 상 특별취급	
보존기간	영구·준영구. 10. 5. 3. 1	장 관		
수 신 처 보존기간				
시행일자	1991. 9. 12.			

보조기관	국 장	전 결	협조기관		문서통제
	심의관				검열 1991. 9. 14
	과 장				
기안책임자		송 영 완			발송인

경 유		발신명의		발송 1991. 9. 14 외무부
수 신	체신부 장관			
참 조	우정국장			

제 목	UN 가입 기념우표책 요청

1. 우표 34160 - 6648 (91.9.11)

2. 우리나라의 유엔가입 실현에는 우리정부의 노력과 더불어 우리의 우방국을 비롯한 전 유엔회원국, 유엔사무국의 협조가 매우 중요한 역할을 하였읍니다.

3. 우리의 유엔가입을 기념하고 한민족의 염원인 통일 실현을 조속히 앞당기기위한 유엔전회원국의 지속적 협조를 확보하기 위하여 유엔가입 기념우표책을 각국 및 유엔사무국 주요인사에게 증정코자 하오니 동 우표책 720부를 우리부로

0150 / 계속 /

(2)

무료로 제공하여 주시기 바랍니다.

4. 우리부가 구상중인 유엔가입 기념우표책 증정

대상국 또는 인사는 별첨과 같습니다. 끝.

첨부 : 유엔가입 기념우표책 증정대상국(또는 인사)

0151

수: 청와대 외교안보 (FAX 770-0295)

유엔가입기념우표책 소요내역

1991.9.14.
외 무 부

1. 유엔전회원국: 165부(북한포함)
   (유엔에서 전달)

2. 수교국(재외공관경유 전달): 150부

3. 주한 공관: 114부

4. 유엔사무국: 139부

   ○ 유엔사무총장: 1부

   ○ 유엔사무차장: 28부

   ○ 사무국주요간부: 100부

   ○ 사무국 영구보전용: 10부

5. 대통령방미 행사관련: 150부
   (경호.의전 협조처)

6. 외무부 보관용: 2부.

계: 720부

0152

- 우리모두 아끼고 절약합시다 -

연일

체 신 부

우표 34160-6771 750-2242 1991. 9. 16.

수신 외무부장관

참조 국제기구국장

제목 UN가입 기념우표책 요청

1. 관련

가. 우표 34160-6648 (91.9.11)

나. 연일 2031-45352 (91.9.13)

2. 관련 "가"호로 알려드린 UN가입 기념우표책은 시중 판매를 위하여 발행된 우취 제품으로서 귀부에 무료로 제공하는 데에는 어려움이 있아오니 이를 양해하여 주시기 바랍니다. 끝.

체 신 부 장

우정국장 전결

선 결			공람		
접수일시	1991 9.17				
처리과	30827				

0153

京鄕新聞
1991. 9.18.수, 14면

유엔가입 기념우표
3백만장 발행 판매

체신부는 18일 유엔가입 기념우표와 기념우표책을 발행, 전국우체국에서 판매한다.

체신부가 유엔가입을 기념해서 발행한 기념우표는 한반도와유엔마크를도안한 1백원짜리 3백만장이다.

0154

문화사절단 파견하는 李御寧장관

"유엔을 문화외교무대로 활용"

인터뷰

「까치長官」. 지난해1월 木手論을 펴며 신설文化部의 초대장관으로 행정부에 데뷔한후 「實物文化」의 사령탑역할을 해온 李御寧문화부장관이 유엔가입과 19일 문화사절단파견에 때맞춰 본격적인 문화외교에 나선다.

취임초부터 修辭學의 대가다운 달변과 신선한 아이디어로 숱한 화제를 뿌렸던 李장관은 그동안 「우리것찾기」와 「작은 문화운동」을 주도, 생활속에 파고드는 실물문화의 윤곽을 다져왔다.

특히 문화여론의 산실인 「까치소리 전화」개설과 「달동네 쌈지공원」조성등 남이 돌아보지 않는 작은 일부터 추진, 「까치장관」과 「쌈지장관」에 「實物장관」의 이미지를 구축한 것도 李장관이 가꿔놓은 행정스타일 중의 하나다.

『그러나 이것만으로는 부족합니다. 서울 올림픽을 계기로 활황세를탄 우리의 國運이 유엔가입이란는 절호의 기회를 맞이한 이상 새로운 도약의 발판을 다져야합니다. 사실 세계의 현대사는 냉전역사의 현장인 한반도를 축으로 전개됐다는 사실을 인식할 필요가 있습니다. 특히 적대시해온 東·西의 젊은이들이 서울올림픽을 통해 화해의 축제마당을 연출한 것은 놀라운 역사의 반전입니다. 유엔가입도 이러한 맥락에서 냉전종식과 평화의 징표로 한국이 클로스업되고 있음을 의미합니다. 이런점에서 문화사절단의 역할은 중요합니다』

유엔가입과 관련, 대규모 문화사절단 파견을 앞두고 本紙와의 단독회견을 가진 李문화부장관은 유엔회원국으로서의 자부심못지않게 지금은 「세계속의 한국문화」라는 큰목표에 도전할 시점이라고 강조했다. 특히 오는25일 뉴욕 카네기홀무대에설 「천년의 소리」공연과 유엔가입기념으로 기증한 「月印千江之曲」은 밖으로 향하는 문화외교의 첫출발이 될 것이라고 밝혔다.

신명의 國樂가락 뉴욕휘감게

남과북 동질성회복 새轉機로

—유엔 가입으로 정치적으로, 사회적으로 또다른 변화가 예상되고 있다. 문화적측면에서의 의미는 어디에 있는가.

『우리의 이념과 사상이 세계사에 또한번 각광을 받을수 있는 기회라는데 이의가 없다. 서양의 사상이 대립의 이념이라면 우리의 사상은 화해의 이념이다. 문화를 숭상하는 민족이라는 역사적 전통이 이같은 우리문화의 특성을 잘 입증하고 있다. 물론 우리나라가 세계사의 한복판에 우뚝서기는 쉬운일이 아니다. 그러나 희망은 있다. 5천년 역사를 자랑하는 우리의 문화가 그일을 해낼 것이다』

—이번 문화사절단파견을 그런 맥락에서 이해해도 되는가.

『그렇다. 그동안 수많은 해외공연으로 우리문화가 소개되긴했으나 전통과 현대가 조화된 독창적인 무대는 이번이 처음이다. 특히 이번 문화사절단이 꾸미는 뉴욕카네기홀 무대에는 우리의 자랑거리인 아악을 중심으로 우주를 통합한 신비한 우리음악의 진수를 들려줄 계획이다. 현재 세계음악은 숨넘어가는 음악이 판을 치고있다. 이런점에서 세계에서 가장 느리고 조용한 우리음악을 들려줌으로써 문화적 전통과 역량을 과시하게 될 것이다』

—문화사절단의 규모와 특징은.

『인간문화재 두분을 포함, 모두 1백35명이 출연한다. 그리고 한국의 정신과 신바람을 표현한 「천년의 소리여」를 주제로 삼아 전통적인 우리음악을 선보이게 된다. 아악을 비롯, 대금독주·시나위 연주·가야금합주·판소리·민요·사물놀이 등 우리 고유의 색깔을 보이자는 게 이번 공연의 목표다. 물론 카네기홀 공연에는 각국 유엔대사와 외국의 저명한 문화예술계 인사들이 대거 초청될 것이다』

—문화선물 「月印千江之曲」이 갖는 의미는.

『월인천강지곡은 한글을 창제한 세종대왕께서 손수 지어 우리의 금속활자로 처음 찍어낸 책이다. 우리 고유의 말과 글이 있다는 사실과 세계최초의 금속활자를 발명한 민족임을 외국인들에게 일깨워줄 귀한 선물이다. 특히 구텐베르크보다 2백년 앞서 발명된 우리의 금속활자본과 틀을 유엔본부에 전시함으로써 위대한 문화국가임을 과시하게 될 것이다. 그리고 또 그것은 자연스럽게 세계公認의 기회를 가져다줄 것이다』

—남·북한 유엔동시가입은 남북문화교류에 새로운 전기가 될 것으로 보인다. 이에 대한 견해는.

『남북교류는 언제든지 열려있다. 지난해 임진각 답교놀이와 단오절 행사를 마련, 북한의 동참을 요청했으나 그들은 오지 않았다. 남북문화교류는 민족의 동질성회복과 또 민족통일의 관건이라는 점에서 매우 중요하다. 사실 문화부장관의 소임은 바로 이 문제의 해결에 있다고 생각하고 있다. 물론 어려운 일이다. 그러나 나는 낙관하고 있다. 특히 유엔가입으로 교류가능성은 그 어느때보다도 높다고 보고 이 일을 추진할 생각이다』

그러나 李장관의 대답은 남북문화교류에 관한한 명쾌하지 않다. 번번이 정치적 장애물에 걸려 좌절을 경험한 까닭이다. 그래도 좌절할 수 없다는게 李장관이 내세우는 의무이자 소신이다.

문화외교 역시 마찬가지다. 한국문화가 세계평화의 물결을 선도, 역사의 축으로 재등장할 것으로 기대하고 있다. 때로는 과소비라는 일부의 비판과 재치문답형 문화행정이라는 우정어린 충고에도 문화에 대한 열정은 요지부동이다.

바로 이점이 李御寧문화부장관의 강점이다. 독주하는 大木匠이 아니라 일하는 小木匠의 자세로 90년대의 문화시대를 열겠다는 취임소감이 더욱 돋보이는 대목이다. 그러나 李장관은 문화외교에 관한한 기둥과 서까래를 이어줄 大木匠을 자처하고 있다. 이제 남은것은 한국문화사에 기록될 튼튼한 집을 짓는 일이다.

〈鄭哲秀기자〉

문화사절단 파견을 계기로 문화외교를 선언한 李御寧문화부장관. 그는 멀지않은 장래에 한국문화가 세계사의 축으로 등장할 것이라고 장담했다.

「月印千江之曲」기증은 최초의 금속활자 세계公認 "자리매김"

0155

5. 유엔로고 상업적 사용문제

0156

The Korea Herald
1991. 9. 12. 木, page 6

Eighty Eight cigarette pack will carry a description of Korean unification formula on the occasion of the two Koreas' simultaneous entry into the United Nations on Sept. 17. The Korea Tobacco & Ginseng Corp. will sell 10 million packs of the newly-designed cigarettes.

The Korea Times
1991. 9. 12. 木, page 6

Ten million packs of 88 Light cigarettes, carrying congratulatory messages on Seoul and North Korea joining the United Nations and Seoul's formula for unification, will be on sale beginning today.

0157

朝鮮日報

1991. 9. 16. 월, 15면

유엔가입 前夜 첫「유엔시련」

"88담배 유엔마크 商業的 이용" 삭제 요구

한국담배인삼공사가 남북한 유엔동시 가입에 즈음하여 12일부터 시판중인 유엔가입기념담배 1천만갑에 그려진「유엔마크」에 대해 유엔관련 기구들이 그 삭제를 요구하는등 문제를 제기하고 있는 것으로 15일 알려져 귀추가 주목된다.

현재 한국에 대표부를 설치하고있는 유엔국제아동기금(UNICEF)、세계보건기구(WHO)、유엔개발계획(UNDP) 등은 유엔규정상 유엔마크는 상업적 목적에 이용될 수 없음에도 한국담배인삼공사가 이를「88라이트」담뱃갑에 무단 사용하고 있다고 지적、최근 이를 시정해 줄 것을 요구해 왔다고 관계 소식통이 전했다.

WHO-유니세프등 "유엔 禁煙운동 무색"

이들 유엔기구들은『유엔은 WHO를 중심으로 전세계적으로 금연운동을 벌이고 있으며、뉴욕 유엔건물전체가 금연구역으로 지정돼 있는데도、담뱃갑에 유엔마크를 이용한 것은 있을수 없는 일』이라고 주장하고 있다。

UNICEF등은 유엔마크를 삭제하지않을 경우、오는 17일 총회 개막후 본회의에서 정식 의제로 제기하는 문제도 검토하고 있는 것으로 알려졌다。

0158

기 안 용 지

분류기호 문서번호	연일 2031 - 45569 (전화 :)	시 행 상 특별취급	지급 / FAX송부
보존기간	영구 · 준영구. 10. 5. 3. 1	장	관
수 신 처 보존기간			
시행일자	1991. 9. 16.		

보조기관	국 장	전결	협조기관		문서통제 1991. 9. 16
	심의관				
	과 장				
기안책임자		송영완			발송 1991. 9. 16 외무부

경 유 수 신 참 조	한국담배인삼공사 사장	발신명의	
제 목	유엔가입 기념담배		

1. 우리나라에서 유엔을 대표하고 있는 주한 유엔개발 계획(UNDP) 사무소는 귀공사가 91.9.12. 발매한 남북한의 유엔가입 기념 담배에 유엔마크를 무단사용한데 대하여 별첨 항의 공한을 우리부로 송부하여 왔습니다.

2. 유엔마크는 유엔의 허가없이 상품 및 포장용기에 사용할 수 없으며, 또한 유엔은 산하기구인 유엔아동기금 (UNICEF), 세계보건기구(WHO)등을 통하여 전세계적인 금연

0153 /계속/

(2)

운동을 전개하고 있음을 고려할때, 금번 귀공사에서 발매한 유엔가입 기념담배에 유엔마크를 사용한 것은 유엔의 정책에 위배될 뿐만 아니라 유엔으로부터 우리정부에 대한 외교적 문제제기의 가능성도 배제할 수 없습니다.

3. 상기 유엔개발계획의 항의 공한에 대한 회신문 작성 및 향후 외교상의 문제가 제기될 경우에 대비코자 하니, 유엔가입 기념담배 발매 경위, 제작 및 판매총량, 배포처 (주한공관 또는 해외공급 여부포함), 담배이외의 상품에 유엔마크 사용여부등에 관한 상세한 자료를 9.20한 우리부로 송부하여 주시기 바랍니다.

첨부 : 주한 유엔개발계획 사무소 항의 공한 사본 1부. 끝.

0160

United Nations
Development Programme

W Development

ORG 130/2-ROK

13 September 1991

FACSIMILE

Dear Mr. Moon,

I am writing this letter to draw your attention to the newspaper articles of both the Korea Herald and the Korea Times on 12 September 1991, stating that Eighty eight cigarette pack will carry congratulatory messages on South and North Koreas joining the UN and the description of Korean unification formula and will sell 10 million packs of this newly designed cigarettes. The photo shows that the package will also carry the logo of the United Nations. A copy of the articles is attached.

While we are fully aware of the importance of this occasion, the use of the UN logo on the cigarette packages would not be very suitable and would even damage the image of the United Nations.

As you know, the use of the UN logo is strictly restricted. We are wondering whether the Korea Tobacco and Ginseng Corp. has had any prior authorization from the United Nations for the use of the UN logo. If not, it is clearly the violation of the UN Rules and Regulations concerning the use of the UN logo. In addition, WHO and UNICEF are clearly in the position to oppose tobacco smoking as danger to health and thus are seriously disturbed by these articles.

For these reasons, we would also appreciate it if you could make an appropriate intervention in this matter.

Yours sincerely,

K. Naka

Kyo Naka
Officer-in-Charge

Mr. MOON Dong-Suk
Director-General
International Organizations and
Treaties Bureau
Ministry of Foreign Affairs
Seoul
FAX: 720-2686

353-8, SHINDANG-DONG, CHOONG-KU, SEOUL, REPUBLIC OF KOREA
MAIL : C. P. O. BOX 143, Seoul 100-601 · TELEPHONE : 237-9562/6, 233-1411(RR)
CABLE : UNDEVPRO SEOUL · TELEX : K27366 · FACSIMILE : (822) 233-1412

0161

(DRAFT)

Dear Mr. Naka,

With reference to your telephone conversation with Mr. Ham, Myung Chul, Deputy Director General of the Treaties Bureau, and your letter of 13 September 1991, I wish to inform you that the Korea Tobacco and Ginseng Corporation(KT & G) designed a new Eighty-Eight cigarette pack carrying the logo of the United Nations without prior consultation with the Ministry of Foreign Affairs and without authorization from the UN.

Upon hearing the matter from you, we advised the KT & G verbally and in writing that the use of the UN logo without permission from the UN clearly violates the UN Rules and Regulations and that the 10 million packs of the newly designed cigarettes should be withdrawn immediately.

However, according to the KT & G, all the 10 million packs of Eighty-Eight were distributed on 12 September 1991 and, considering that 5.5 million packs of Eighty-Eight are sold a day, these newly designed packs were presumed to be consumed by 13 September 1991.

Please be advised that the Ministry of Foreign Affairs is inquiring the details of this matter and you will be further informed of the result.

앙고재 91년 9월 16일	담당	과장	국장
	[signature]	[signature]	[signature]

/1...

0162

Sincerely yours,

Keum, Jung Ho
Acting Director-General,
International Organizations
Bureau, MOFA

0163

United Nations
Development Programme

World Development

ORG 130/2-ROK

13 September 1991

FACSIMILE

Dear Mr. Moon,

I am writing this letter to draw your attention to the newspaper articles of both the Korea Herald and the Korea Times on 12 September 1991, stating that Eighty eight cigarette pack will carry congratulatory messages on South and North Koreas joining the UN and the description of Korean unification formula and will sell 10 million packs of this newly designed cigarettes. The photo shows that the package will also carry the logo of the United Nations. A copy of the articles is attached.

While we are fully aware of the importance of this occasion, the use of the UN logo on the cigarette packages would not be very suitable and would even damage the image of the United Nations.

As you know, the use of the UN logo is strictly restricted. We are wondering whether the Korea Tobacco and Ginseng Corp. has had any prior authorization from the United Nations for the use of the UN logo. If not, it is clearly the violation of the UN Rules and Regulations concerning the use of the UN logo. In addition, WHO and UNICEF are clearly in the position to oppose tobacco smoking as danger to health and thus are seriously disturbed by these articles.

For these reasons, we would also appreciate it if you could make an appropriate intervention in this matter.

Yours sincerely,

K. Naka

Kyo Naka
Officer-in-Charge

Mr. MOON Dong-Suk
Director-General
International Organizations and
Treaties Bureau
Ministry of Foreign Affairs
Seoul
FAX: 720-2686

353-8, SHINDANG-DONG, CHOONG-KU, SEOUL, REPUBLIC OF KOREA
MAIL : C. P. O. BOX 143, Seoul 100-601 · TELEPHONE : 237-9562/6, 233-1411(RR)
CABLE : UNDEVPRO SEOUL · TELEX : K27366 · FACSIMILE : (822) 233-1412

0164

The Korea Herald

12 September 1991

Ten million packs of 88 Light cigarettes, carrying congratulatory messages on Seoul and North Korea joining the United Nations and Seoul's formula for unification, will be on sale beginning today.

The Korea Times

12 September 1991

Eighty Eight cigarette pack will carry a description of Korean unification formula on the occasion of the two Koreas' simultaneous entry into the United Nations on Sept. 17. The Korea Tobacco & Ginseng Corp. will sell 10 million packs of the newly-designed cigarettes.

0165

FAX 송부
(9/17)

MINISTRY OF FOREIGN AFFAIRS
REPUBLIC OF KOREA

17 September 1991

Dear Mr. Naka,

With reference to your telephone conversation with Mr. Ham, Myung Chul, Deputy Director General of the Treaties Bureau, and your letter of 13 September 1991, I wish to inform you that the Korea Tobacco and Ginseng Corporation(KT & G) designed a new Eighty-Eight cigarette pack carrying the logo of the United Nations without prior consultation with the Ministry of Foreign Affairs and without authorization from the UN.

Upon hearing the matter from you, we advised the KT & G verbally and in writing that the use of the UN logo without permission from the UN clearly violates the UN Rules and Regulations and that the 10 million packs of the newly designed cigarettes should be withdrawn immediately.

However, according to the KT & G, all the 10 million packs of Eighty-Eight were distributed on 12 September 1991 and, considering that 5.5 million packs of Eighty-Eight are sold a day, these newly designed packs were presumed to be consumed by 13 September 1991.

Please be advised that the Ministry of Foreign Affairs is inquiring the details of this matter and you will be further informed of the result.

Sincerely yours,

Jung H. Keum

Keum, Jung Ho
Acting Director-General,
International Organizations
Bureau, MOFA

0166

외 무 부

종 별 :

번 호 : UNW-3047 일 시 : 91 0927 2130

수 신 : 장 관(연일)

발 신 : 주 유엔 대사

제 목 : 유엔문장사용

FLEISCHHAUER 유엔 법률담당 사무차장은 9.24 자본직앞 별첨 서한을 통하여 아국 담배인삼공사의 유엔문장 사용 담배 판매계획과 관련 유감을 표명하고 동 공사의 여사한 계획을 중지하도록 아국정부가 가능한 모든 조치를 취하여 줄것을 요청하여 왔는바, 검토 조치후 결과 회시바람.

첨부:동서한 사본1부: UNW(F)-572 끝

(대사 노창희-국장)

국기국 1차보

PAGE 1

91.09.28 10:52 WG

외신 1과 통제관

0167

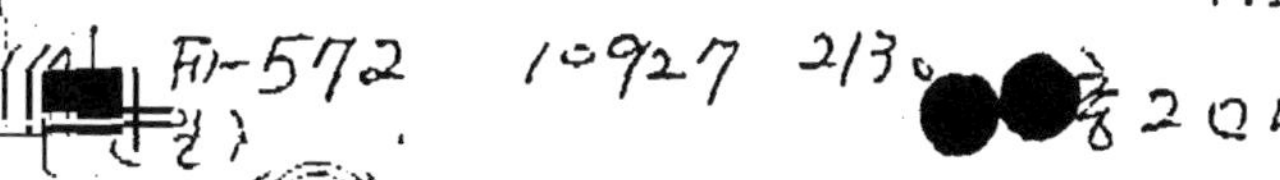

UNITED NATIONS  NATIONS UNIES

POSTAL ADDRESS—ADRESSE POSTALE UNITED NATIONS, N.Y. 10017
CABLE ADDRESS—ADRESSE TELEGRAPHIQUE UNATIONS NEWYORK

REFERENCE: 24 September 1991

Dear Mr. Ambassador,

The attached notice which appeared in the Korea Times of 12 September 1991 has been brought to our attention.

We note that the Korea Tobacco and Ginseng Corporation intends to sell 10 million packs of cigarettes bearing the United Nations emblem on the occasion of the entry, on 17 September 1991 of the Republic of Korea and the Democratic Peoples Republic of Korea as new Members to the United Nations. We are greatly concerned that this unauthorized use might give the public at large the misleading impression that the Company and its products are somehow connected with or endorsed by the United Nations.

The appearance of the United Nations emblem on a product for sale is contrary to the letter and spirit of General Assembly resolution 29(I) of 7 December 1946 which provides that the United Nations emblem may not be used for commercial purposes or in any other way without the authorization of the Secretary-General, and recommends that Member States take the necessary legislative measure to prevent the use thereof without the authorization of the Secretary-General.

We would therefore be extremely grateful if the Government of the Republic of Korea would take every possible action as it deemed appropriate to stop the Korea Tobacco and Ginseng Corporation from using the United Nations emblem on its products and to request that the cigarette packs bearing the United Nations emblem be immediately withdrawn from circulation.

I remain, dear Mr. Ambassador,

Very truly yours,

Carl-August Fleischhauer
Under-Secretary-General for Legal Affairs
The Legal Counsel

H. E. Ambassador Chang Hee Roe
Permanent Mission of the Republic of Korea
to the United Nations
886 United Nations Plaza, Suite 300
New York, N.Y. 10017

#UNW-3047 첨부 2-1

0168

(2)

참고하시기 바랍니다.

첨 부 : 한국담배인삼공사 공문 사본 1부. 끝.

0171

한 국 담 배 인 삼 공 사

연일 150

상 개 22844-6037 (042-932-8016) 1991. 9. 18.

수 신 외무부장관

참 조 국제기구국장

제 목 유엔가입 기념담배 발매경위

1. 연일2031-45569(91.9.16)관련입니다.

2. 우리 민족의 오랜숙원인 유엔가입을 성사시키는데 주도적인 역할을 해 오신 귀부에 먼저 축하를 드립니다.

한국담배인삼공사는 정부투자기업으로서 UN가입의 국가적인 경축을 온국민과 함께 환영하고 경축분위기를 고조시키고 널리 홍보하는데 일익을 담당하기 위해 담배갑에 UN 가입을 환영하고 경축을 뜻하는 유엔로고와 우리의 염원인 통일을 위한 통일방안과 통일을 앞당길 수 있는 계기가 조성되었음을 홍보하는 내용이 담긴 기념 및 홍보담배를 발매하게 되었습니다.

3. UN가입이 우리의 오랜 염원이다보니 경축분위기에 심취되어 유엔로고의 사용여부도 확인하지 못하고 또한 UN창립 25주년 기념때도 담배갑에 유엔로고를 사용한 실례도 있고해서 깊은 생각없이 유엔로고를 담배갑에 삽입하게 되었습니다.

4. 담배인삼공사에서는 3.1절,광복절등 국경일과 국가적인 경축행사시 기념담배를 공익적인 측면에서 광고비를 받지 않고 발매해 오고 있으며 이번 유엔가입 경축담배도 이러한 취지에서 연례적인 일로 추진한 것이며, 결코 상업적 목적에서 기념담배를 발매한 것이 아님을 양지해 주시기 바랍니다.

- 1 -

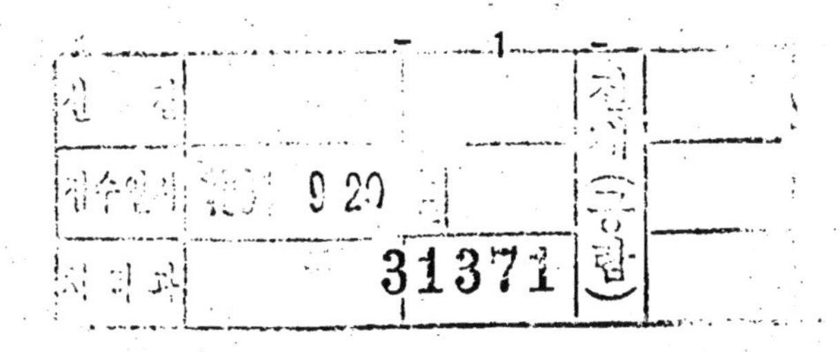

신 청		처리과
접수일시	1991. 9. 20	
처 리 과	31371	

0172

상 계 22844-   1991. 9. 18.

5. 또한 담배인삼공사에서는 이외에도 담배갑을 이용한 홍보매체로서의 국가시책 홍보 즉 새질서 새생활 실천, 에너지 절약, 저축의 생활화, 산불조심등을 홍보하고 있으며 사회복지 차원에서 담배갑 광고료를 국민체육진흥기금 및 암퇴치기금으로 조성하여 전액 국민체육진흥공단과 암연구재단에 납부하는등 사회환원사업에 힘쓰고 있습니다.

6. UN 산하기관인 WHO의 금연운동 취지에 부응하여 담배인삼공사에서는 담배갑에 흡연경고문을 종전의 "건강을 위하여 지나친 흡연을 삼갑시다"에서 89년부터는 "흡연은 폐암등을 일으킬 수 있으며 임산부와 청소년의 건강에 해롭습니다"로 강한 흡연경고 문구를 사용하고 있으며 광고 판촉물에도 흡연경고문을표시하고 있습니다.

또한 청소년이나 여성을 상대로한 광고.판촉은 물론 신문이나 TV 에도 담배광고는 하지 않고 있습니다.

7. 9.12자 발매한 유엔가입 기념담배는 88라이트 담배 1,000만갑으로서전국 1일 판매량 600만갑으로 환산하면 1.6일분 판매량에 불과하여 2-3일내 판매된 것이며 더 이상의 수량은 제조하지 않기로 하였습니다.

동 담배의 배포는 국내담배 소매소에 하였으며, 담배이외의 상품에 유엔마크를 사용한 사실은 없습니다.

앞으로 UN 의 기본정신에 따라 유엔마크 사용등 위반사항이 없도록 각별히 유념하겠습니다.

첨 부 : 1. '90-'91 기념담배 발매실적. 끝.

한 국 담 배 인 삼 공 사 사 장

0173

외교문서 비밀해제: 남북한 유엔 가입 12

남북한 유엔 가입 결의안 채택 및 대응 3

초판인쇄 2024년 03월 15일
초판발행 2024년 03월 15일

지은이 한국학술정보(주)
펴낸이 채종준
펴낸곳 한국학술정보(주)
주 소 경기도 파주시 회동길 230(문발동)
전 화 031-908-3181(대표)
팩 스 031-908-3189
홈페이지 http://ebook.kstudy.com
E-mail 출판사업부 publish@kstudy.com
등 록 제일산-115호(2000. 6. 19)

ISBN 979-11-6983-955-6 94340
979-11-6983-945-7 94340 (set)

이 책은 한국학술정보(주)와 저작자의 지적 재산으로서 무단 전재와 복제를 금합니다.
책에 대한 더 나은 생각, 끊임없는 고민, 독자를 생각하는 마음으로 보다 좋은 책을 만들어갑니다.